Le Précis d'Économie

Daniel Martina

Édition mise à jour

NATHAN

Sommaire

© Éditions Nathan, Paris 1991 - ISBN : 2-09-177663-7

Mode d'emploi

Divisé en 6 parties, l'ouvrage s'organise par doubles pages.
Chaque double page fait le point sur une question.

à gauche

Une page synthèse.
Elle apporte toutes
les informations.

à droite

Une page explications.
Elle fait le point, elle
précise, elle illustre.

Le repérage des
6 grandes parties

Le titre de la
double page

Quelques lignes
d'introduction

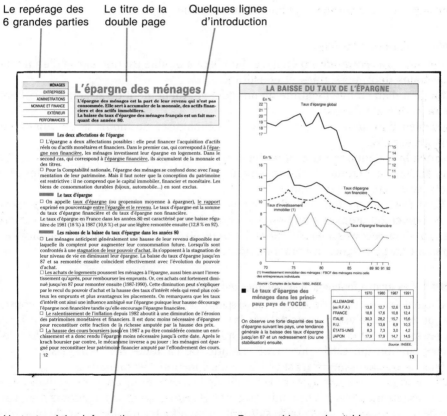

Un texte où les informations
essentielles sont vite
repérables

Des graphiques, des tableaux,
des connaissances présentées
très clairement

MÉNAGES

ENTREPRISES

ADMINISTRATIONS

MONNAIE ET FINANCE

EXTÉRIEUR

PERFORMANCES

Les ménages

Le secteur des ménages comprend pour l'essentiel les personnes physiques résidentes regroupées en unités dont le comportement de consommation est supposé autonome.
Accessoirement, il comprend aussi les entrepreneurs individuels dont ce secteur décrit l'activité de production.

■■■■ Définition des ménages

Un <u>ménage</u> est l'ensemble des occupants d'une même résidence principale privée qu'ils aient ou non des liens de parenté. Au sens statistique du terme, un ménage peut donc ne comprendre qu'une seule personne.

■■■■ Ménages et familles

☐ Il ne faut pas confondre ménage et famille. La famille est une partie d'un ménage d'au moins deux personnes et constituée :
— ou bien d'un couple (légitime ou non) et éventuellement de ses enfants célibataires de moins de 25 ans ;
— ou bien d'un parent et de ses enfants célibataires de moins de 25 ans (famille monoparentale).
Les membres d'un ménage n'appartenant pas à une famille constituent des « isolés ». Sont ainsi classés comme isolés les enfants célibataires de plus de 25 ans et les ascendants sans conjoint d'un couple.
☐ C'est la structure familiale du ménage qui permet de déterminer la « personne de référence du ménage » (notion qui a remplacé la notion précédente de « chef de ménage » au recensement de 1982). Ce peut être la personne active employée, la personne la plus âgée, la personne adulte sans conjoint, etc.

■■■■ Les quatre fonctions économiques des ménages

☐ L'agent économique « ménage » se présente d'abord comme une <u>unité de consommation</u> et est analysé comme tel par la Comptabilité nationale. L'intérêt principal du regroupement de la population en ménages réside en effet dans l'étude de la consommation qui est le débouché essentiel de l'activité des entreprises.
☐ Mais la consommation n'est pas la seule fonction des ménages.
— D'abord parce que ce secteur accueille également les <u>entrepreneurs individuels</u>. Ceux-ci regroupent les petits commerçants, artisans et petits agriculteurs dont l'activité de production n'a pas la taille suffisante pour adopter une structure de type sociétaire. Des comportements d'entreprise s'intègrent donc dans l'activité des ménages.
— Ensuite parce que les ménages <u>épargnent</u> la partie du revenu qu'ils ne consomment pas. C'est-à-dire qu'ils ont un comportement d'investissement et de placement monétaire et financier.
— Enfin, quand leurs ressources propres sont insuffisantes, les ménages <u>empruntent</u> : ils ont un comportement d'endettement.

LES MÉNAGES EN CHIFFRES

N° de CS	Catégorie socio-professionnelle	Population des ménages selon la CS de la personne de référence		
		1982 milliers	1990 milliers	Variation en %
11	Agriculteurs sur petite exploitation	1 247	522	− 58,1
12	Agriculteurs sur moyenne exploitation	937	594	− 36,6
13	Agriculteurs sur grande exploitation	702	716	+ 2,0
1	**Agriculteurs exploitants**	**2 886**	**1 832**	**− 36,5**
21	Artisans	2 271	2 085	− 8,2
22	Commerçants	1 366	1 369	+ 0,2
23	Chefs d'entreprise de 10 salariés ou plus	374	474	+ 27,0
2	**Artisans, commerçants, chefs d'entreprise**	**4 011**	**3 929**	**+ 2,1**
31	Professions libérales	590	724	+ 22,8
33	Cadres de la fonction publique	602	666	+ 10,6
34	Professeurs, professions scientifiques	654	933	+ 42,7
35	Professions information, arts et spectacles	185	258	+ 39,8
37	Cadres administratifs et commerciaux d'entreprise	1 495	1 701	+ 13,8
38	Ingénieurs, cadres techniques d'entreprise	1 169	1 663	+ 42,2
3	**Cadres, professions intellectuelles supérieures**	**4 694**	**5 945**	**+ 26,6**
42	Instituteurs et assimilés	935	874	− 6,6
43	Professions intermédiaires santé et travail social	604	752	+ 24,4
44	Clergé, religieux	38	31	− 19,7
45	Professions interm. administr. de la fonction publique	511	665	+ 30,2
46	Prof. interm. administr. et commerc. d'entreprises	1 866	2 233	+ 19,7
47	Techniciens	1 738	1 777	+ 2,3
48	Contremaîtres, agents de maîtrise	1 808	1 697	− 6,2
4	**Professions intermédiaires**	**7 500**	**8 028**	**+ 7,0**
52	Employés civils, agents service de la fonction publique	1 677	1 731	+ 3,2
53	Policiers et militaires	989	1 056	+ 6,8
54	Employés administratifs d'entreprise	1 982	1 465	− 26,1
55	Employés de commerce	508	605	+ 19,0
56	Personnels des services directs aux particuliers	551	705	+ 27,9
5	**Employés**	**5 708**	**5 562**	**− 2,6**
62	Ouvriers qualifiés de type industriel	4 203	4 088	− 2,8
63	Ouvriers qualifiés de type artisanal	3 525	3 733	+ 5,9
64	Chauffeurs	1 737	1 730	− 0,4
65	Ouvriers qualifiés manutention, magasinage, transport	1 105	1 052	− 4,9
67	Ouvriers non qualifiés de type industriel	3 940	3 207	− 18,6
68	Ouvriers non qualifiés de type artisanal	1 560	1 349	− 13,5
69	Ouvriers agricoles	561	473	− 15,7
6	**Ouvriers**	**16 632**	**15 632**	**− 6,0**
71	Anciens agriculteurs exploitants	1 288	1 432	+ 11,2
72	Anciens artisans, commerciaux, chefs d'entreprise	826	950	+ 15,0
74	Anciens cadres	549	962	+ 75,3
75	Anciennes professions intermédiaires	922	1 348	+ 46,2
77	Anciens employés	2 080	2 583	+ 24,2
78	Anciens ouvriers (y compris agricoles)	3 119	4 303	+ 38,0
7	**Retraités**	**8 783**	**11 577**	**+ 31,8**
81	Chômeurs n'ayant jamais travaillé	62	119	+ 92,7
83	Militaires du contingent	22	21	− 4,4
84	Élèves et étudiants de 15 ans ou plus	297	446	+ 50,1
85	Autres inactifs de moins de 60 ans	1 615	1 331	− 17,6
86	Autres inactifs de 60 ans ou plus	770	962	+ 24,8
8	**Inactifs**	**2 767**	**2 880**	**+ 4,1**
	Total	**52 981**	**55 384**	**+ 4,5**

Source : Recensements de 1982 et 1990.

MÉNAGES

ENTREPRISES

ADMINISTRATIONS

MONNAIE ET FINANCE

EXTÉRIEUR

PERFORMANCES

Le comportement du consommateur

L'approche de la consommation en termes de comportement rationnel suppose que l'individu compare, avant d'acheter des biens, les avantages et les inconvénients des différentes solutions proposées par le marché pour satisfaire ses besoins. Il choisit ainsi la solution optimale : celle qui maximise sa satisfaction compte tenu du budget dont il dispose.

▬▬▬ La maximisation de la satisfaction du consommateur

☐ Le consommateur choisit librement d'acheter, sous la contrainte du revenu dont il dispose, les biens qui lui seront les plus utiles. Théoriquement, pour un bien, l'utilité de la dernière unité achetée (utilité marginale) décroît lorsque croît le nombre d'unités achetées. On dira que l'utilité marginale est décroissante en fonction de la quantité consommée.

Exemple : Soit un consommateur disposant d'un revenu R qu'il souhaite dépenser intégralement dans l'achat de deux biens dont les prix sont P_1 et P_2 et dont les utilités marginales (décroissantes) sont notées U_1 et U_2. Quelle quantité de chaque bien doit-il choisir pour obtenir une satisfaction maximale ?

Supposons qu'ayant dépensé tout son revenu, la situation finale soit telle que :

$$(U_1/P_1) > (U_2/P_2).$$

Dans ce cas, le consommateur n'aura pas maximisé sa satisfaction car l'utilité du dernier franc dépensé dans l'achat du bien 1 (U_1/P_1) est supérieure à l'utilité du dernier franc dépensé dans l'achat du bien 2 (U_2/P_2). Il aurait donc intérêt à augmenter sa consommation de bien 1, de telle façon que U_1 diminuant (puisque sa consommation augmente) et que U_2 augmentant (puisque sa consommation diminue), on arrive à l'égalité : $(U_1/P_1) = (U_2/P_2)$.

☐ Règle : L'optimum du consommateur est atteint quand les achats des biens 1 et 2 sont tels que les utilités marginales divisées par les prix soient égales pour tous les biens. Dans ce cas, l'utilité du dernier franc dépensé est la même dans tous les emplois possibles.

▬▬▬ Les courbes de demande

La demande du consommateur pour chaque bien dépend donc du revenu dont il dispose et des prix. Lorsque le revenu et les prix varient, le consommateur est amené à réaménager ses choix. La relation qui existe alors entre le prix d'un bien et la quantité demandée est appelée <u>courbe de demande en fonction du prix</u>. La relation qui existe entre la quantité demandée et le revenu est la <u>courbe de demande en fonction du revenu</u>.

Normalement, la quantité demandée varie inversement avec le prix et directement avec le revenu. Mais il existe des exceptions.

NOTION D'ÉLASTICITÉ ET CLASSEMENT DES BIENS

• **L'élasticité de la demande d'un bien par rapport à son prix** est la variation en pourcentage de la quantité demandée quand le prix augmente de 1 %.
Exemple : Produits laitiers $e_p = -1,70$. La demande de produits laitiers baisse de 1,70 % quand le prix augmente de 1 %.

• **L'élasticité de la demande d'un bien par rapport au revenu** est la variation en pourcentage de la quantité demandée quand le revenu augmente de 1 %.

Exemple : Produits laitiers en $e_r = 0,68$. La demande de produits laitiers augmente de 0,68 % quand le revenu augmente de 1 %.

• Par définition, une demande est dite **élastique** (par rapport au prix ou au revenu) quand l'élasticité est supérieure à 1 en valeur absolue. Elle est **inélastique** dans le cas contraire. On parlera d'**élasticités atypiques** quand l'élasticité-prix est positive ou quand l'élasticité-revenu est négative.

Types de bien	Élasticité-prix	Élasticité-revenu	Exemples
1. Bien absolument indispensable, toujours demandé, même pour des revenus très faibles	nulle	nulle	Eau du robinet
2. Bien inférieur (« effet Giffen »). Lorsque le prix du pain, au 18e siècle, augmente, les pauvres en achètent davantage car leur perte de pouvoir d'achat est telle qu'il faut sacrifier des biens alimentaires plus onéreux et donc consommer plus de pain. Par ailleurs, si le revenu augmente, la consommation se déplacera vers d'autres biens	positive (atypique)	négative (atypique)	Pain au 18e siècle
3. Bien nécessaire, mais courant	inélastique	inélastique	Viande Habillement ordinaire
4. Bien nouvellement perçu comme nécessaire	inélastique	élastique	Santé Automobiles
5. Bien de luxe traditionnel	inélastique	élastique	Vison
6. Bien non indispensable, ayant donc un aspect « de luxe », mais dont le statut social est précaire	élastique	élastique	Livres, quotidiens, périodiques.
7. Bien de consommation ostentatoire (« effet Veblen »). Dépend fortement du pouvoir d'achat. La demande croît avec le prix car le prix est un élément du statut social du consommateur	positive (atypique)	élastique	La dernière Ferrari
8. Bien non nécessaire, mais largement diffusé dans toutes les couches sociales	élastique	inélastique	Cinéma

MÉNAGES
ENTREPRISES
ADMINISTRATIONS
MONNAIE ET FINANCE
EXTÉRIEUR
PERFORMANCES

La consommation des ménages

> **La consommation des ménages est l'achat de biens et services destinés à satisfaire leurs besoins.**
> **C'est le principal emploi du Produit Intérieur Brut : elle représente dans l'économie française en 1992 environ 60 % du PIB, soit une moyenne d'environ 74 000 F par personne.**

▬▬▬ La consommation des ménages dans la Comptabilité Nationale (CN)

☐ La consommation des ménages est qualifiée par la CN de consommation finale car il s'agit d'utilisation de biens sans concours à une nouvelle production. La CN n'enregistre pas dans la consommation les achats de logements neufs ni les grosses réparations qui sont comptés en investissements. Elle prend en revanche en compte les dépenses de loyers et les charges locatives. Les dépenses de santé sont comptabilisées mais en ce qui concerne les hôpitaux, seule la part effective des ménages est retenue. La consommation comprend également l'autoconsommation de produits alimentaires par les agriculteurs ainsi que les loyers implicites des logements habités par leur propriétaire.

Enfin, faute d'informations, on ne se préoccupe pas des stocks détenus par les ménages : on considère qu'est consommé immédiatement tout bien acquis sur le marché.

▬▬▬ Le classement des biens de consommation

☐ Puisqu'ils sont destinés à satisfaire des besoins, les biens consommés peuvent d'abord être classés par fonction (ex. : produits alimentaires, habillement, logement, loisirs et culture...).

☐ Par ailleurs, l'utilisation des biens de consommation conduit à leur destruction. On peut alors classer les biens selon la durée de leur utilisation. Cette approche permet de distinguer les *biens durables* (ex. : automobile), les *biens semi-durables* (ex. : l'habillement), les *biens non durables* (ex. : alimentation) et les *services* (ex. : santé).

▬▬▬ La structure de la consommation

La structure de la consommation s'analyse à l'aide des coefficients budgétaires. Le coefficient budgétaire d'un bien donné dans la consommation globale est le rapport exprimé en pourcentage de la consommation du bien dans l'ensemble de la consommation.

Ces coefficients peuvent être utilisés pour étudier l'évolution dans le temps, par fonction et par durabilité, du poids des différentes catégories de dépenses de consommation.

Ils peuvent également être croisés avec d'autres critères (comme le revenu et la localisation par exemple) pour comparer les différents comportements de consommation à un moment donné.

LES COEFFICIENTS BUDGÉTAIRES

■ Le classement par fonction

Nomenclature des fonctions (%)	1950	1963	1973	1985	1991	1992
Alimentation + tabac	42,8	30,5	24,5	20,7	19,3	18,9
Habillement.	10,8	9,5	8,2	6,3	6,4	6,2
Habitation	16,8	22,4	25,5	26,6	27,6	28,1
Hygiène et santé.	6,5	7,9	10,7	15,9	9,7	10,0
Transports et télécommunications . .	6,3	10,0	12,5	13,8	16,3	16,3
Culture, loisirs, distractions.	7,0	5,8	6,4	6,3	7,7	7,6
Hôtels, restaurants, divers	9,8	13,1	12,2	10,4	13,0	12,9
Ensemble	100	100	100	100	100	100

e. Évaluation 1950 estimée selon les conventions
de l'"ancienne base" (1959).

Source : INSEE.

• À mesure de la croissance du niveau de vie, la part des biens de première nécessité (alimentation, habillement) décroît tandis que croît fortement la part des dépenses consacrées à l'habitation, aux transports et télécommunications et aux loisirs.

• Les dépenses consacrées aux nouvelles technologies de l'information et des loisirs occupent une part fortement croissante dans la consommation des ménages. Or, contrairement aux années 60 pendant lesquelles on avait observé un phénomène comparable avec les biens d'équipement de la maison, ces nouveaux biens n'économisent pas le temps mais le consomment. Leur potentialité de croissance semble donc liée à la diminution de la durée du travail.

■ Le classement par durabilité

Source : INSEE.

en %	1970	1980	1992
Biens durables	7,3	8,9	7,5
(dont automobiles)	(2,6)	(3,6)	(3,6)
Biens semi-durables	18,8	16,7	14,3
Biens non durables	40,1	37,7	34,1
(dont alimentation)	(24,5)	(20,4)	(17,9)
Services	33,9	36,6	44,1
	100	100	100

■ La consommation élargie

La consommation finale des ménages définie comme l'achat de biens et services sur le marché donne une vision incomplète de la consommation. Il faut leur ajouter la consommation de services collectifs individualisables fournis par les administrations tels que les services de Sécurité sociale, d'enseignement, de santé, d'action sociale et culturelle. On construit alors le concept de consommation élargie de la population.

Exemple : En 1992
Consommation élargie = 4 889 milliards
dont consommation finale =
4 208 milliards (86,1 %)
consommation collective individualisable
= 681 milliards (13,9 %).

MÉNAGES
ENTREPRISES
ADMINISTRATIONS
MONNAIE ET FINANCE
EXTÉRIEUR
PERFORMANCES

Macro-économie de la consommation

La théorie de la consommation cherche à expliquer la valeur des dépenses de consommation des ménages. Il s'agit d'une approche macro-économique car elle vise à en donner une explication globale sans entrer dans le détail des comportements individuels. Elle se présente généralement sous la forme d'une fonction mathématique simple dans laquelle le revenu joue le rôle essentiel.

Principe général de la théorie keynésienne de la consommation

☐ Dans la *Théorie générale de l'Emploi, de l'Intérêt et de la Monnaie* (1936), Keynes a proposé une explication qui constitue le point de départ de toute la théorie de la consommation.

☐ Il remarque qu'une multiplicité de facteurs subjectifs individuels peuvent influencer la consommation de manière contradictoire : la générosité s'oppose au calcul, l'imprévoyance à la réflexion, la prodigalité à l'avarice, l'ostentation à la modestie... Au niveau macro-économique, ces caractéristiques sont stables et se compensent ; seuls importent en définitive les déterminants économiques.

☐ Parmi les variables économiques, le montant du revenu disponible serait le déterminant fondamental. Keynes pense que les dépenses de consommation des ménages au cours d'une période sont directement fonction du montant du revenu disponible courant.

La « loi psychologique fondamentale » de la consommation selon Keynes

☐ Selon Keynes, cette « loi » repose aussi bien sur la psychologie que sur les données de l'expérience. Elle énonce deux principes.

☐ 1er principe : La consommation croît quand le revenu croît, mais d'un montant inférieur à l'accroissement du revenu.

— *Conséquence* : La propension marginale à consommer (pmc), qui est le rapport entre l'accroissement du revenu et l'accroissement de la consommation, est positive et inférieure à 1.

Exemple : Augmentation du Revenu   = 1 000 ⎱
           Augmentation de la Consommation =   800 ⎰ → pmc = 0,8

☐ 2e principe : La part du revenu qui est consommée diminue au fur et à mesure que le revenu augmente.

— *Conséquence* : La propension moyenne à consommer (PMC) qui est le rapport entre la consommation et le revenu disponible décroît quand le revenu croît.

Exemple : Revenu = 20 000 ; Consommation = 16 000 → PMC = 0,8
        Revenu = 30 000 ; Consommation = 21 000 → PMC = 0,7

DÉVELOPPEMENTS DE L'ANALYSE KEYNÉSIENNE DE LA CONSOMMATION

Si la théorie keynésienne est le point de départ de toute explication de la consommation, elle est néanmoins insuffisante. De nombreuses autres théories existent. Les plus importantes sont les suivantes :

■ Les effets d'inertie de la consommation (Brown)

La théorie keynésienne suppose que la consommation s'ajuste instantanément au revenu. Or, il est clair que la consommation passée engendre un ensemble d'habitudes dont le consommateur est relativement prisonnier, au moins à court terme. Il en résulte que, quand le revenu augmente, la consommation augmentera beaucoup moins qu'elle ne l'aurait fait si l'adaptation avait été instantanée. Ce n'est que si l'augmentation du revenu se maintient qu'elle augmentera significativement. Cette théorie permet d'expliquer pourquoi la consommation est plus élastique au revenu à long terme qu'à court terme.

■ La théorie du revenu relatif (Duesenberry)

Selon cette approche, la consommation ne dépend pas du revenu absolu, mais du revenu relatif, c'est-à-dire de la position du revenu du ménage dans l'ensemble de la distribution des revenus d'une économie. Ainsi, par exemple, les ménages qui ont des revenus situés au bas de la hiérarchie consomment tout leur revenu, tandis que ceux qui appartiennent à des tranches supérieures épargnent d'autant plus que leur position est élevée. Si une progression générale des revenus n'en change pas la hiérarchie, chaque ménage continuera donc à consommer le même pourcentage de son revenu. Au niveau global, la PMC reste constante — ce qui se vérifie bien sur de longues périodes, statistiquement.

■ La théorie du revenu permanent (Friedman, prix Nobel)

Elle part de l'idée que lorsque le revenu d'un ménage évolue de façon imprévue, il n'y a aucune raison pour que la consommation s'adapte. En fait, il faut décomposer le revenu courant en revenu permanent + revenu transitoire. Le revenu permanent est le revenu que le consommateur s'attend normalement à percevoir sur une longue période. La consommation sera une fraction constante de ce revenu permanent. Il en résulte qu'en cas de baisse du pouvoir d'achat (revenu transitoire négatif), la chute de l'épargne permettra de maintenir le niveau de consommation. Cette théorie explique bien, par exemple, la situation française entre 1985 et 1987.

■ La théorie du cycle de vie (Modigliani, prix Nobel)

Cette approche repose sur l'idée que les consommateurs aménagent leur consommation et leur épargne sur la durée de leur vie adulte. Ils s'endettent d'abord, puis épargnent pour rembourser et se constituer un patrimoine, et enfin amputent leur patrimoine au moment de la retraite quand les revenus baissent. Cette théorie explique bien pourquoi les dépenses de consommation sont « lissées » sur une longue période.

MÉNAGES

ENTREPRISES

ADMINISTRATIONS

MONNAIE ET FINANCE

EXTÉRIEUR

PERFORMANCES

L'épargne des ménages

L'épargne des ménages est la part de leur revenu qui n'est pas consommée. Elle sert à accumuler de la monnaie, des actifs financiers et des actifs immobiliers.
La baisse du taux d'épargne des ménages français est un fait marquant des années 80.

Les deux affectations de l'épargne

☐ L'épargne a deux affectations possibles : elle peut financer l'acquisition d'actifs réels ou d'actifs monétaires et financiers. Dans le premier cas, qui correspond à l'épargne non financière, les ménages investissent leur épargne en logements. Dans le second cas, qui correspond à l'épargne financière, ils accumulent de la monnaie et des titres.

☐ Pour la Comptabilité nationale, l'épargne des ménages se confond donc avec l'augmentation de leur patrimoine. Mais il faut noter que la conception du patrimoine est restrictive : il ne comprend que le capital immobiler, financier et monétaire. Les biens de consommation durables (bijoux, automobile...) en sont exclus.

Le taux d'épargne

☐ On appelle taux d'épargne (ou propension moyenne à épargner), le rapport exprimé en pourcentage entre l'épargne et le revenu. Le taux d'épargne est la somme du taux d'épargne financière et du taux d'épargne non financière.
Le taux d'épargne en France dans les années 80 est caractérisé par une baisse régulière de 1981 (18 %) à 1987 (10,8 %) et par une légère remontée ensuite (12,8 % en 92).

Les raisons de la baisse du taux d'épargne dans les années 80

☐ Les ménages anticipent généralement une hausse de leur revenu disponible sur laquelle ils comptent pour augmenter leur consommation future. Lorsqu'ils sont confrontés à une stagnation de leur pouvoir d'achat, ils s'opposent à la stagnation de leur niveau de vie en diminuant leur épargne. La baisse du taux d'épargne jusqu'en 87 et sa remontée ensuite coïncident effectivement avec l'évolution du pouvoir d'achat.

☐ Les achats de logements poussent les ménages à l'épargne, aussi bien avant l'investissement qu'après, pour rembourser les emprunts. Or, ces achats ont fortement diminué jusqu'en 87 pour remonter ensuite (1987-1990). Cette diminution peut s'expliquer par le recul du pouvoir d'achat et la hausse des taux d'intérêt réels qui rend plus coûteux les emprunts et plus avantageux les placements. On remarquera que les taux d'intérêt ont ainsi une influence ambiguë sur l'épargne puisque leur hausse décourage l'épargne non financière tandis qu'elle encourage l'épargne financière.

☐ Le ralentissement de l'inflation depuis 1982 aboutit à une diminution de l'érosion des patrimoines monétaires et financiers. Il est donc moins nécessaire d'épargner pour reconstituer cette fraction de la richesse amputée par la hausse des prix.

☐ La hausse des cours boursiers jusqu'en 1987 a pu être considérée comme un enrichissement et a donc rendu l'épargne moins nécessaire jusqu'à cette date. Après le krach boursier par contre, le mécanisme inverse a pu jouer : les ménages ont épargné pour reconstituer leur patrimoine financier amputé par l'effondrement des cours.

LA BAISSE DU TAUX DE L'ÉPARGNE

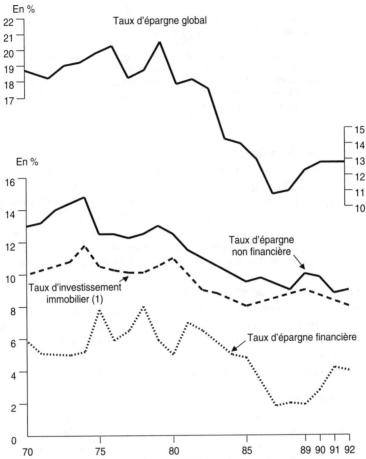

En %

Taux d'épargne global

(1) Investissement immobilier des ménages : FBCF des ménages moins celle des entrepreneurs individuels

Source : Comptes de la Nation 1992, INSEE.

■ Le taux d'épargne des ménages dans les principaux pays de l'OCDE

On observe une forte disparité des taux d'épargne suivant les pays, une tendance générale à la baisse des taux d'épargne jusqu'en 87 et un redressement (ou une stabilisation) ensuite.

	1970	1980	1987	1991
ALLEMAGNE (ex R.F.A.)	13,8	12,7	12,6	13,3
FRANCE	18,8	17,6	10,8	12,4
ITALIE	30,3	28,2	15,7	15,6
R.U.	9,2	13,8	6,9	10,3
ÉTATS-UNIS	8,3	7,3	3,0	4,2
JAPON	17,9	17,9	14,7	14,5

Source : INSEE.

MÉNAGES
ENTREPRISES
ADMINISTRATIONS
MONNAIE ET FINANCE
EXTÉRIEUR
PERFORMANCES

Les placements des ménages

Les comportements de placement des ménages se sont considérablement transformés depuis une vingtaine d'années.
Ces modifications tiennent à l'évolution du contexte économique,
à l'apparition de nouveaux produits financiers et aux mesures
d'incitation prises par les pouvoirs publics.

▨▨▨ Les placements des ménages

L'épargne financière est placée dans les actifs financiers et monétaires suivants :
— moyens de paiements (pièces, billets, dépôts à vue monétaires) ;
— placements liquides (compte sur livret, dépôt à terme, épargne logement…) ;
— valeurs mobilières (obligations, actions, parts de FCP et de SICAV) ;
— créances sur les compagnies d'assurances (assurance-vie et capitalisation).
Depuis les années 70, la part des valeurs mobilières et des produits d'assurance a
constamment augmenté au détriment de la monnaie et des placements liquides.

▨▨▨ Les placements et le contexte économique

Les placements évoluent suivant le contexte économique. Ainsi, à partir de 1982,
la désinflation a diminué le besoin des ménages en moyens de paiements. La faiblesse de la rémunération des comptes sur livret et des dépôts à terme ont défavo-
risé les placements liquides. En revanche, les plus-values boursières et la bonne rentabilité de l'assurance-vie ont favorisé ce type de produits financiers.

▨▨▨ Les placements et les innovations financières

☐ L'innovation la plus importante est l'apparition des organismes de placement
collectif en valeurs mobilières (OPCVM) qui regroupent les sociétés d'investissement
à capital variable (SICAV) et les fonds communs de placements (FCP). Ces organismes ont offert aux ménages les avantages du professionnalisme de la gestion des
titres et de l'atténuation des risques due à la diversification des portefeuilles gérés.
☐ Les améliorations techniques apportées au fonctionnement de la Bourse ont
concouru à orienter indirectement les placements des ménages en permettant aux
OPCVM et aux compagnies d'assurance de réaliser de meilleures performances.
☐ Enfin, la distribution dans les agences bancaires de produits d'assurance-vie et
de bons de capitalisation a favorisé la réorientation de l'épargne vers les placements
à long terme en vue de la retraite.

▨▨▨ Le rôle des pouvoirs publics dans l'évolution des placements

D'une manière générale, la fiscalité de l'épargne favorise les placements en valeurs
mobilières (abattement sur les intérêts et dividendes, faible imposition des plus-values
boursières, système de l'avoir fiscal, crédit d'impôt sur l'assurance-vie, exonération
des intérêts des bons de capitalisation).

LES PLACEMENTS ET LEURS RISQUES

■ Un placement peut comporter plusieurs types de risques

• **Le risque de défaut** : l'éventualité de non-remboursement par le débiteur. Ce risque est nul pour les prêts à l'État, très faible pour les prêts aux banques, mais réel dans le cas des prêts aux entreprises.

• **Le risque de perte en capital** : l'éventualité de ne pas pouvoir récupérer la totalité des sommes placées.

• **Le risque de perte de pouvoir d'achat** : l'éventualité d'obtenir un rendement inférieur à l'inflation.

• **Le risque de liquidité** : l'éventualité d'encourir des pénalités, des coûts de transaction, et de devoir supporter des délais de règlement quand on veut transférer son placement en monnaie.

■ Quelques exemples

	Risque de défaut	Risque de perte en capital	Risque de perte de pouvoir d'achat	Risque de liquidité
Livret A des Caisses d'épargne	Non	Non	Oui quand l'inflation est supérieure à l'intérêt.	Non
Plan d'Épargne Logement	Très faible.	Non	Oui quand l'inflation est supérieure à l'intérêt.	Oui car la sortie avant terme est pénalisée (pertes d'intérêts et de droits aux prêts).
Assurance-vie	Très faible.	Non, sauf quand on choisit une sortie en rente.	Oui si l'inflation est supérieure à la rentabilité du contrat.	Oui car la sortie avant l'échéance est pénalisée sur le plan fiscal.
Obligation à taux fixe émise par une entreprise	Oui. L'entreprise peut faire faillite et ne pas pouvoir rembourser les créanciers.	Non si l'obligation est gardée jusqu'à l'échéance. Oui si elle est vendue avant l'échéance.	Oui si l'inflation est supérieure au taux nominal.	Assez bonne liquidité si cotation en Bourse. Des coûts de transaction cependant.
Action	Oui. En cas de faillite l'actionnaire passe après les créanciers.	Oui si le cours baisse.	Oui si l'inflation est supérieure au rendement (profits + hausse du cours).	Assez bonne liquidité si cotation en Bourse. Des coûts de transaction cependant.

MÉNAGES

ENTREPRISES

ADMINISTRATIONS

MONNAIE ET FINANCE

EXTÉRIEUR

PERFORMANCES

L'endettement
des ménages

**Les ménages sollicitent deux types principaux de crédit :
les crédits de trésorerie et les crédits destinés à l'habitat.
Les crédits à l'habitat sont les plus importants mais les crédits de
trésorerie ont beaucoup augmenté ces dernières années.**

▬▬▬ La croissance de l'endettement des ménages

L'endettement des ménages a fortement augmenté ces dix dernières années puisqu'il est passé de 37,5 % de leur revenu en 1978 à 51,9 % en 1992. Dans cet ensemble, les crédits à l'habitat représentent environ 85 % et les crédits de trésorerie environ 15 %.

▬▬▬ Les crédits de trésorerie

☐ Il s'agit principalement :

— des facilités de trésorerie liées aux délais de paiement permis par l'utilisation des cartes à paiement différé ;

— des crédits de trésorerie de plusieurs mois dont peuvent bénéficier les titulaires d'une carte de crédit ;

— des prêts personnels. Ils peuvent financer toute dépense n'ayant pas de rapport avec l'activité professionnelle de l'emprunteur ;

— du crédit à la consommation (ou financement des ventes à tempérament). Ces crédits permettent de financer l'acquisition de biens de consommation durables.

☐ La progression récente des crédits de trésorerie résulte d'une politique active d'offre de ce type de crédits par les banques en direction des ménages. La levée de l'encadrement du crédit en 1987 a rendu possible cette politique ; le ralentissement de la demande de crédit des entreprises l'a rendue nécessaire.

☐ La demande de crédit de trésorerie des ménages a été soutenue ces dernières années par leur désir de maintenir la consommation malgré l'évolution défavorable du pouvoir d'achat ainsi que par l'accroissement de la demande de biens d'équipement de la maison liée à la reprise de l'investissement en logement.

▬▬▬ Les crédits à l'habitat

☐ Il s'agit des prêts :

— du secteur de l'accession aidée (Prêts aidés pour l'accession à la propriété — les PAP —, et prêts complémentaires) ;

— du secteur administré ou conventionné (Prêts d'Épargne Logement, Prêts conventionnés) ;

— du secteur libre.

Dans cet ensemble, les PAP diminuent au profit des prêts du secteur libre.

☐ La progression des crédits à l'habitat s'explique par la proportion croissante des ménages devenant propriétaires et par la hausse des prix des logements.

LE FINANCEMENT DU LOGEMENT

■ Le secteur de l'accession aidée

• **Les prêts** : Prêts aidés pour l'accession à la propriété (PAP) ;
Prêts complémentaires de PAP.

• **Les caractéristiques** : les concours classés sous cette catégorie bénéficient d'une aide directe de l'État sous la forme d'une bonification d'intérêt versée aux organismes prêteurs et qui entraîne une diminution des taux d'intérêt pour les emprunteurs.
L'octroi de ces prêts est lié au respect de conditions concernant les ressources des occupants.

• **Les bénéficiaires** : ceux qui accèdent à la propriété et ne disposent pas de ressources supérieures à un plafond fixé en fonction de la composition du ménage, de l'activité du conjoint et de la zone géographique d'implantation du logement. Les bénéficiaires de PAP peuvent recevoir l'Aide Personnalisée au Logement (APL).

• **Les établissements compétents** : Crédit foncier (seul ou avec le concours d'autres établissements) ; Caisses d'Épargne et de Prévoyance pour les prêts consentis aux seules HLM.

■ Le secteur administré ou conventionné

• **L'épargne logement** : elle permet, après épargne préalable, d'obtenir des prêts à taux préférentiel prévu par le contrat. Cette épargne s'accumule sur des comptes d'EL (versements et retraits libres) ou dans le cadre de Plans (versements périodiques minimums prévus par le contrat). Elle peut donner lieu à octroi de prêts complémentaires.

Établissements compétents : banques, Caisses d'épargne, nombreux organismes financiers...

• **Les prêts conventionnés** : ces prêts ne bénéficient d'aucune aide directe de l'État mais les occupants des logements financés par les PC ont vocation à l'attribution de l'APL s'ils satisfont aux conditions de ressources qu'elle impose.
Les établissement compétents sont : les banques, les établissements financiers, les caisses de Crédit agricole, le Crédit mutuel, les Caisses d'épargne.

• **Les caractéristiques** : les prêts qui sont classés sous cette rubrique ne bénéficient pas de bonification d'intérêt mais peuvent donner lieu au versement d'une aide publique sous forme :
— de primes pour les régimes d'épargne-logement ;
— d'APL pour les prêts conventionnés.

■ Le secteur libre

• **Les prêts** : on trouve dans ce secteur des crédits à court terme (inférieurs à 2 ans), à moyen terme (2 à 7 ans), les prêts bancaires à long terme (hypothécaires ou non), les prêts « ordinaires » du Crédit foncier et du Crédit agricole, les prêts immobiliers des Caisses d'épargne...

• **Les caractéristiques** : ce secteur regroupe les concours au logement de caractère général et qui sont, pour la plupart, très peu réglementés.

MÉNAGES
ENTREPRISES
ADMINISTRATIONS
MONNAIE ET FINANCE
EXTÉRIEUR
PERFORMANCES

Le compte des ménages

> **Les opérations économiques effectuées par les ménages sont recensées dans un ensemble de comptes qui s'emboîtent les uns dans les autres et qui décrivent successivement leur activité de production, la perception des revenus et les opérations en capital.**

■■■■ L'activité de production est recensée dans deux comptes

☐ Le compte de production dont le solde est la Valeur Ajoutée Brute
— Ressources : la production des entrepreneurs individuels (on rappelle que la Comptabilité nationale les inclut dans le secteur des ménages), le service du logement (location réelle par les propriétaires et location fictive des propriétaires habitant leur propre logement), la production des jardins familiaux, l'emploi du personnel domestique mesuré par sa rémunération.
— Emplois : les consommations intermédiaires.
☐ Le compte d'exploitation dont le solde est l'Excédent Brut d'Exploitation
— Ressources : la VAB et les subventions d'exploitation versées aux entrepreneurs individuels.
— Emplois : les salaires et charges sociales versés par les entrepreneurs individuels, les impôts liés à la production.

■■■■ La formation du revenu est recensée dans le compte de revenu

Le compte de revenu des ménages décrit la formation de leur revenu disponible.
— Dans les ressources, on comprend l'EBE, auquel s'ajoutent :
- les revenus essentiels des ménages que sont les salaires bruts et l'ensemble des prestations sociales ;
- des ressources diverses, notamment d'indemnités d'assurances, d'intérêts et de dividendes.
— Mais des charges obligatoires viennent amputer l'ensemble de ces ressources :
- les cotisations sociales versées aussi bien par les employeurs que par les salariés ;
- les impôts sur le revenu et le patrimoine ;
- les primes d'assurance-dommages.
— Le solde du compte est le Revenu Disponible Brut (RDB).

■■■■ Le compte d'utilisation du revenu

Il décompose simplement le RDB en Consommation finale et Épargne brute.

■■■■ Le compte de capital

— Ressources : A l'épargne des ménages s'ajoutent des aides à l'investissement.
— Emplois : L'emploi essentiel de ces ressources est la Formation Brute de Capital Fixe (FBCF), c'est-à-dire principalement les logements neufs acquis par les ménages et les investissements des entreprises individuelles.
— Le solde du compte de capital est la capacité de financement des ménages, ou épargne financière, et qui représente ce que les ménages peuvent prêter au reste de l'économie.

LE COMPTE DES MÉNAGES (SIMPLIFIÉ)

(1992, en milliards de francs)

PRODUCTION

Consommations intermédiaires	458,9	Production = 1 972,1
Valeur ajoutée brute	(1 513,2)	

EXPLOITATION

Salaires	175,2	VAB (1 513,2)
Cotisations sociales	62,9	Subventions d'exploitation 33,6
Impôts/Production	44,2	
Excédent brut d'exploitation	(1 264,5)	

REVENU

Intérêts versés	299,0	EBE (1 264,5)
Assurances (Primes)	93,0	Salaires (y compris Cotisations sociales) 3 666,2
Impôts sur le Revenu	476,4	Intérêts et Dividendes reçus 523,1
Cotisatons sociales	1 604,3	Assurances (Indemnités) 121,5
Autres transferts	92,8	Prestations sociales 1 687,5
		Autres transferts 129,0
Revenu disponible brut	(4 826,5)	

UTILISATION DU REVENU

Consommation	4 208,4	RDB (4 826,5)
Épargne brute	(618,1)	

CAPITAL

Formation brute de capital fixe	458,5	Épargne brute (618,1)
Variation de stocks	– 2,0	Aides à l'investissement
Acquisition nette de terrains et d'actifs incorporels	– 45,2	(et autres transferts) 17,2
Impôts en capital	31,9	
Capacité de financement	(192,1)	

Source : Comptes Nationaux, 1992.

Les ménages dégagent un excédent de plus de 190 milliards qui va leur permettre de financer les besoins de l'État et des entreprises

MÉNAGES
ENTREPRISES
ADMINISTRATIONS
MONNAIE ET FINANCE
EXTÉRIEUR
PERFORMANCES

Production, valeur ajoutée et produit intérieur brut

Produire, c'est créer des biens et des services destinés à satisfaire des besoins individuels ou collectifs. La production peut être évaluée aux prix actuels (production en valeur) ou à prix constants (production en volume). On mesure l'apport spécifique de chaque unité productive par la valeur ajoutée.

La mesure de la production

☐ Un produit ou un service donné peut toujours être mesuré en quantités physiques : nombre d'automobiles, quintaux de blé, nombre d'actes médicaux...

☐ S'il s'agit de comptabiliser un ensemble de biens et de services différents, il faudra disposer d'une unité de mesure. L'unité de mesure qui vient immédiatement à l'esprit est l'unité monétaire. La production peut ainsi être évaluée en multipliant les quantités par les prix actuels et en additionnant. On définit ainsi la production en valeur.

☐ Puisque la production en valeur dépend des quantités et des prix, le problème se pose quand elle varie, de séparer ce qui est dû à la variation des quantités, de ce qui est dû aux variations des prix. Le calcul de la production en volume permet de résoudre cette question. La production en volume d'une année donnée est la valeur de cette production calculée à l'aide des prix d'une année antérieure. C'est la production calculée à prix constants. C'est elle qui indique la croissance réelle de la production.

☐ Par définition, la croissance des prix sera égale à la différence entre la croissance de la production en valeur et la croissance de la production en volume.

La valeur ajoutée et le produit intérieur brut

Pour mesurer la contribution propre de chaque entreprise à la production totale, il faut soustraire de la valeur de leur production la valeur des biens consommés. On obtient ainsi la valeur ajoutée par chaque entreprise. Les biens consommés sont appelés consommations intermédiaires.

Exemple : Supposons une boulangerie industrielle produisant pour 1 million de francs de pains dans l'année en achetant la production d'une minoterie, soit 200 000 F de farine. La minoterie achète quant à elle pour 50 000 F de blé à une entreprise agricole. Comment évaluer la production totale de ces trois entreprises ? (A l'évidence, si on additionne la valeur de la production de chacune, la farine sera comptée 2 fois et le blé 2 fois également.)

Réponse : Valeur ajoutée de la boulangerie = 1 000 000 − 200 000 =   800 000
Valeur ajoutée de la minoterie   =   200 000 −   50 000 =   150 000
Valeur ajoutée de l'entr. agricole =   50 000 −   0 =   50 000
Total des valeurs ajoutées   = 1 000 000

Par définition, le produit intérieur brut est égal à la somme des valeurs ajoutées plus la TVA et les droits de douane.

PRODUCTION ET PRODUCTEURS

■ Production marchande et production non marchande

• Les biens et les services qui s'achètent (ou peuvent s'acheter) sur un marché sont dits marchands. Les autres, qui sont fournis gratuitement (ou à un prix très inférieur aux coûts de production), sont dits non marchands. Par convention, tous les biens sont marchands.

• Certains services sont marchands (la publicité), d'autres sont non marchands (la justice), d'autres encore sont parfois marchands et parfois non marchands (l'enseignement).

• La production marchande est évaluée au prix du marché. S'il s'agit de biens et de services qui ne font pas l'objet de transactions, on leur attribue le prix qu'ils auraient eu sur le marché.
Exemple : les produits agricoles consommés par les agriculteurs.

• Les services non marchands sont, par convention, évalués à leur coût de production.

• Le produit intérieur brut est la somme du PIB marchand et du PIB non marchand.
Exemple (1992, France) :
PIB = 6 987 milliards de francs.
PIB marchand = 5 849 milliards de francs.
PIB non marchand = 1 138 milliards de francs.

■ Qui produit ?

• **Les entreprises non financières** (sociétés et quasi-sociétés) fournissent la part la plus importante de la valeur ajoutée. La totalité de leur production est marchande.
• **Les ménages** produisent également. La raison essentielle est que la Comptabilité nationale range dans ce secteur les entrepreneurs individuels (artisans, commerçants, professions libérales...).
• **Les administrations** produisent pour l'essentiel des services non marchands. Elles peuvent avoir à titre accessoire une production marchande. D'autre part, si la production marchande domine l'activité d'une administration, on la classera dans les entreprises (ex. : la Poste).

• **Les institutions financières** produisent des services marchands (gestion des ressources monétaires et activités de prêts). Cette production est mesurée par la différence entre les revenus tirés des prêts et des intérêts versés aux déposants.

• **Les sociétés d'assurances** produisent des services marchands mesurés par la différence entre les primes acquises et les indemnités dues.

1992 (milliards)	Sociétés et quasi-sociétés	Ménages	Administrations	Institutions financières	Entreprises d'assurances
V.A. brute dont :	3 790	1 513	1 127	247	57
— marchande	3 790	1 469	87	247	57
— non marchande		44	1 040		

MÉNAGES
ENTREPRISES
ADMINISTRATIONS
MONNAIE ET FINANCE
EXTÉRIEUR
PERFORMANCES

Les sociétés et quasi-sociétés

Les sociétés et quasi-sociétés (SQS) ont pour fonction principale de produire les biens et services non financiers qui s'échangent sur un marché.
Ce secteur inclut les "sociétés" quelle que soit leur forme juridique et exclut les entreprises individuelles (petit agriculteur, commerçant, industriel, profession libérale). Il comprend aussi les "quasi-sociétés" qui peuvent être soit privées, soit publiques... Privées, ce sont les succursales d'entreprises non résidentes ; publiques, ce sont des administrations qui vendent plus de 50% de leur production.

Organigramme du secteur des sociétés et quasi-sociétés

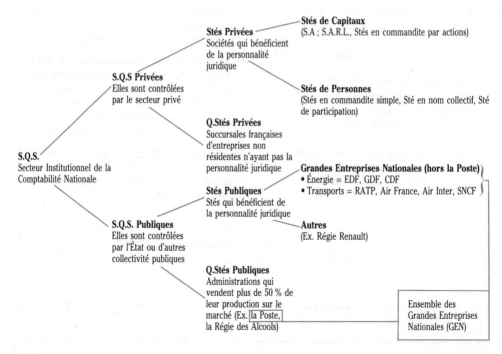

LES SOCIÉTÉS DANS LEUR DIVERSITÉ

■ Les types juridiques des sociétés privées

Les sociétés de personnes

— Société en nom collectif : les associés (dits associés en nom) engagent dans l'affaire la totalité de leur patrimoine. Les créanciers de la société pourront alors demander à être payés sur l'ensemble des biens des associés.

— Société de participation : elle n'apparaît pas aux yeux des tiers. L'un des associés traite avec ses fournisseurs ou clients comme s'il agissait pour son propre compte. La société n'existe que dans les rapports entre associés.

— Société en commandite simple : elle est constituée par un ou plusieurs commandités et par un ou plusieurs commanditaires. Les commandités sont dans la même situation que les associés en nom, tandis que les commanditaires ne sont engagés qu'à concurrence de leurs apports. Les commanditaires ne doivent pas s'immiscer dans la gestion de la société.

Les sociétés de capitaux

— Société anonyme : tous les associés (les actionnaires) sont détenteurs de titres négociables qui représentent une part du capital social. Ils ne sont responsables des dettes sociales qu'à concurrence de leur apport.

— Société à responsabilité limitée : elle ne comprend également que des associés dont la responsabilité n'est engagée que pour le montant de leur apport mais, contrairement à la société anonyme, les parts sociales ne sont pas librement cessibles.

— Société en commandite par actions : elle est constituée par un ou plusieurs commandités et par de nombreux commanditaires appelés actionnaires. Les commandités sont dans la même situation que dans la commandite simple. Les actionnaires détiennent des titres négociables représentant une partie du capital social et ne sont responsables des dettes sociales qu'à concurrence de leur apport. En outre, ils ne peuvent pas gérer la société.

■ Les groupes leaders par secteur (France, 1990)

	Chiffres d'affaires (millions F)	Effectifs (milliers)
Agroalimentaire : BSN	52 897	45,9
Chimie : Rhône-Poulenc	78 810	91,6
Électricité-électronique : Alcatel-Alsthom	144 053	205,5
Mécanique : SMAE (Citroën)	10 315	5,7
Métaux : Usinor-Sacilor	96 053	97,0
Matériel de transport : Renault	163 620	157,4
Bois, papier : groupe Arjomari	11 061	7,8
Énergie, produits d'extraction : Elf-Aquitaine (ERAP)	175 479	90,0
Textile habillement : Bernard Tapie Finances	12 382	11,5
Communication, loisirs : Hachette	30 047	31,2
Construction : Bouygues	56 727	79,5
Distribution : Leclerc	100 000	47,0
Transports, tourisme : SNCF	70 588	230,2
Services : Générale des Eaux	116 822	173,1

Source : TEF 1992.

MÉNAGES
ENTREPRISES
ADMINISTRATIONS
MONNAIE ET FINANCE
EXTÉRIEUR
PERFORMANCES

Le classement des entreprises

Les entreprises peuvent être classées en branches, secteurs et filières. Le classement par branches répond à la logique du produit fabriqué. Le classement par secteur met l'accent sur l'unité de décision. Le classement par filières regroupe des activités complémentaires.

■ Le classement par branches

☐ Une branche est un ensemble d'unités de production qui fabriquent la même catégorie de produits. A toute nomenclature de produits correspond donc une nomenclature de branches, sauf pour le commerce qui constitue une branche sans produit spécifique.

☐ L'inconvénient de cette approche est que l'on doit découper en plusieurs parties les entreprises qui produisent plusieurs biens. Ainsi, la Régie Renault doit-elle éclater entre la construction automobile, la fonderie, les tracteurs et machines agricoles, les machines-outils, les camions...

☐ L'analyse par branches connaît différents niveaux de détails. La division la plus fine utilisée en France comprend plus de 400 branches. Les divisions les plus utilisées sont les nomenclatures en 36 et 16 branches.

■ Le classement par secteurs

L'approche par secteur met l'accent sur l'unité de décision que constitue l'entreprise. Un secteur est un ensemble d'entreprises ayant la même activité principale, mais ayant éventuellement des activités secondaires différentes. L'activité principale se définit à partir du chiffre d'affaires ou à partir des effectifs.

☐ C'est l'économiste américain C. Clark qui a proposé le regroupement des secteurs en trois grands groupes :

— le secteur primaire comprend l'ensemble des activités correspondant à la production de matières premières (notamment l'agriculture et les mines) ;

— le secteur secondaire comprend l'ensemble des activités correspondant à la transformation des matières premières en biens de production ou de consommation ;

— le secteur tertiaire comprend l'ensemble des activités de services (commerces, banques, assurances, santé, hôtellerie...).

■ Le classement par filières

☐ Un bien ou un service n'est mis sur le marché qu'après avoir subi tout un ensemble de transformations successives. Cet enchaînement peut être décomposé en segments, de l'amont vers l'aval, qui constituent une filière. Une filière regroupe ainsi des activités qui sont complémentaires pour des raisons techniques et commerciales.

■ **L'emploi et la valeur ajoutée par branche en France (1992)**

	Emploi	V.A.		
1. Services non marchands	29,6 %	24,5 %	Services marchands	1.
2. Services marchands	21,6 %	16,9 %	Services non marchands	2.
3. Commerce	11,7 %	10,8 %	Commerce	3.
4. Biens d'équipement	7,4 %	9,0 %	Locations immobilières	4.
5. Bâtiment, génie civil	6,7 %	6,8 %	Biens d'équipement	5.
6. Transports et télécom.	6,3 %	6,2 %	Transports et télécom.	6.
7. Biens intermédiaires	6,1 %	5,6 %	Biens intermédiaires	7.
8. Biens de consommation courante	5,4 %	5,4 %	Bâtiment, génie civil	8.
9. Industries agro-alimentaires	2,6 %	4,7 %	Biens de consommation courante	9.
10. Agriculture, sylviculture, pêche	1,4 %	4,2 %	Énergie	10.
11. Énergie	1,2 %	3,0 %	Industries agro-alimentaires	11.
12. Locations immobilières	—	2,9 %	Agriculture, sylviculture, pêche	12.

Source : Calculs effectués d'après les données de l'INSEE.

Ce tableau fait apparaître des différences de productivité entre les branches. Ainsi, les services non marchands (essentiellement fournis par les administrations) représentent 29,6 % de l'emploi, mais seulement 16,9 % de la valeur ajoutée.

Les services marchands eux, représentent 21,6 % de l'emploi et 24,5 % de la valeur ajoutée. Noter les branches à faible productivité (Bâtiment, Commerce) et ceux à forte productivité (Énergie).

■ **L'emploi par secteur dans l'Europe des Douze + Canada, États-Unis, Japon, Suède, Turquie (1990)**

	Agriculture %	Industrie %	Services %	Total %
Allemagne (ex-RFA)	3,4	39,8	56,8	100,0
Belgique	2,7	28,7	68,5	100,0
Danemark	5,7	25,6	68,7	100,0
Espagne	11,8	33,4	54,8	100,0
France	6,1	29,9	64,0	100,0
Grèce (1989)	25,3	27,5	47,1	100,0
Irlande	15,0	28,7	56,3	100,0
Italie	9,0	32,4	58,6	100,0
Luxembourg	3,2	30,7	66,1	100,0
Pays-Bas	4,6	26,3	69,1	100,0
Portugal	17,8	34,9	47,4	100,0
Royaume-Uni	2,2	29,5	68,3	100,0
Europe des Douze	**6,6**	**32,5**	**60,9**	**100,0**
Canada	4,2	24,6	71,2	100,0
États-Unis	2,8	26,2	70,9	100,0
Japon	7,2	34,1	58,7	100,0
Suède	3,3	29,2	67,5	100,0
Turquie (1989)	50,1	20,5	29,5	100,0

Source : TEF 1992-1993.

MÉNAGES
ENTREPRISES
ADMINISTRATIONS
MONNAIE ET FINANCE
EXTÉRIEUR
PERFORMANCES

La concentration des entreprises

> La croissance des entreprises accompagne souvent la réduction de leur nombre. Ce phénomène, appelé concentration, modifie parfois la nature de l'entreprise qui devient un groupe. La concentration peut être horizontale ou verticale.

La concentration des entreprises : définition et mesure

□ On dit qu'un secteur se concentre quand simultanément le nombre des entreprises diminue et que leur taille augmente.

□ On peut mesurer la concentration d'un secteur par le poids des plus grandes entreprises classées dans l'ordre décroissant des effectifs ou du chiffre d'affaires.

La notion de groupe

□ Lorsque la concentration atteint un haut niveau, c'est la nature même de l'entreprise qui change. A la notion d'entreprise se substitue celle de groupe.

□ Un groupe est un ensemble de sociétés comprenant une « société mère » et des « sociétés dépendantes ».

• Quand la société mère détient plus de 50 % du capital, la société dépendante s'appelle une filiale.

• Quand la société mère détient entre 10 et 50 % du capital de la société dépendante, on dit qu'elle possède une participation.

Croissance interne ou croissance externe d'une entreprise

□ La croissance interne se réalise par autofinancement ou appel aux actionnaires (augmentation de capital). Par autofinancement, elle exige une activité largement bénéficiaire. Par appel aux actionnaires, elle exige un contexte boursier favorable et un jugement positif du marché concernant les perspectives de développement.

□ Pour croître plus rapidement, une société peut fusionner avec d'autres, ou en prendre le contrôle par des OPA (offre publique d'achat d'actions en Bourse), ou les acheter à des conditions avantageuses. On parle alors de croissance externe.

Concentration horizontale, concentration verticale, conglomérat

□ La concentration horizontale est le regroupement d'entreprises fabriquant le même produit. Elle vise donc la spécialisation et le contrôle d'une part importante du marché. Par exemple, les firmes automobiles françaises ont été progressivement absorbées par Peugeot et Renault.

□ La concentration verticale regroupe des entreprises complémentaires. Elle permet de dominer tout le processus de production, des matières premières au produit fini. Elle s'inscrit dans une logique de filière. Par exemple Unilever, dans le domaine des corps gras, a développé ses activités de la plantation au produit fini.

□ Le conglomérat est un regroupement d'entreprises diverses en vue de répartir les risques sur plusieurs secteurs et de multiplier les possibilités de croissance.

■ **Les 50 plus gros chiffres d'affaires des groupes industriels mondiaux en 1990**

Rang mondial	Rang européen	Firme	Pays	Secteur	Chiffre d'affaires millions de F	Effectifs Millliers
1		General Motors	USA	Automobile	679 268	761
2		Exxon	USA	Produits pétroliers	576 755	104
3	1	Royal Dutch Shell	NL	Produits pétroliers	576 012	137
4		Ford Motor	USA	Automobile	531 899	370
5		IBM	USA	Informatique	375 941	374
6		Toyota Motor	JAP	Automobile	371 577	102
7	2	IRI	I	Groupes diversifiés	334 438	420
8	3	British Petroleum	GB	Produits pétroliers	320 247	118
9		Mobil	USA	Produits pétroliers	320 120	67
10		General Electric	USA	Biens d'équipement électrique	318 181	298
11		Hitachi	JAP	Biens d'équipement électrique	291 714	291
12	4	Daimler-Benz	D	Automobile	288 049	377
13	5	Fiat	I	Automobile	259 957	303
14		Samsung Group	CRS	Biens d'équipement électrique	250 000	177
15		Matsushita Electric Industrial	JAP	Biens d'équipement électrique	248 820	198
16		Philip Morris	USA	Alimentation	241 427	168
17	6	Volkswagen	D	Automobile	229 297	268
18	7	ENI	I	Groupes diversifiés	227 349	131
19		Nissan Motor	JAP	Automobile	224 901	138
20		Texaco	USA	Produits pétroliers	222 776	39
21	8	Unilever	NL	Groupes diversifiés	220 311	304
22		El du Pont de Nemours	USA	Chimie de base	218 136	144
23		Chevron	USA	Produits pétroliers	213 860	54
24	9	Siemens	D	Biens d'équipement électrique	212 869	373
25	10	VEBA	D	Groupes diversifiés	183 915	107
26		Nestlé	CH	Alimentation	181 998	199
27		Toshiba	JAP	Biens d'équipement électrique	177 035	142
28	11	Elf Aquitaine	F	Produits pétroliers	175 479	90
29	12	Philips	NL	Electroménager, hifi, vidéo	166 790	273
30		Chrysler	USA	Automobile	166 787	110
31		Tokyo Electric Power	JAP	Groupes diversifiés	165 282	40
32	13	Renault	F	Automobile	163 620	157
33		Lucky-Goldstar	CRS	Biens d'équipement électrique	163 321	95
34		Honda Motor	JAP	Automobile	162 184	86
35	14	Peugeot SA	F	Automobile	159 976	159
36		Amoco	USA	Produits pétroliers	159 057	55
37	15	BASF	D	Chimie de base	157 074	135
38	16	EDF	F	Groupes diversifiés	156 455	121
39	17	Hoechst	D	Chimie de base	151 140	173
40		Boeing	USA	Construction aéronautique	150 309	162
41		Procter & Gamble	USA	Pharmacie, phytosanitaire	147 210	94
42		ABB Asea Brown Boveri	CH	Machines industrielles	145 369	215
43	18	Alcatel-Alsthom	F	Biens d'équipement électrique	144 053	206
44	19	Bayer	D	Chimie de base	140 295	171
45		Nec	JAP	Informatique	139 459	118
46		Sony	JAP	Électroménager, hifi, vidéo	139 157	96
47	20	RWE	D	Groupes diversifiés	130 663	98
48	21	Total	F	Produits pétroliers	128 445	46
49		Petroleos de Venezuela	YV	Produits pétroliers	125 264	52
50	22	ICI	GB	Chimie de base	125 097	132

Source : TEF 1992.

MÉNAGES
ENTREPRISES
ADMINISTRATIONS
MONNAIE ET FINANCE
EXTÉRIEUR
PERFORMANCES

Technique et fonction de production

> Une entreprise produit un bien ou un service en combinant des facteurs de production. Les facteurs de production peuvent être regroupés en deux catégories principales :
> — le travail est l'ensemble des efforts physiques et intellectuels fournis par les salariés ;
> — le capital est l'ensemble des machines et équipements utilisés dans l'activité productive.

▆▆▆▆ La notion de technique

En général, il existe plusieurs façons de fabriquer un bien. On peut utiliser des techniques qui emploient beaucoup de capital et peu de main-d'œuvre (techniques capitalistiques) ou des techniques qui emploient plus de main-d'œuvre et relativement moins de capital (techniques peu capitalistiques).

Quand les salaires sont relativement bas, il est économiquement efficace de choisir des techniques peu capitalistiques. Inversement, des salaires élevés versés à des travailleurs peu productifs peuvent conduire les entreprises à utiliser des machines plutôt que des hommes.

▆▆▆▆ La fonction de production

On appelle fonction de production la relation technique qui existe entre les *inputs* (travail + capital) et l'*output* (le volume de la production).

Une fonction de production se caractérise principalement par ses rendements :

☐ Les rendements dimensionnels. Les rendements dimensionnels sont croissants quand la production augmente dans une proportion plus importante que l'ensemble des facteurs de production. Dans ce cas, on parle aussi d'économies d'échelle. Dans le cas inverse, les rendements dimensionnels sont décroissants (déséconomies d'échelle). Les rendements dimensionnels sont constants quand la production augmente dans la même proportion que les facteurs de production.

☐ Les rendements factoriels. Le rendement factoriel total d'un facteur de production étudie comment varie la production totale quand l'un des facteurs de production varie, l'autre restant constant. Le rendement factoriel total peut être croissant, constant, décroissant.

Exemple : Rendement factoriel total du facteur travail (capital constant)

Quantité de travail :	1	2	3	4	5	
Rdt fact. croissant : Production totale	10	11	13	16	20	: la variation de la production augmente à chaque unité de travail supplémentaire.
Rdt constant : Production totale	10	11	12	13	14	: la variation de la production reste constante.
Rdt décroissant : Production totale	10	11	11,5	11,75	11,825	: la variation de la production diminue.

LES RENDEMENTS DIMENSIONNELS

■ Quand apparaissent des économies d'échelle ?

• La division du travail est favorisée par une production sur une plus grande échelle. La **division du travail** permet de spécialiser les salariés, ce qui les rend plus habiles et leur évite de perdre du temps en passant d'une tâche à l'autre. La spécialisation favorise aussi les innovations.

• Des **équipements perfectionnés**, coûteux mais très productifs, ne peuvent être utilisés qu'à partir de niveaux de production élevés.

• Des économies naissent de l'utilisation de **grandes masses de ressources**. Par exemple, le besoin en pièces détachées augmente moins vite que le parc de machines ; remplir des trains entiers d'un même produit entraîne des économies de manutention.

• Une **production sur grande échelle** permet de diminuer les coûts fixes par unité produite.

■ Quand apparaissent des déséconomies d'échelle ?

• Des déséconomies d'échelle peuvent apparaître pour des **raisons techniques** : nécessité de climatisation, de circuits de refroidissement, de systèmes de sécurité...

• Des problèmes de **coordination, d'organisation, de circulation de l'information** apparaissent quand l'établissement grandit. En particulier apparaissent des échelons hiérarchiques supplémentaires, nécessaires à la bonne marche de l'établissement, mais peu productifs.

• L'atmosphère de travail à l'intérieur des grandes unités de production se dégrade parfois. L'**hyperspécialisation** peut rendre le travail peu motivant, l'anonymat entraîne un certain désintérêt ; absentéisme et conflits croissants.

■ Les rendements factoriels

Une courbe de rendement factoriel (ici le facteur travail) a généralement l'allure suivante :

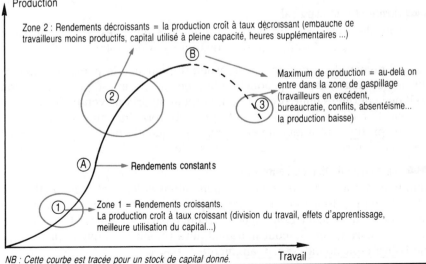

Production

Zone 2 : Rendements décroissants = la production croît à taux décroissant (embauche de travailleurs moins productifs, capital utilisé à pleine capacité, heures supplémentaires ...)

② Ⓑ

Maximum de production = au-delà on entre dans la zone de gaspillage (travailleurs en excédent, bureaucratie, conflits, absentéisme... la production baisse)

③

Ⓐ → Rendements constants

① Zone 1 = Rendements croissants.
La production croît à taux croissant (division du travail, effets d'apprentissage, meilleure utilisation du capital...)

NB : Cette courbe est tracée pour un stock de capital donné. Travail

MÉNAGES
ENTREPRISES
ADMINISTRATIONS
MONNAIE ET FINANCE
EXTÉRIEUR
PERFORMANCES

Coûts, profit et courbe d'offre

Une fois l'entreprise installée, l'évolution des coûts dépend des quantités produites. La firme a intérêt à produire tant que l'augmentation de la production permet de dégager un profit supplémentaire. La quantité produite (l'offre) croît avec le prix de vente.

Évolution du coût marginal en fonction des quantités produites

La croissance d'une entreprise peut être décomposée en 4 phases.

1. L'installation : Avant même de commencer à produire, l'entreprise doit faire face à des coûts fixes (terrains, bâtiments, capital).

2. Démarrage : Avec la mise en route de la production apparaissent les coûts en main-d'œuvre et en matières premières. Ces coûts croissent avec le niveau de la production et sont appelés coûts variables.

Dans cette phase, progressivement, le travail est mieux organisé et la technique mieux maîtrisée. La production croît et la dernière unité produite coûte toujours moins cher que la précédente. Le coût marginal diminue.

3. La croissance : L'entreprise tourne plus et mieux : le travail est parfaitement organisé et la technique maîtrisée. Pas de problème particulier, mais plus d'amélioration significative à attendre : la dernière unité produite a le même coût que la précédente. Le coût marginal est constant.

4. La maturité : L'entreprise est en route vers son maximum de production. Apparaissent des phénomènes d'encombrement, la nécessité d'heures supplémentaires, des limites de capacité des machines et des entrepôts. La dernière unité produite coûte toujours plus cher que la précédente. Le coût marginal croît.

Profit et coût marginal

☐ Le profit de l'entreprise est égal à la différence entre les recettes et les coûts :

Profit = prix × quantité − Coût total

☐ A quel niveau doit-on s'arrêter de produire pour que le **profit** soit maximum ? La firme doit augmenter sa production tant qu'elle y a intérêt, c'est-à-dire tant que le coût de la dernière unité produite est inférieur au prix de vente. Elle devra s'arrêter quand le coût de la dernière unité produite sera égal au prix de vente.

Donc, les profits sont à leur niveau maximum quand : prix = coût marginal

Cette condition se rencontre dans la phase de maturité (voir page ci-contre).

La courbe d'offre de l'entreprise

Quand le prix augmente, les recettes augmentent et les profits aussi. Mais ce n'est pas tout ! L'entreprise a intérêt à augmenter sa production puisque le coût marginal est maintenant devenu inférieur au prix. Produire plus est rentable. L'entreprise s'arrêtera de produire quand le coût marginal aura rejoint le nouveau prix.

Donc l'offre croît quand le prix augmente.

UNE COURBE DE COÛT TOTAL D'UNE ENTREPRISE

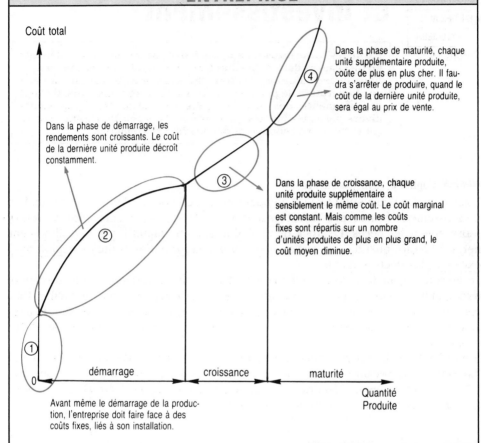

Coût total

Dans la phase de démarrage, les rendements sont croissants. Le coût de la dernière unité produite décroît constamment.

Dans la phase de maturité, chaque unité supplémentaire produite, coûte de plus en plus cher. Il faudra s'arrêter de produire, quand le coût de la dernière unité produite, sera égal au prix de vente.

Dans la phase de croissance, chaque unité produite supplémentaire a sensiblement le même coût. Le coût marginal est constant. Mais comme les coûts fixes sont répartis sur un nombre d'unités produites de plus en plus grand, le coût moyen diminue.

démarrage   croissance   maturité

Quantité Produite

Avant même le démarrage de la production, l'entreprise doit faire face à des coûts fixes, liés à son installation.

■ L'élasticité de l'offre

L'offre est une fonction croissante du prix de vente. L'élasticité répond à la question suivante : de quel pourcentage augmente l'offre quand le prix augmente de 1 % ?
Si l'offre augmente de plus de 1 %, on dira que l'offre est élastique.
Si l'offre augmente de moins de 1 %, on dira que l'offre est inélastique.

■ Les différentes façons d'envisager les coûts

1. Coût total = Coûts fixes + Coûts variables
(terrains, bâtiments, équipements...)   (matières premières, salaires...)
Ils sont indépendants du niveau de production.   Ils croissent avec la production.
2. Coût moyen = Coût total divisé par le nombre d'unités produites.
3. Coût marginal = Coût de la dernière unité produite.

MÉNAGES

ENTREPRISES

ADMINISTRATIONS

MONNAIE ET FINANCE

EXTÉRIEUR

PERFORMANCES

Capital fixe et investissement

Parmi les biens utilisés dans la production, certains sont détruits ou incorporés dans le produit fini : ils constituent les consommations intermédiaires. D'autres ont une durée de vie plus longue que l'opération de production : ce sont les capitaux fixes. Il s'agit des bâtiments, des machines, des véhicules, des équipements divers possédés par les entreprises. Le stock de capital fixe se constitue et se renouvelle par les investissements.

Capital et Investissements

L'accumulation du capital fixe est comparable à la croissance d'une population. Les investissements bruts représentent les naissances, les déclassements (mises au rebut) représentent les décès. Le stock de capital augmente quand il y a investissement net, c'est-à-dire quand les investissements bruts (la formation brute de capital fixe) excèdent les déclassements.

Le stock de capital peut donc continuer à croître même si la formation brute de capital fixe diminue. La croissance sera ralentie et le stock de capital risque de vieillir, tout comme dans une population où des naissances en diminution restent supérieures aux décès mais deviennent insuffisantes pour empêcher la moyenne d'âge d'augmenter.

Il en résulte qu'il faut plusieurs années de chute de la formation brute de capital fixe pour observer un ralentissement significatif de la croissance du stock de capital ; mais, inversement, il faudra plusieurs années de reprise de l'investissement pour retrouver un rythme soutenu de croissance du stock.

Capital et Amortissement

☐ La durée de vie économique d'un équipement est la période qui sépare son acquisition de son déclassement. Le déclassement d'un équipement a lieu soit parce qu'il est usé, soit parce qu'il faut le remplacer par un équipement plus productif.

Les entreprises doivent donc prévoir la constitution de réserves afin de renouveler leur stock de capital. Cette opération économique s'appelle l'amortissement.

☐ L'amortissement est une opération qui comporte beaucoup d'aléas :

— la durée de vie est incertaine : une machine peut être démodée avant d'être amortie ;

— une machine ne sera pas remplacée à l'identique. On ne connaît pas le prix de l'équipement qui la remplacera.

C'est pourquoi, à côté du calcul économique de l'amortissement, il existe des règles fiscales, arbitraires mais précises, qui permettent d'enregistrer l'amortissement au bilan d'une entreprise. On parle alors d'amortissement fiscal.

L'INVESTISSEMENT ET LE STOCK DE CAPITAL EN FRANCE

Taux d'investissement : ratio FBCF/VA

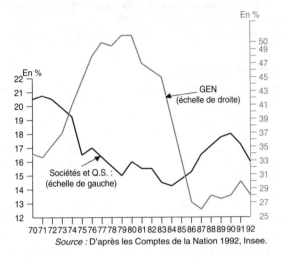

Source : D'après les Comptes de la Nation 1992, Insee.

■ Dans le secteur concurrentiel

● Au début des années 70, un taux d'investissement d'environ 20 % conduit à un rythme d'accumulation du capital élevé (environ 7 % par an).

● Après le premier choc pétrolier, la chute du taux d'investissement ralentit le rythme de l'accumulation du capital qui reste cependant supérieur à 3 % jusqu'à la fin des années 70.

● Entre 1980 et 1984, un nouveau fléchissement du taux d'investissement ralentit encore le rythme de croissance du stock de capital, qui tombe à 1,8 % en 1984.

● À partir de 1985 et jusqu'en 1990, la reprise de la FBCF permet de redresser légèrement le taux d'accumulation, mais le fléchissement de l'investissement à partir de la fin de 1990 le ramène aux alentours de 2 % en 1992.

■ Dans les grandes entreprises nationales (GEN)

● Les grandes entreprises nationales (GEN) ont beaucoup investi entre les deux chocs pétroliers, ce qui n'a pas malgré tout réussi à stopper le ralentissement de la croissance du stock de capital dans son ensemble.

● La FBCF des GEN a considérablement diminué depuis 82.

● L'évolution d'ensemble des investissements dans les GEN dépend étroitement des investissements d'EDF et des Télécommunications (les 2/3 de la FBCF des GEN). Les Télécommunications ont beaucoup investi jusqu'en 1979 (automatisation intégrale du réseau, équipement des ménages). Depuis, les investissements ont baissé en francs constants.

Le programme nucléaire d'EDF, très soutenu entre 74 et 81, a régulièrement diminué depuis. Depuis 1982, la FBCF d'EDF a baissé de 10 % en valeur.

Actuellement, seule la SNCF réalise des investissements importants (TGV).

MÉNAGES

ENTREPRISES

ADMINISTRATIONS

MONNAIE ET FINANCE

EXTÉRIEUR

PERFORMANCES

La décision d'investir

> Une firme investit pour élargir ses capacités de production ou diminuer ses coûts.
> Elle investit quand ses profits sont suffisants et que les taux d'intérêt sont suffisamment faibles.
> Elle peut investir de manière productive ou improductive.

� Les investissements productifs

☐ Les investissements de capacité : quand la capacité de production d'une entreprise est presque totalement utilisée et que la demande des consommateurs croît, une firme peut être incitée à investir. Ce type d'investissement est appelé investissement de capacité. Il aboutit à la création d'emplois.

Le capital nécessaire pour produire un bien est en général supérieur à la valeur annuelle du bien produit. Il en résulte que l'investissement devra être supérieur à la demande supplémentaire à laquelle il faut répondre. D'où le nom « **d'accélérateur** » donné à ce phénomène.

☐ Les investissements de productivité : quand le prix du travail croît par rapport au prix du capital, l'entreprise peut être incitée à remplacer les hommes par les machines pour diminuer ses coûts de production. Une production donnée peut ainsi être obtenue avec moins d'ouvriers. C'est dire que la productivité du travail croît. D'où le nom d'investissement de productivité ou d'investissements de rationalisation donné à ces investissements. Les investissements de productivité suppriment des emplois.

▬ Les investissements improductifs

Une entreprise peut certes chercher à produire plus (capacité) ou produire mieux (productivité), mais elle peut aussi poursuivre d'autres buts. Modifier son image de marque, par exemple, avec des investissements de prestige. Améliorer le climat social par la construction de restaurants d'entreprise, de logements de vacances réservés aux salariés... Dans ces cas, on parlera d'investissements improductifs, même si indirectement l'entreprise en bénéficie.

▬ Les conditions financières de l'investissement

L'investissement peut être financé soit par autofinancement, soit par emprunt, soit par appel aux actionnaires.

☐ On parlera d'autofinancement quand une firme utilise ses propres ressources financières. Cette méthode exige une rentabilité financière élevée donc des bénéfices suffisants, faiblement imposés et dont la distribution aux actionnaires est limitée. Un amortissement fiscal autorisant des déductions importantes favorise l'autofinancement.

☐ Une firme peut financer ses investissements par emprunt auprès des banques ou sur les marchés financiers. L'investissement sera donc favorisé par des taux d'intérêt faibles, des liquidités abondantes, l'absence d'encadrement du crédit.

☐ Enfin une firme peut faire appel aux actionnaires (augmentation de capital). Cela exige un marché boursier bien orienté et la confiance des investisseurs dans l'avenir de l'affaire.

INVESTISSEMENT ET RENTABILITÉ DES ENTREPRISES

■ Taux de marge et taux d'investissement

La décision d'investissement dépend étroitement des profits des entreprises. Si on mesure ceux-ci par le taux de marge (Excédent brut d'exploitation/valeur ajoutée = EBE/VA), le parallélisme est frappant avec l'évolution du taux d'investissement : niveau élevé de l'investissement et taux de marge élevé jusqu'au premier choc pétrolier, effondrement en deux étapes (73-80 ; 80-84), reprise (85-89), fléchissement (90-92).

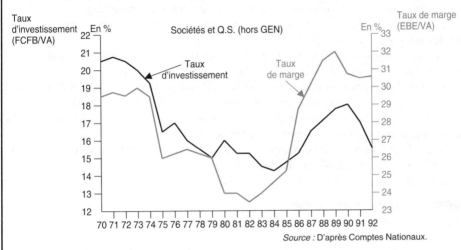

Source : D'après Comptes Nationaux.

■ Où investit-on le plus ?

• Répartition des investissements par produits

• Répartition des investissements par secteurs

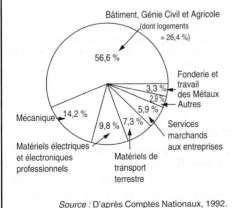

Source : D'après Comptes Nationaux, 1992.

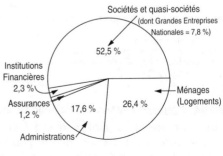

Source : D'après Comptes Nationaux, 1992.

MÉNAGES
ENTREPRISES
ADMINISTRATIONS
MONNAIE ET FINANCE
EXTÉRIEUR
PERFORMANCES

La rentabilité

La rentabilité d'un investissement peut se juger de deux façons :
— en adoptant le point de vue de l'entreprise. On parlera de *rentabilité économique* ;
— en adoptant le point de vue de l'actionnaire. On parlera alors de *rentabilité financière.*

La rentabilité de l'activité productive

☐ Une entreprise se constitue à partir de deux types de ressources :
— Les fonds apportés par les actionnaires, propriétaires de l'entreprise, et qu'on appelle les fonds propres (FP).
— Les fonds apportés par les prêteurs (banques par exemple), créanciers de l'entreprise, et qu'on appelle l'endettement (D).
☐ L'ensemble de ces ressources permet l'achat des terrains, bâtiments et machines qui constituent le capital productif de l'entreprise (K) → K = FP + D
☐ Sur la valeur de la production (P), l'entreprise doit d'abord payer les salaires (W). Ce qui reste est appelé excédent d'exploitation (EE) → EE = P − W
☐ Puis, il faut payer les créanciers, c'est-à-dire leur verser des intérêts égaux aux taux d'intérêt (i) multiplié par la dette (D).
☐ Le profit des actionnaires est égal à : EE − i × D

La rentabilité économique

Pour juger la rentabilité de cette activité productive, on peut adopter le point de vue de l'entreprise :

• Qu'a-t-elle investi ? → Le capital productif (K) • Quel est le résultat de cet investissement ? → L'excédent d'exploitation (EE)	On appellera rentabilité économique le rapport des résultats aux investissements : $RE = \dfrac{EE}{K}$

La rentabilité financière

On peut aussi adopter le point de vue de l'actionnaire :

• Quels fonds les actionnaires ont-ils mis dans l'affaire ? →Les fonds propres. • Que leur reste-t-il en définitive ? → L'excédent d'exploitation moins le paiement des créanciers (EE − iD).	On appellera rentabilité financière le rapport entre ce qui reste aux actionnaires et leur mise de fond : $RF = \dfrac{EE - i \times D}{FP}$

Comment l'entreprise doit-elle financer ses investissements ?

Pour augmenter le capital productif, l'entreprise a le choix entre augmenter ses fonds propres (faire appel aux actionnaires) ou emprunter (faire appel aux créanciers). Quelle est la meilleure solution ? Le propriétaire (l'actionnaire) a intérêt à ce que l'entreprise s'endette pour investir, si 1 franc emprunté rapporte plus qu'il ne coûte, c'est-à-dire si la rentabilité est supérieure au taux d'intérêt.

L'EFFET DE LEVIER

■ Principe général

• 1er cas

Imaginons une entreprise dont le capital productif est égal à 500.

Les actionnaires ont mis 100 dans l'affaire et le reste (400) a été emprunté aux banques au taux d'intérêt de 10 %.

Supposons que la rentabilité économique de cette entreprise soit de 20 %.

Dans ce cas, l'excédent d'exploitation se monte à 500 × 20 % = 100.

Quel sera le profit des actionnaires ? Il faut évidemment payer les intérêts dus aux banques, soit 400 × 10 % = 40. Ce qui reste aux actionnaires est donc : 100 − 40 = 60.

Or, leur mise de fonds a été de 100. Donc, leur taux de profit (ou rentabilité financière) est 60 : 100 = 60 %.

Un effet de levier est apparu : pour une rentabilité économique de 20 %, les actionnaires obtiennent une rentabilité financière de 60 %. C'est l'endettement qui a fait naître ce mécanisme : il a diminué la mise de fonds initiale et le paiement des intérêts n'a pas annulé cet avantage.

Conclusion :

Quand rentabilité économique > taux d'intérêt → rentabilité financière > rentabilité économique.

L'entreprise a intérêt à s'endetter car l'effet de levier est positif.

• 2e cas

Supposons maintenant que la conjoncture se retourne et que la rentabilité économique ne soit plus que de 5 %. Dans ce cas, l'excédent d'exploitation n'est plus que de 500 × 5 % = 25. Comme précédemment, il faut payer les banques (400 × 10 % = 40). Les actionnaires font maintenant des pertes : 25 − 40 = − 15.

Leur taux de profit est négatif : − 15 : 100 = − 15 %. L'effet de levier s'est retourné contre eux. C'est l'endettement qui en est responsable : le paiement des intérêts a absorbé (et au-delà...) les résultats de l'entreprise.

Conclusion :

Quand rentabilité économique < taux d'intérêt → rentabilité financière < rentabilité économique.

L'entreprise n'a pas intérêt à s'endetter car l'effet de levier est négatif.

• 3e cas

Que se serait-il passé si l'entreprise, plus prudente, ne s'était pas endettée ? Pour financer un capital productif de 500, il aurait fallu 500 de fonds propres. Pas de dettes : pas d'intérêts à payer. Les résultats de l'entreprise bénéficient en totalité aux actionnaires, mais leur mise de fonds est beaucoup plus importante que dans le cas précédent.

Si la rentabilité économique est de 20 %, la rentabilité financière sera aussi de 20 %. Si la rentabilité économique tombe à 5 %, la rentabilité financière sera aussi de 5 %. Il n'y a pas d'effet de levier. Pas de possibilité de gains exceptionnels, mais pas de risques exagérés !

■ Mathématique de l'effet de levier

$$RF = \frac{EE - iD}{FP} = \underbrace{\frac{EE}{D+FP}}_{= RE} \times \frac{D + FP}{FP} - i\frac{D}{FP} \to RF = \underbrace{\frac{EE}{K}}_{= RE} \times \frac{D}{FP} + \frac{EE}{K} - i\frac{D}{FP} \to RF = RE + \underbrace{\frac{D}{FP}(RE - i)}_{= \text{« levier »}}$$

On voit que :

RE > i → RF > RE   levier positif   RE = i → RF = RE   le levier ne joue pas

RE < i → RF < RE   levier négatif   D = 0 → RF = RE   levier nul

MÉNAGES

ENTREPRISES

ADMINISTRATIONS

MONNAIE ET FINANCE

EXTÉRIEUR

PERFORMANCES

La profitabilité

La profitabilité mesure l'intérêt que peut avoir un investisseur à risquer son argent dans une entreprise.
Une profitabilité élevée est donc un facteur déterminant de l'investissement et de la croissance économique.

▬▬ Notion de profitabilité

Un investisseur a toujours le choix entre deux types de placements :

— Il peut investir dans une entreprise en participant à la constitution des fonds propres. La rentabilité financière mesure le rendement de ce type de placement.

— Il peut aussi prêter, par exemple acheter une obligation. Ce type de placement est rémunéré par le taux d'intérêt.

Investir dans une affaire est une opération nettement plus risquée que prêter. Aussi, pour accepter d'affronter ce risque, il faut que l'opération soit profitable, c'est-à-dire que la rentabilité financière soit supérieure au taux d'intérêt perçu en optant pour un prêt. On appellera profitabilité la différence entre la rentabilité financière et le taux d'intérêt.

▬▬ La mesure de la profitabilité

Pour mesurer correctement la profitabilité, il faut tenir compte de l'inflation, pour deux raisons :

☐ L'inflation a des conséquences sur le taux d'intérêt. Quand on touche un intérêt de 10 % et que le taux d'inflation est de 3 %, cette hausse des prix fait perdre 3 % de pouvoir d'achat. Les 10 % ne valent « réellement » que 10 − 3 = 7 %. On dira que 7 % est le taux d'intérêt réel. On voit qu'il faut raisonner en termes de pouvoir d'achat. Le taux d'intérêt qui entre dans le calcul de la profitabilité doit donc être le taux d'intérêt réel, c'est-à-dire le taux d'intérêt diminué du taux d'inflation.

☐ L'inflation a aussi un impact sur la rentabilité financière. Le poids des dettes de l'entreprise pèse sur la rentabilité financière puisqu'il faut payer des intérêts aux prêteurs. Or, comme on vient de le voir, l'inflation diminue le poids réel de l'intérêt. Donc, l'inflation diminue la charge réelle de la dette et fait croître la rentabilité financière. Dans son calcul, il faut tenir compte de cet allégement. En définitive :

Profitabilité = rentabilité financière corrigée de l'inflation − taux d'intérêt réel

▬▬ Profitabilité et conjoncture

☐ Quand la profitabilité est forte, les capitaux se dirigent naturellement vers les entreprises. Celles-ci se constituent facilement des fonds propres qu'elles convertissent en capital productif. L'inflation permet en outre de s'endetter à coût réel faible. Les investissements sont élevés, la croissance forte, l'emploi dynamique.

☐ Quand simultanément la rentabilité financière baisse et que les taux réels augmentent, il y a « effet de ciseaux » : la profitabilité s'effondre. L'investissement ralentit, le chômage se développe. Les entreprises doivent se désendetter.

☐ Le pire peut arriver ! Quand les taux d'intérêt réels dépassent la rentabilité financière, la profitabilité devient négative. L'investissement s'effondre, la croissance aussi.

RENTABILITÉ ÉCONOMIQUE, RENTABILITÉ FINANCIÈRE ET PROFITABILITÉ

■ La période 1971-1985

Détérioration progressive des rentabilités pendant la décennie 1970 et apparition d'une profitabilité négative entre 1981 et 1985.

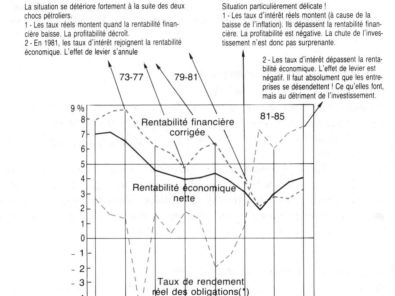

La situation se détériore fortement à la suite des deux chocs pétroliers.
1 - Les taux réels montent quand la rentabilité financière baisse. La profitabilité décroît.
2 - En 1981, les taux d'intérêt rejoignent la rentabilité économique. L'effet de levier s'annule

Situation particulièrement délicate !
1 - Les taux d'intérêt réels montent (à cause de la baisse de l'inflation). Ils dépassent la rentabilité financière. La profitabilité est négative. La chute de l'investissement n'est donc pas surprenante.

2 - Les taux d'intérêt dépassent la rentabilité économique. L'effet de levier est négatif. Il faut absolument que les entreprises se désendettent ! Ce qu'elles font, mais au détriment de l'investissement.

73-77 *79-81* *81-85*

Rentabilité financière corrigée

Rentabilité économique nette

Taux de rendement réel des obligations(*)

* Taux de rendement « ex-post » (taux d'intérêt en début d'année moins glissement des prix en cours d'année)

71-73 *77-79*

1 - Taux d'intérêt réel faible et décroissant et rentabilité financière élevée.
Forte profitabilité
2 - Rentabilité économique supérieure au taux d'intérêt
Effet de levier positif (RF > RE)
Les entreprises s'endettent.

1 - Amélioration provisoire : les taux réels baissent, la profitabilité s'améliore.
2 - L'effet de levier est toujours positif. L'endettement est toujours rentable.

Source : Comptes de la Nation 85, INSEE, 1986 (corrigés de l'inflation).

■ La période 1986-1989

Restauration de la rentabilité financière et rétablissement de la profitabilité.

	86	87	88	89
Rentabilité financière	6,1	5,9	7,0	6,9
Taux d'intérêt réel	3,0	4,7	5,3	5,5
Profitabilité	3,1	1,2	1,7	1,4

Source : Direction de la Prévision.

MÉNAGES
ENTREPRISES
ADMINISTRATIONS
MONNAIE ET FINANCE
EXTÉRIEUR
PERFORMANCES

Le financement des actifs des entreprises

Les entreprises achètent des équipements, se constituent un patrimoine financier et détiennent de l'argent.
Elles financent cet ensemble par leur épargne, par le crédit bancaire, par l'emprunt obligataire et par émission d'actions.

▦ Que doivent financer les entreprises ?

Toute entreprise accumule des actifs.

☐ Accumulation d'actifs réels : l'entreprise doit renouveler les équipements usagés (amortissements), acheter des équipements neufs (investissement net), constituer des stocks. Elle doit aussi acquérir des terrains et des actifs incorporels (brevets, licences, droits divers).

☐ Accumulation d'actifs financiers : les entreprises détiennent des actions d'autres entreprises. Elles ont aussi acheté des obligations émises par d'autres, ou des bons du Trésor et d'autres titres du marché monétaire. Elles ont effectué des prêts.

☐ Accumulation d'actifs monétaires : les entreprises ont besoin de moyens de paiement et de liquidités pour effectuer des règlements.

▦ Comment les entreprises se financent-elles ?

☐ Quand, sur la valeur de la production, les entreprises ont réglé leurs consommations intermédiaires, les salaires et cotisations sociales, les intérêts aux créanciers, les dividendes aux actionnaires et les impôts de toute nature, ce qui reste constitue leur épargne, ou encore leurs ressources d'autofinancement. L'autofinancement ne suffit pas à financer les entreprises (sauf rares exceptions).

☐ Le complément de ressources est constitué par :
— les crédits à court et moyen terme fournis par les banques ;
— la vente d'obligations sur les marchés financiers et de titres sur le marché monétaire (billets de trésorerie) ;
— les augmentations de capital par émission d'actions.

▦ Le financement des entreprises en 1992

Emplois	Ressources
Actifs réels et incorporels : 51,9 %	Autofinancement : 54,3 %
Actifs monétaires : 0,4 %	Obligations : 4,6 %
Actifs financiers : 46,7 %	Actions : 20,3 %
Ajustement : 1,0 %	Crédit : 17,5 %
	Transferts : 3,3 %

L'ÉVOLUTION DU FINANCEMENT DES ENTREPRISES

Si l'on considère l'ensemble des entreprises non financières françaises (hors Grandes Entreprises Nationales), la structure de leur financement a évolué de façon tout à fait caractéristique dans les vingt dernières années.

■ 1970-1973

Avant le premier choc pétrolier, l'autofinancement assure près de 48 % des ressources de financement des entreprises. Le financement par actions et obligations est particulièrement faible (moins de 8 %). C'est donc le système bancaire qui fournit aux entreprises près de la moitié des resources dont elles ont besoin.

■ 1974-1979

Après le premier choc pétrolier, la situation se dégrade. L'autofinancement tombe à moins de 40 %. Cette chute est entièrement compensée par l'accroissement des crédits bancaires.
Les marchés financiers jouent toujours un rôle marginal.

■ 1979-1981

Après le second choc pétrolier, la situation se dégrade encore jusqu'en 1981. Les ressources d'autofinancement tombent à moins de 30 % en 1981. Cette chute est pour l'essentiel compensée par l'accroissement des crédits bancaires. Un élément nouveau apparaît avec le début de reprise des marchés financiers dont la part croît à près de 14 % en 1981.

■ 1982-1986

À partir de 1982, on entre dans une phase d'intense restructuration du financement des entreprises.
La part des ressources d'autofinancement croît constamment jusqu'à près de 60 % en 1986. Cette année-là, l'épargne des entreprises suffit presque à financer leur Formation Brute de Capital Fixe puisque le taux d'autofinancement atteint presque 97 %.
Sur les 40 % qui manquent, les 3/4 sont apportés par l'émission d'actions. La croissance exceptionnelle des cours de Bourse permet en effet aux entreprises de collecter des ressources nouvelles en émettant des actions volontiers souscrites par les investisseurs qui espèrent leur valorisation.
La part de financement assurée par les banques tombe à moins de 10 %. Délaissées par les entreprises, les banques doivent chercher auprès des ménages une nouvelle génération d'emprunteurs.

■ 1987-1990

La reprise économique, en stimulant l'investissement, a fait baisser quelque peu la part de l'autofinancement qui est revenu en dessous de 50 %.
Par ailleurs, le krach boursier d'octobre 1987 a détourné des investisseurs de la Bourse et le financement par actions est devenu moins aisé. Il s'est cependant stabilisé aux environs de 20 %. Les obligations ont apporté 5 %. Les banques ont assuré le complément, soit environ 25 %. Ces années voient donc une certaine reprise du financement des entreprises par crédit bancaire.

■ 1991-1992

Le fléchissement de l'investissement a fait croître l'autofinancement. Comme le financement par émission d'actions s'est maintenu aux environs de 20 %, la part des crédits s'est sensiblement contractée.

MÉNAGES
ENTREPRISES
ADMINISTRATIONS
MONNAIE ET FINANCE
EXTÉRIEUR
PERFORMANCES

Le compte des sociétés

> **Le compte global des sociétés et quasi-sociétés est la somme de tous les comptes des entreprises françaises (hors entreprises individuelles).**
> **Ce compte décrit les résultats de l'activité de production, la naissance des bénéfices et leur utilisation.**

■■■ Les comptes de production et d'exploitation

☐ Le compte de production décrit la formation des recettes tirées de la production. Celles-ci constituent la valeur ajoutée brute et sont égales à la valeur de la production (hors taxes) diminuée des consommations intermédiaires.

☐ Le compte d'exploitation décrit comment se forment les bénéfices qui naissent de l'activité de production avant le paiement des créanciers de l'entreprise, la rémunération des actionnaires et le versement de l'impôt sur les bénéfices.

Dans ce compte, on soustrait des recettes (la valeur ajoutée brute) le coût du travail (salaires + cotisations sociales) et les impôts liés à la production (taxe intérieure sur les produits pétroliers, taxes liées aux salaires...). Le solde obtenu est l'excédent brut d'exploitation (EBE).

■■■ Le compte de revenu

Ce compte décrit comment se forme le bénéfice des entreprises.

— *Les ressources* sont constituées essentiellement par l'excédent brut d'exploitation, auquel il faut ajouter les revenus des prêts et placements effectués par les sociétés ainsi que les indemnités d'assurances reçues à la suite de sinistres.

— *Les emplois* : les entreprises versent essentiellement des intérêts à leurs créanciers, des dividendes à leurs actionnaires, des primes d'assurances, et des impôts sur le revenu et le patrimoine.

— *Le solde* : il constitue le revenu disponible brut des sociétés et quasi-sociétés (RDB). Notons que ce revenu se confond avec l'épargne brute puisque les SQS n'ont pas de consommation finale, mais uniquement des consommations intermédiaires.

■■■ Le compte de capital

Ce compte décrit essentiellement comment les entreprises autofinancent leurs investissements.

— *Les ressources* sont constituées par leur épargne brute, ou ressources d'autofinancement. S'y ajoutent, mais c'est marginal, des aides à l'investissement et quelques transferts.

— *Les emplois* : à partir de ces ressources, les entreprises doivent financer leurs investissements (leur formation brute de capital fixe), la variation de leurs stocks, les achats nets de terrains, et acquérir des actifs incorporels (brevets, marques de fabrique, droits d'auteurs, fonds de commerce...).

— *Le solde* : ces ressources sont en général insuffisantes pour couvrir les dépenses, aussi les entreprises doivent-elles emprunter. C'est ce que traduit leur besoin de financement, qui est le solde négatif du compte de capital (1992 est une exception).

LE COMPTE DES SOCIÉTÉS ET QUASI-SOCIÉTÉS

1992, en milliards de francs

Production

Consommations intermédiaires	3 831	Production	7 621	→ Chiffre d'affaires (hors taxes)

Solde :
Valeur Ajoutée Brute
(VAB)   3 790

← Recettes des entreprises tirées de l'activité de production (environ 50 % du chiffre d'affaires hors taxes).

Exploitation

Salaires et Cotisations sociales	2 299	Valeur Ajoutée Brute	3 790
Impôts liés à la production	362	Subvention d'exploitation	95

Solde :
Excédent Brut
d'Exploitation (EBE)   1 224

← Environ le tiers des recettes des entreprises.

Revenu

Intérêts versés	427	Excédent Brut d'Exploitation	1 224
Dividendes versés (+ participation)	289	Intérêts reçus	108
Primes d'assurance	41	Dividendes reçus	161
Impôts sur le revenu des sociétés	94	Indemnités d'Assurance	38
Autres transferts (nets)	0		

← Paiement des créanciers (environ le tiers de l'EBE).

← Rémunération des actionnaires (environ le quart de l'EBE).

Les impôts sur le revenu des sociétés représentent environ 12 % de l'EBE.

Solde :
Revenu Disponible Brut
Épargne brute   680

Capital

Formation Brute de Capital Fixe (FBCF)	642	Épargne brute	680
Variation des stocks	– 31	Aides à l'investissement	21
Acquisitions de terrains	21	Autres transferts (nets)	20
Actifs incorporels	18		

← Pour avoir l'investissement net, il faudra soustraire les amortissements (en ressources apparaîtra alors l'épargne nette).

Autofinancement de la FBCF. Les entreprises ont autofinancé 106 % de leurs investissements (FBCF), **NB :** 106 % est le taux d'autofinancement des SQS en 1992.

Capacité de financement   + 71

Les entreprises peuvent prêter 71 milliards aux autres secteurs.

L'année 1992 est une année exceptionnelle : pour la première fois depuis trente ans, les entreprises dégagent une capacité de financement. Celle-ci est due principalement à la modération des salaires et à la chute de l'investissement.

MÉNAGES
ENTREPRISES
ADMINISTRATIONS
MONNAIE ET FINANCE
EXTÉRIEUR
PERFORMANCES

Les administrations

Les administrations publiques collectent les impôts et les cotisations sociales. Avec ces ressources, elles produisent des services non marchands, elles servent des prestations sociales, elles versent des subventions et elles investissent.

▨ Définition des administrations publiques

Elles comprennent :

— Les administrations publiques centrales : l'État et les organismes divers d'administration centrale (universités, CNRS, ANPE, etc.).

— Les administrations publiques locales : collectivités locales (régions, départements, communes) et les organismes divers d'administration locale (chambres d'agriculture, bureaux d'aide sociale, sociétés d'aménagement foncier et d'établissement rural).

— Les administrations de Sécurité sociale.

▨ Les fonctions des administrations publiques

Les administrations publiques ont trois fonctions principales :

☐ La première est de produire les services non marchands (enseignement public, bibliothèques, justice, police...). Par convention, un service est considéré comme non marchand lorsque le résultat de sa vente représente moins de la moitié de son coût de production.

Comme les services non marchands ne peuvent être mesurés par un prix de vente (par définition), ils le sont conventionnellement par leur coût de production. Ce coût comprend deux parties. D'une part des « consommations intermédiaires » : ce sont les achats de biens et services des administrations ; d'autre part des frais de personnels (salaires + cotisations sociales des fonctionnaires).

☐ La seconde fonction des administrations publiques est de redistribuer les revenus. L'aspect essentiel de cette redistribution concerne le versement de prestations sociales (environ 1 565 milliards en 1992). Les administrations versent également des subventions d'exploitation et des aides à l'investissement des entreprises.

☐ Enfin, les administrations publiques financent les équipements collectifs (routes, universités, hôpitaux...). Cette fonction d'investissement est nettement moins importante que les autres. Elle représente environ 3,5 % du PIB. Mais il faut noter que seuls les équipements civils sont comptés dans les investissements. Les équipements militaires sont traités comme des dépenses de consommation.

▨ Le financement des administrations publiques

Les administrations publiques financent leurs dépenses par :

— les prélèvements obligatoires : impôts et cotisations sociales. Le poids des impôts est plus important que celui des cotisations sociales ;

— les ventes des services marchands par les administrations (par exemple la Poste) ;

— les ventes résiduelles de services non marchands (par exemple, quand une université passe un contrat de recherche avec une entreprise, le service rendu par l'université devient marchand).

UN COMPTE GLOBAL DES ADMINISTRATIONS PUBLIQUES

1992, en milliards de francs

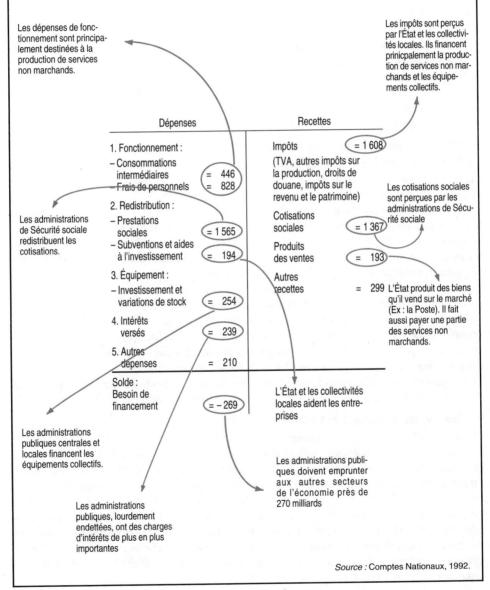

Les dépenses de fonctionnement sont principalement destinées à la production de services non marchands.

Les impôts sont perçus par l'État et les collectivités locales. Ils financent prinicpalement la production de services non marchands et les équipements collectifs.

Dépenses		Recettes	
1. Fonctionnement :		Impôts	= 1 608
– Consommations intermédiaires	= 446	(TVA, autres impôts sur la production, droits de douane, impôts sur le revenu et le patrimoine)	
– Frais de personnels	= 828		
2. Redistribution :		Cotisations sociales	= 1 367
– Prestations sociales	= 1 565		
– Subventions et aides à l'investissement	= 194	Produits des ventes	= 193
3. Équipement :		Autres recettes	= 299
– Investissement et variations de stock	= 254		
4. Intérêts versés	= 239		
5. Autres dépenses	= 210		
Solde : Besoin de financement	= – 269		

Les administrations de Sécurité sociale redistribuent les cotisations.

Les cotisations sociales sont perçues par les administrations de Sécurité sociale

L'État produit des biens qu'il vend sur le marché (Ex : la Poste). Il fait aussi payer une partie des services non marchands.

Les administrations publiques centrales et locales financent les équipements collectifs.

L'État et les collectivités locales aident les entreprises

Les administrations publiques, lourdement endettées, ont des charges d'intérêts de plus en plus importantes

Les administrations publiques doivent emprunter aux autres secteurs de l'économie près de 270 milliards

Source : Comptes Nationaux, 1992.

MÉNAGES
ENTREPRISES
ADMINISTRATIONS
MONNAIE ET FINANCE
EXTÉRIEUR
PERFORMANCES

Le budget de l'État

Le budget enregistre les dépenses et les recettes de l'État. Il est voté par le Parlement. Il distingue les opérations définitives des opérations temporaires.
Quand les charges totales sont supérieures aux ressources, le budget est déficitaire. C'est le cas en France depuis 1975.

Les lois de finances

Les lois de finances sont votées par le Parlement. On distingue :
— la loi de finances initiale : elle fixe pour l'année le montant et la nature des dépenses et des recettes de l'État ;
— les lois de finances rectificatives ou collectifs budgétaires : les collectifs modifient en cours d'année la loi de finances initiale en fonction de la conjoncture et de la politique économique suivie ;
— la loi de règlement : elle présente les comptes définitifs de l'exercice budgétaire.

La présentation juridique du budget

Le budget sépare les dépenses définitives des opérations de prêts appelées opérations à caractère temporaire.
☐ Dans les dépenses définitives, on distingue :
— Le budget général qui comprend en ressources les recettes fiscales et en charges les dépenses civiles ordinaires, les dépenses civiles en capital et les dépenses militaires.
— Les comptes d'affectation spéciale : en principe, on considère que les recettes forment un tout et il est interdit d'utiliser aucune recette particulière pour financer telle dépense spécifique (règle dite de « non-affectation des recettes »). Les comptes d'affectation spéciale enregistrent les exceptions à cette règle.
Exemple : la redevance radio-télévision est réservée aux sociétés de diffusion.
— Les budgets annexes enregistrent le budget de certains services publics de nature commerciale n'ayant pas la personnalité juridique. Ces budgets annexes sont présentés en équilibre. Il existe huit budgets annexes. Le plus important est le budget annexe des PTT qui représente environ 70 % de l'ensemble.
☐ Les principales opérations à caractère temporaire sont les prêts accordés par l'intermédiaire du Fonds de développement économique et social (FDES).

Déficit et excédent budgétaires

Quand les charges totales dépassent les ressources totales, il y a déficit budgétaire. A l'opposé, il y a excédent budgétaire quand les ressources sont supérieures aux charges. Au début des années 70, le budget est exécuté aux alentours de l'équilibre. Les déficits apparaissent à partir de 1975 mais ils ne sont pas tous de même nature. Les déficits de 75, 81, 82 traduisent la volonté politique de relancer l'économie en augmentant les dépenses publiques : ce sont largement des déficits choisis. Les autres déficits traduisent dans une large mesure le ralentissement de la progression des recettes fiscales dû à la crise économique : ce sont plutôt des déficits subis. Le déficit budgétaire a atteint en 1984 3,6 % du PIB. Il a reflué jusqu'en 1990 (1,4 %) et augmenté ensuite (3,2 % en 1992, 4,4 % prévus en 1993).

1991, en milliards de francs

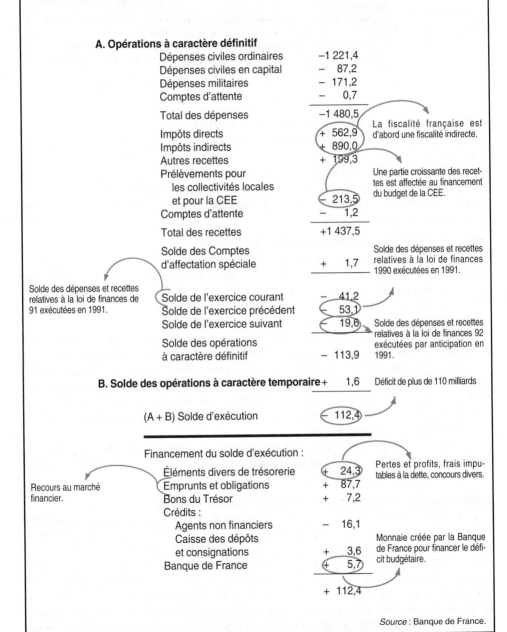

A. Opérations à caractère définitif

Dépenses civiles ordinaires	−1 221,4
Dépenses civiles en capital	− 87,2
Dépenses militaires	− 171,2
Comptes d'attente	− 0,7
Total des dépenses	−1 480,5
Impôts directs	+ 562,9
Impôts indirects	+ 890,0
Autres recettes	+ 199,3
Prélèvements pour les collectivités locales et pour la CEE	− 213,5
Comptes d'attente	− 1,2
Total des recettes	+1 437,5
Solde des Comptes d'affectation spéciale	+ 1,7
Solde de l'exercice courant	− 41,2
Solde de l'exercice précédent	− 53,1
Solde de l'exercice suivant	− 19,6
Solde des opérations à caractère définitif	− 113,9

La fiscalité française est d'abord une fiscalité indirecte.

Une partie croissante des recettes est affectée au financement du budget de la CEE.

Solde des dépenses et recettes relatives à la loi de finances 1990 exécutées en 1991.

Solde des dépenses et recettes relatives à la loi de finances de 91 exécutées en 1991.

Solde des dépenses et recettes relatives à la loi de finances 92 exécutées par anticipation en 1991.

B. Solde des opérations à caractère temporaire + 1,6

Déficit de plus de 110 milliards

(A + B) Solde d'exécution − 112,4

Financement du solde d'exécution :

Éléments divers de trésorerie	+ 24,3
Emprunts et obligations	+ 87,7
Bons du Trésor	+ 7,2
Crédits :	
Agents non financiers	− 16,1
Caisse des dépôts et consignations	+ 3,6
Banque de France	+ 5,7
	+ 112,4

Pertes et profits, frais imputables à la dette, concours divers.

Recours au marché financier.

Monnaie créée par la Banque de France pour financer le déficit budgétaire.

Source : Banque de France.

MÉNAGES
ENTREPRISES
ADMINISTRATIONS
MONNAIE ET FINANCE
EXTÉRIEUR
PERFORMANCES

Les dépenses publiques

Les dépenses publiques peuvent être présentées de trois façons :
— par ministère : ce classement reflète alors l'organisation du gouvernement ;
— par fonction : ce classement permet de suivre l'action de l'État dans les grands domaines où il intervient ;
— par nature économique : ce classement permet de distinguer les charges en personnel, de fonctionnement, d'équipement et d'intervention.

Les dépenses publiques présentées par ministère

Si le budget du ministère de l'Économie et des Finances apparaît comme le plus important, c'est uniquement parce qu'il comprend les charges communes. Ce poste rassemble les dépenses partagées par toutes les administrations : pensions, dette publique, présidence de la République et Assemblées parlementaires. En fait, les budgets les plus importants sont ceux des ministères de la Défense (17,9 % en 1993) et de l'Éducation nationale (20,6 %)

Les dépenses publiques présentées par fonction

☐ Cette présentation classe les dépenses publiques par grandes « fonctions », c'est-à-dire par grands secteurs d'activité. Elle est donc indépendante du découpage par ministère et permet de suivre l'évolution de l'action de l'État d'un gouvernement à l'autre. Elle est annexée à la foi de finances depuis 1972.
☐ Parmi ces fonctions, quatre se détachent nettement :
— L'Éducation et la Culture : cette fonction regroupe l'enseignement, la formation continue, la recherche fondamentale et les dépenses d'action culturelle (près de 25 %).
— Le Secteur social, la Santé, l'Emploi : cette fonction comprend en particulier l'ensemble des concours de l'État à la Sécurité sociale, les pensions des anciens combattants, l'aide sociale aux enfants, aux handicapés, aux personnes âgées. Elle comprend les interventions pour l'emploi et le fonds national de chômage (environ 20 %).
— La Défense nationale (plus de 15 %).
— Les Pouvoirs publics et l'Administration générale : cette fonction regroupe les activités traditionnelles d'ordre public, de justice, d'administration économique, financière et territoriale (plus de 10 %).

Les dépenses publiques présentées par nature économique

Les dépenses publiques peuvent être classées en dépenses de personnel (rémunération des fonctionnaires), d'équipement (investissements de l'État), d'intervention (dotations, subventions, aides…), de fonctionnement (consommation de biens et services). Les dépenses de personnel dominent nettement (environ les 3/4) dans les fonctions Éducation et Culture, Pouvoirs publics et Administration générale. Elles sont également importantes dans la Défense nationale (environ 40 %). Les dépenses d'intervention dominent dans la fonction Secteur social, Santé, Emploi (environ 90 %). Les dépenses d'équipement occupent près de la moitié de la fonction Défense.

LES DÉPENSES PUBLIQUES EN CHIFFRES

■ Crédits ouverts par ministère en millions de francs (budget général)

	Loi de Finances initiale 1993
Affaires étrangères et coopération	
I. Affaires étrangères	14 925
II. Coopération et développement	8 070
Affaires sociales et santé	50 643
Affaires sociales et Travail	
Services communs	2 254
Agriculture et forêt	39 786
Anciens combattants	27 610
Charges communes	287 508
Commerce et artisanat	645
Départements et territoires d'outre-mer	2 392
Éducation nationale et Culture :	
I. Éducation nationale :	
1. Enseignement scolaire	242 250
2. Enseignement supérieur	39 512
II. Culture	13 822
Environnement	1 614
Équipement, logement et transports :	
I. Urbanisme, logement et services communs	57 692
II. Transports :	
1. Transports terrestres	40 531
2. Routes	8 303
3. Sécurité routière	758
4. Transport aérien	2 627
III. Météorologie	1 282
IV. Mer	6 011
Industrie	19 362
Intérieur	73 008
Jeunesse et Sports	3 089
Justice	20 392
Postes et télécommunications	2 461
Recherche et Espace	34 446
Services du Premier ministre :	
I. Services généraux	4 495
II. Secrétariat général de la défense nationale	227
III. Conseil économique et social	156
IV. Plan	171
V. Aménagements du territoire	1 898
Services financiers	43 123
Tourisme	431
Travail, Emploi et Formation professionnelle	72 798
Défense	245 642
Dépenses totales	**1 369 934**

■ Effectif des principaux ministères (en milliers d'agents, 1993)

Éducation nationale	1 058,3
Défense*	405,2
Économies, finances et budget	177,9
Intérieur	163,1
Équipements et transports	113,1
Justice	57,2
Agriculture	29,7
Ministères sociaux	26,2
Culture	12,1
Affaires étrangères et coopération	10,3
Autres ministères	31,5

* hors appelés du contingent

Sources : Notes bleues

■ La détérioration des soldes budgétaires (milliards de F)

	Lois de Finances initiales	Loi de règlement
1982	− 95,4	− 99
1985	− 140,2	− 153,3
1990	− 90,1	− 93,2
1991	− 80,7	− 131,7
1992	− 89,9	− 236,4
1993	− 165,4	?

■ Dépenses par nature du budget général (milliards de F)

Loi de Finances initiale 1993

Charge de la dette publique	177,8
Dépenses de personnel et de fonctionnement	483,0
Dépenses d'interventions	374,7
Crédits d'équipement civil	88,8
Dépenses militaires	245,6

MÉNAGES

ENTREPRISES

ADMINISTRATIONS

MONNAIE ET FINANCE

EXTÉRIEUR

PERFORMANCES

Les prélèvements obligatoires en France

Les prélèvements obligatoires sont constitués par les impôts et les cotisations sociales. Environ 44 % du PIB sont actuellement prélevés et redistribués. La tendance actuelle est à la stabilisation de ce taux de prélèvements obligatoires.

▬▬▬ Recettes publiques et prélèvements obligatoires

☐ Les recettes publiques se divisent en trois catégories :

— Les recettes de nature fiscale (les impôts) sont versées sans contrepartie directe par le contribuable. Ex : l'accès à l'Éducation nationale n'est pas lié à l'impôt versé.

— Les cotisations sociales : ici, le versement ouvre droit à prestation. Les cotisations sont dites « effectives » lorsqu'elles sont versées aux caisses de Sécurité sociale et de sociétés mutualistes. Elles sont dites « fictives » lorsqu'elles représentent des prestations fournies directement par les employeurs en dehors de tout circuit de cotisations.

— Les recettes non fiscales résultent essentiellement de la vente de la production marchande de biens et services par les administrations.

☐ Dans cet ensemble, on retient comme prélèvements obligatoires les recettes de nature fiscale et les cotisations effectives. Le taux de prélèvements obligatoires est égal aux prélèvements obligatoires divisés par le PIB.

▬▬▬ Évolution du taux de prélèvements obligatoires

L'évolution des vingt dernières années peut être décomposée en trois phases :

— une phase de croissance régulière entre 1970 et 1980 (de 35,6 % à 41,7 %) ;

— une phase de croissance accélérée entre 1981 et 1984 (41,9 % à 44,6 %) ;

— une phase de stabilisation entre 1985 et 1992 ; en 1992, le taux est de 43,7 %.

Sur l'ensemble de la période, la croissance des cotisations sociales a été légèrement supérieure à la croissance des impôts.

▬▬▬ Les trois types de prélèvements obligatoires

En adoptant le point de vue de la redistribution des revenus, on en distingue trois :

— Les prélèvements progressifs : leur taux augmente avec le montant imposable. C'est le cas de l'impôt sur le revenu des personnes physiques (IRPP), des droits de succession et de l'impôts de solidarité sur la fortune (ISF).

— Les prélèvements proportionnels : le taux est constant quelle que soit la somme imposable. C'est le cas de la TVA. Les effets redistributifs de la TVA résultent de deux mécanismes contradictoires. D'une part les titulaires de revenus élevés consomment davantage de produits taxés au taux majoré. Mais d'autre part, quand le revenu croît, le taux d'épargne croît. Or, la TVA ne touche que la consommation. Cela réduit le taux d'imposition des revenus élevés. Au total, on estime que les deux effets se compensent à peu près.

— Les prélèvements dégressifs : le taux diminue quand le revenu s'élève. C'est le cas des cotisations sociales pour tous les revenus situés au-dessus du plafond.

PRÉLÈVEMENTS OBLIGATOIRES ET REDISTRIBUTION

■ Évolution du taux de prélèvements obligatoires

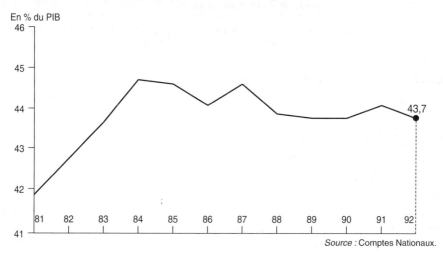

En % du PIB

43,7

Source : Comptes Nationaux.

■ Évolution de la structure des prélèvements obligatoires

En %	Moyenne 1970-1975	Moyenne 1981-1985	Moyenne 1988-1992	1992
Impôts (hors Sécurité sociale)	59,2	53,4	51,4	50,1
- au profit de l'État	*48,6*	*41,0*	*36,8*	*34,9*
- au profit des Administrations publiques locales	*10,5*	*11,9*	*13,9*	*14,5*
Prélèvement social	39,0	44,8	46,1	47,4
Prélèvement au profit de la CEE	1,8	1,8	2,5	2,5
Ensemble	**100,0**	**100,0**	**100,0**	**100,0**
p.m. : Taux de prélèvements obligatoires (en % du PIB)	35,3	43,5	43,8	43,7

Source : Direction de la Prévision.

■ L'effet redistributif du système de prélèvement

Au total, l'effet redistributif de notre système de prélèvement revient à savoir si la dégressivité des cotisations sociales au-dessus du plafond compense la progressivité de l'impôt sur le revenu des personnes physiques. D'après les calculs effectués par le Centre d'étude des revenus et des coûts, les prélèvements obligatoires conservent en France un faible aspect redistributif : la pression fiscale est légèrement plus lourde quand le revenu croît.

MÉNAGES

ENTREPRISES

ADMINISTRATIONS

MONNAIE ET FINANCE

EXTÉRIEUR

PERFORMANCES

Les impôts en France

Les impôts sont perçus au profit de l'État, des collectivités locales et de la CEE. La fiscalité française se caractérise par la prédominance de la fiscalité indirecte (répercutée sur les prix) par rapport à la fiscalité directe (non répercutée).

Fiscalité directe et fiscalité indirecte

☐ Les impôts directs sont supportés par celui qui les paie et ne peuvent être répercutés sur les prix. Les deux principaux impôts directs sont l'impôt sur le revenu des personnes physiques et l'impôt sur les sociétés.

☐ Les impôts indirects sont répercutés sur les prix : ce ne sont pas ceux qui les paient qui les supportent. Les deux principaux impôts indirects sont la taxe à la valeur ajoutée et la taxe intérieure sur les produits pétroliers.

La structure des recettes fiscales de l'État

La composition des recettes fiscales de l'État est d'une grande stabilité : environ 2/3 d'impôts indirects et 1/3 d'impôts directs.

☐ La TVA possède les qualités attendues d'un bon impôt. Elle est productive : près de la moitié des recettes fiscales de l'État en 1992 (709 milliards de francs). Elle est indolore : incorporée dans le prix de vente, le consommateur n'a pas vraiment conscience de son poids. Elle est neutre vis-à-vis du circuit économique.

Il existe trois taux : 18,6 % (taux normal), 5,5 % et 2,1 % (taux réduits).

☐ La taxe intérieure sur les produits pétroliers joue un rôle d'amortisseur des variations du prix du pétrole : elle a diminué lors des chocs pétroliers et augmenté lors de l'effondrement du prix du pétrole en 1986.

☐ L'impôt sur le revenu des personnes physiques ne représente qu'un cinquième des recettes fiscales de l'État.

Actuellement, environ la moitié seulement des foyers paient l'impôt sur le revenu. Il est peu productif (environ 6 % du revenu des ménages), mais aussi très impopulaire car très progressif.

☐ L'impôt sur le revenu des sociétés ne représente que 10 % des recettes fiscales de l'État. La tendance est à la diminution de son taux (33,1/3 % en 1993).

☐ Les autres impôts jouent, quantitativement, un rôle marginal. Il s'agit d'impôts directs (taxe sur les salaires, impôts sur les revenus des capitaux mobiliers, impôt de solidarité sur la fortune, C.S.G.) et d'impôts indirects (enregistrement, timbre...).

Les impôts locaux

Il existe quatre impôts directs locaux : la taxe d'habitation (liée à l'occupation d'un logement), les taxes foncières (liées à la possession de logements et de terrains) sur les propriétés bâties et non bâties, et la taxe professionnelle (qui repose sur le stock de capital productif et la masse salariale).

Les prélèvements au profit de la CEE

Sur les impôts perçus par l'État sont prélevées des sommes destinées au budget de la CEE.

LA FISCALITÉ EN CHIFFRES

■ Évolution et structure des impôts en France

Depuis 1970, le poids des impôts calculé en % du PIB a augmenté jusqu'en 1984 (25,4 %) et diminué ensuite. Dans cet ensemble, la part de l'État n'a pas cessé de fléchir, contrairement à celles de la fiscalité locale et de la fiscalité communautaire.

1970 (% du PIB)		1992 (% du PIB)	
Impôts	22,7 %	Impôts	22,9 %
État	18,9 %	État	15,2 %
Locaux	3,6 %	Locaux	6,3 %
CEE	0,2 %	CEE	1,1 %

■ Impôts directs - Impôts indirects du budget général : une grande stabilité

	1970	1992
Impôts directs	33,4	37,9
Impôts indirects	66,6	62,1
	100	100

■ Les recettes fiscales l'État (1992)

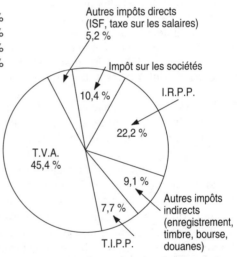

Autres impôts directs (ISF, taxe sur les salaires) 5,2 %

Impôt sur les sociétés 10,4 %

I.R.P.P. 22,2 %

T.V.A. 45,4 %

9,1 % Autres impôts indirects (enregistrement, timbre, bourse, douanes)

7,7 %

T.I.P.P.

■ La TVA

La taxe à la valeur ajoutée est un impôt payé à chaque étape du circuit économique sur la seule valeur ajoutée par l'entreprise. Elle est à chaque fois intégrée dans le prix de vente et se trouve ainsi cumulée jusqu'au stade final de la consommation, chaque entreprise récupérant la TVA payée sur ses propres achats.

Exemple : taux = 20 %

	Valeur ajoutée	Prix hors taxe	TVA figurant sur la facture	TVA à déduire	TVA payée par l'entreprise	Prix de vente TVA comprise
Matières premières	300	300 – x 0,2 → 60		—	60	360
Fabrication	500	800 – x 0,2 → 160		60	100	960
Grossiste	200	1 000 – x 0,2 → 200		160	40	1 200
Détaillant	300	1 300 – x 0,2 → 260		200	60	1 560
	1 300		+		260	

MÉNAGES
ENTREPRISES
ADMINISTRATIONS
MONNAIE ET FINANCE
EXTÉRIEUR
PERFORMANCES

Les prestations sociales

Les prestations sociales sont évaluées en 1992 à 1 700 milliards, soit plus de 24 % du PIB. C'est ainsi près du quart de la richesse nationale annuelle que les prestations sociales redistribuent. L'importance de ces prestations entraîne de sérieux problèmes de financement.

Les dépenses de prestations sociales

Quatre grands secteurs sont couverts par les prestations sociales :
— Le secteur Vieillesse comprend les prestations de cessation anticipée d'activité, les retraites, les pensions de réversion et le minimum vieillesse ;
— Le secteur Santé comprend les prestations versées au titre de la maladie, de l'infirmité, de l'invalidité et des accidents du travail ;
— Le secteur Famille distingue les prestations liées à la famille proprement dite (allocations familiales) et à la maternité ;
— Le secteur Emploi couvre le risque de chômage et d'inadaptation professionnelle.
Les prestations sociales sont essentiellement financées par les cotisations sociales auxquelles s'ajoutent des subventions d'équilibre versées par l'État.

L'évolution du volume et de la structure des prestations sociales

☐ Sur une vingtaine d'années, le poids des prestations sociales dans l'économie a pratiquement doublé. Il est passé de 12,3 % du PIB en 1969 à 24 % en 1992.
☐ L'évolution de la structure des prestations sur une longue période reflète certaines évolutions fondamentales de la société française :
— L'allongement de la durée de la vie : alors que le secteur Vieillesse ne représentait que 34,6 % des prestations en 1959, il en représente 49,7 % en 1992.
— La chute du taux de natalité : le secteur Famille représentait 33,9 % des prestations en 1959, il n'en représente plus que 12,5 % maintenant.
— La montée du chômage : le secteur Emploi était quasiment inexistant en 1959 (0,4 %) ; il représente maintenant 8,6 % de l'ensemble.
Par contre, la part du secteur Santé est restée stable. Elle était de 31,1 % en 1959, elle est de 27,5 % en 1992.

Le problème du financement : solidarité ou assurance

☐ L'explosion des prestations pose le problème de leur financement. Théoriquement, ce financement peut relever d'un choix entre deux modalités non exclusives :
— L'assurance : les seuls participants au financement sont ceux qui sont soumis au risque et les seuls bénéficiaires sont ceux qui ont cotisé pour s'en prémunir ;
— La solidarité : l'ensemble de la communauté participe au financement et les bénéficiaires sont ceux qui sont soumis à risque.
☐ Le système français repose actuellement essentiellement sur la solidarité, accessoirement sur l'assurance. Il a certainement le défaut de sa qualité : mettant au premier rang la justice sociale, il a aussi tendance à déresponsabiliser. Il est vraisemblable qu'il évoluera dans les années à venir vers plus d'assurance.

ASSURANCE OU SOLIDARITÉ ?

■ Assurance et solidarité

Actuellement la situation française est la suivante :

• **Les prestations chômage** combinent assurance et solidarité. Le système d'assurance est géré par les partenaires sociaux (ASSEDIC, UNEDIC). Le système de solidarité est géré par l'État et financé par le budget général et la contribution de 1 % de solidarité des fonctionnaires.

• **Les prestations vieillesse** : l'essentiel du système français repose sur la solidarité puisque les actifs cotisent pour payer les retraites des personnes âgées (système de la répartition). A l'avenir, il faudra certainement augmenter la part de l'assurance, chaque individu cotisant pour une partie plus importante de sa propre retraite (système de la capitalisation).

• **Le cas de la santé** est plus délicat : c'est sans doute le domaine où la solidarité semble la plus naturelle. Dans le système français, la composante solidarité l'emporte nettement sur la composante assurance.

Dans les pays développés, les États-Unis ont fait un autre choix, très tranché : solidarité pour les personnes âgées (Medicare) et les pauvres (Medicaid), assurance privée pour les autres.

■ La répartition des prestations sociales en 1992 (total = 1 700 milliards)

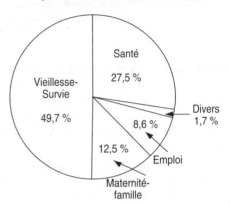

■ La croissance des prestations sociales (92/91)

1. Emploi	+ 11,5 %
2. Vieillesse-Survie	+ 6,2 %
3. Santé	+ 5,6 %
4. Maternité-famille	+ 3,6 %
5. Divers	− 9,9 %
Total :	+ 5,8 %
(Rappel : PIB	+ 3,6 %)

■ La protection sociale et son financement en 1992

Les entreprises financent près de la moitié de la protection sociale.

Emplois		Ressources	
Prestations sociales	: 73,2 %	Cotisations des salariés	: 19,9 %
Prestations de services sociaux	: 10,3 %	Cotisations des employeurs	: 44,5 %
Frais de gestion	: 3,4 %	Cotisation des travailleurs indépendants	: 4,4 %
Autres dépenses	: 14,0 %	Autres cotisations	: 0,1 %
Épargne	: − 0,9 %	Impôts affectés et contributions publiques	: 15,5 %
		Autres recettes	: 15,6 %
	100 %		100 %

La contribution de l'État est comparable aux cotisations des salariés

MÉNAGES

ENTREPRISES

ADMINISTRATIONS

MONNAIE ET FINANCE

EXTÉRIEUR

PERFORMANCES

Le rôle financier du Trésor

Le Trésor est le caissier de l'État. A ce titre, il prélève les impôts et règle les dépenses publiques. Le Trésor est aussi un intermédiaire financier. Il emprunte pour financer le déficit budgétaire. Il dispose en outre de ressources monétaires. Le montant de ces emprunts et ressources monétaires constitue la dette publique.

Les ressources monétaires et d'emprunt du Trésor : la dette publique

☐ Le Trésor collecte des dépôts monétaires.

— Le Trésor bénéficie de l'argent déposé auprès des trésoriers-payeurs généraux et surtout auprès des comptes-chèques postaux.

— Le Trésor bénéficie des dépôts de ses correspondants. On distingue les correspondants non financiers (Ex. : collectivités locales, sociétés nationalisées...) des correspondants financiers (Ex. : la Caisse des dépôts et consignations).
Ces organismes collectent des fonds importants qui constituent pour le Trésor une ressource liquide adaptée aux besoins de trésorerie de l'État.

☐ Le Trésor collecte de l'épargne liquide.

— Le Trésor émet des bons sur formule. Ces bons destinés à collecter la petite épargne sont destinés à disparaître au fur et à mesure de leur remboursement.

— Le Trésor collecte des capitaux sur les marchés financiers (emprunts d'État).
A partir de 1973, le recours de l'État au marché financier est devenu habituel et les obligations émises par l'État représentent à peu près le quart du marché.

☐ Le Trésor obtient des fonds de la Banque de France.

— La Banque de France règle au Trésor la valeur des monnaies divisionnaires qu'il fabrique et qu'elle met en circulation.

— La Banque de France accorde des avances au Trésor (concours au Trésor public).
Ces avances sont divisées en deux tranches, l'une gratuite, l'autre onéreuse.

☐ Le Trésor emprunte auprès des établissements de crédit et des OPCVM.
Il émet alors des bons du Trésor en compte courant, titres maintenant négociables sur le marché monétaire. Ces bons sont souscrits par les banques, les SICAV et FCP, la Caisse des dépôts et consignations, les sociétés financières et institutions financières spécialisées. Les particuliers peuvent aussi les acheter directement, mais cet apport reste très marginal.

☐ Le Trésor emprunte auprès de l'étranger.
Les non-résidents achètent des bons du Trésor et des obligations émises par l'État.

Les emplois financiers du Trésor

☐ L'essentiel de l'emploi des ressources (90 %) est consacré au financement du déficit du budget.

☐ L'État accorde des prêts, notamment aux entreprises publiques.

☐ L'État accorde des dotations en capital aux entreprises publiques.

LA CAISSE DES DÉPÔTS ET CONSIGNATIONS

■ Qu'est-ce que la Caisse des dépôts ?

La Caisse des dépôts et consignations, correspondant financier du Trésor et établissement public autonome, occupe une place essentielle dans le système français. C'est un collecteur de fonds exceptionnel : en décembre 1989, le montant des dépôts à vue et à terme collectés auprès des agents non financiers s'élevait à près de 1 140 milliards. A titre de comparaison, la totalité des banques française collectaient à la même date environ 1 960 milliards de francs.

■ Ses ressources

Les ressources les plus importantes sont constituées par les fonds des Caisses d'épargne, c'est-à-dire les sommes déposées sur les livrets A et B, les comptes et plans d'épargne-logement, une partie des ressources provenant des bons d'épargne. La CDC reçoit aussi des dépôts obligatoires (dépôts des notaires, de la Sécurité sociale, des organismes de retraite, des sociétés mutualistes...). Elle gère la Caisse nationale de prévoyance, troisième société d'assurances française. Elle centralise aussi une partie des fonds collectés par les CODEVI. Elle possède enfin d'importantes ressources propres qui lui permettent d'intervenir sur les marchés nationaux et internationaux.

■ Ses emplois

Les emplois sont très largement orientés vers des financements publics. La CDC est le banquier des collectivités locales.

— Elle accorde des prêts d'équipement et des prêts spécifiques aux communes, elle prête aussi aux sociétés qui réalisent des équipements collectifs, elle souscrit aux emprunts des villes et des régions. Elle est aidée dans le financement des équipements régionaux par deux filiales : le Crédit local de France et la Caisse nationale des autoroutes.

— Elle finance le logement par l'intermédiaire de la Caisse de prêts aux organismes HLM et par des prêts accordés au Crédit foncier.

— Elle finance aussi le secteur productif par des prêts aux grandes entreprises nationales, des prêts à des établissements financiers spécialisés (Crédit national, Banque française du commerce extérieur, des achats d'actions et d'obligations), la gestion de SICAV.

— De plus, la Caisse des dépôts joue un rôle important dans le financement du Trésor : elle y dépose ses liquidités et elle achète des bons.

— Enfin, elle apporte son concours aux banques en prêtant sur le marché monétaire et en refinançant des prêts hypothécaires.

Cette institution originale arrive à concilier sa finalité de service public avec des normes de bonne gestion et dégage des profits importants.

La dette publique	
En juin 1992, la dette publique s'élevait à 2 061,3 milliards de francs. Elle se décomposait de la manière suivante :	
Emprunts et obligations	51,5 %
Dépôts et CCP	9,0 %
Comptes de correspondants	5,3 %
Bons du Trésor sur formule	1,1 %
Monnaies divisionnaires	0,6 %
Concours de la Banque de France	1,3 %
Bons du Trésor en compte courant	31,2 %

MÉNAGES

ENTREPRISES

ADMINISTRATIONS

MONNAIE ET FINANCE

EXTÉRIEUR

PERFORMANCES

La relance budgétaire

Dans la *Théorie générale de l'Emploi, de l'Intérêt et de la Monnaie* (1936), l'économiste anglais J.M. Keynes a montré que les gouvernements pouvaient relancer l'activité en acceptant un déficit budgétaire. Il a ainsi ouvert la voie à une nouvelle conception de la politique économique dans laquelle l'État se voit attribuer une responsabilité essentielle dans la recherche de la croissance et du plein-emploi.

Définition de la demande globale

En économie, comme en chimie, rien ne se perd, rien ne se crée : les biens et services offerts se retrouvent intégralement dans l'une ou l'autre des composantes de la demande globale.

— Les biens et services offerts sont constitués par la production nationale (Y) et les importations (M).

— Les composantes de la demande sont : la consommation des ménages (C), les investissements (I), les dépenses publiques (G) et les exportations (X).

Soit : $Y + M = C + I + G + X \rightarrow \underbrace{Y}_{} = \underbrace{(C + I + G)}_{} + \underbrace{(X - M)}_{}$

Production Nationale   Demande nationale + Balance commerciale

L'idée de base : le rôle premier de la demande globale

☐ Jusqu'à Keynes, les économistes dans leur majorité pensaient que la demande ne pouvait que s'adapter à ce qui était offert. Dans une situation de crise et de chômage, c'est donc d'abord de la croissance de l'offre que l'on attendait la reprise de l'activité.

☐ L'idée fondamentale de Keynes a été d'inverser ce point de vue : n'est-ce pas au contraire le secteur productif qui s'ajuste à la demande qui lui est adressée ? Dans une situation de crise et de chômage, c'est donc d'abord d'une croissance de la demande qu'il faut attendre la reprise de l'activité et de l'emploi.

La décomposition de la demande globale

☐ Selon Keynes, deux types fondamentaux de composantes de la demande doivent être distingués :

1. La consommation est liée directement au pouvoir d'achat, donc au revenu disponible des ménages. Conséquence de politique économique : il ne faut pas diminuer les salaires pour faciliter la production car la baisse des salaires prive la production d'une partie essentielle de ses débouchés.

2. Par contre, les autres composantes de la demande ne sont pas directement liées aux revenus distribués. Parmi ces autres composantes, l'investissement résulte du comportement du secteur privé et échappe donc à une intervention directe de la politique économique. A l'opposé, les dépenses publiques sont sous la responsabilité de l'État.

☐ Conséquence sur la politique économique : l'État peut stimuler directement la demande en augmentant les dépenses publiques. Il ne doit pas craindre le déficit budgétaire : celui-ci peut avoir des effets bénéfiques.

L'augmentation des dépenses publiques aura des effets multiplicateurs (voir ci-contre).

LE MODÈLE DE BASE DU MULTIPLICATEUR KEYNÉSIEN

- L'égalité des ressources et des emplois en biens et services s'écrit :

$$Y + M = C + I + G + X$$
$$Y = C + I + G + (X - M)$$

où :

Y	=	Production nationale (PIB)
M	=	Importations
C	=	Consommation des ménages
I	=	Investissement des entreprises
G	=	Dépenses publiques
X	=	Exportations

- A partir de cette égalité comptable, le modèle élémentaire du multiplicateur repose sur deux hypothèses :

1. La consommation des ménages dépend de leur revenu disponible. Le revenu disponible étant égal à Y moins les impôts (T). Par exemple :

$$C = a(Y - T) + b \text{ où } 0 < a < 1$$

Le paramètre « a » est appelé propension marginale à consommer. Keynes suppose qu'il est positif mais inférieur à 1. Quand le revenu disponible croît de 1 milliard, la consommation croît de moins de 1 milliard (« a » milliard).

2. A court terme, on considère l'investissement comme une donnée. Dans ce modèle simple, on néglige par ailleurs la variation de la balance commerciale.

- Donc, si on appelle ΔY la variation de Y, ΔC la variation de C, ΔG la variation des dépenses publiques et ΔT la variation des impôts, on peut écrire :

$$\Delta Y = \Delta C + \Delta G$$
$$\Delta Y = a(\Delta Y - \Delta T) + \Delta G$$

$$\Delta Y = \frac{\Delta G - a\Delta T}{1 - a}$$

■ Exemples

- Si $\Delta G = 1$ milliard, on a :

$$\Delta Y = \frac{1}{1 - a} \Delta G$$

En France, en 1988 : a = 0,756, on a donc :

$$\Delta Y = \frac{1}{1 - 0,756} \Delta G = 4,1 \Delta G$$

Une augmentation de 1 milliard des dépenses publiques entraîne une augmentation de 4,1 milliards du PIB dans le cas français. (Le multiplicateur est égal à 4,1.)

- Si l'on baisse les impôts de 1 milliard :

$$\Delta Y = \frac{-a}{1 - a} \Delta T$$

$$\Delta Y = \frac{-0,756}{1 - 0,756} \Delta T = -3,1\Delta T$$

Une baisse des impôts de 1 milliard entraîne une augmentation de 3,1 milliards du PIB. (Le multiplicateur est égal à -3,1.)

MÉNAGES

ENTREPRISES

ADMINISTRATIONS

MONNAIE ET FINANCE

EXTÉRIEUR

PERFORMANCES

Les dangers de la relance

Les politiques de relance budgétaire ont souvent été employées par les gouvernements, mais elles ne sont pas sans danger. Elles peuvent conduire en effet au déficit extérieur, à une dette publique excessive, à la chute de l'investissement privé.
Elles sont par ailleurs responsables en partie du poids excessif de l'État dans l'économie.

L'ouverture des économies

Keynes attribue une importance limitée au commerce international, ce qui est logique à l'époque où est publiée la *Théorie générale* (1936).

Or, entre 1960 et 1990, la France est passée d'une économie fermée à une économie ouverte. Mais, que se passe-t-il quand l'État mène une politique de relance budgétaire ?

— Les entreprises se tournent vers le supplément de demande intérieure, négligent les marchés extérieurs, et les exportations baissent. Cette baisse sera d'ailleurs accentuée par l'inflation qui risque d'accompagner la relance.

— Les consommateurs achètent davantage, tant en produits étrangers qu'en produits nationaux. D'où une hausse des importations.

Au total, la relance risque de conduire tout droit au déficit du commerce extérieur.

Les problèmes de financement d'un déficit budgétaire

Le déficit budgétaire qui est à l'origine de la relance doit être financé. Il peut l'être par création monétaire ou par emprunt auprès du public.

☐ Dans le premier cas, l'État sollicite le concours de la banque centrale. Le surplus de monnaie ainsi mis en circulation risque d'accélérer l'inflation.

☐ Dans le second cas, l'État emprunte de l'argent et le remet dans le circuit au fur et à mesure de ses dépenses. La quantité de monnaie n'augmente pas, c'est la dette publique qui augmente. Elle devra être remboursée et des intérêts devront être payés. Pour cela, ne sera-t-il pas nécessaire d'augmenter plus tard les impôts, l'État étant ainsi conduit à reprendre d'une main ce qu'il donne de l'autre ?

L'éviction de l'investissement privé par les dépenses publiques

☐ Si l'État finance son déficit par emprunt auprès du public, il entre en concurrence avec les entreprises dans la collecte des fonds sur les marchés financiers.
Dans la situation la plus défavorable où l'offre de fonds reste constante, le surplus collecté par l'État est prélevé sur les sommes disponibles pour les entreprises. Certains projets d'investissements, n'étant plus financés, ne se réaliseront pas.

☐ Par ailleurs, pour pouvoir prélever des fonds supplémentaires sur les marchés financiers, l'État est obligé de proposer des taux d'intérêt plus élevés qu'auparavant. L'emprunt public fait donc croître les taux d'intérêt. Les coûts financiers croissant, certains projets d'investissement risquent donc de ne plus être rentables et de ne pas être réalisés.

« TROP D'ÉTAT » ? LA COURBE DE LAFFER

• Les politiques budgétaires ont non seulement été contestées sur le plan de l'efficacité conjoncturelle mais aussi parce qu'elles ont conduit à « trop d'État ».

La relance budgétaire est en principe limitée au court terme et peut très bien s'effectuer par une baisse des impôts. En théorie donc, la mise en œuvre des idées keynésiennes ne devait pas nécessairement conduire à accroître la part de l'État dans l'économie.

• Dans les faits, il n'en fut pas ainsi parce que la plupart des gouvernements ont effectué des relances par les dépenses publiques. Par ailleurs, l'efficacité n'étant pas souvent au rendez-vous, ils ont eu tendance à répéter ou prolonger ces politiques. Si l'on ajoute la dérive naturelle des dépenses sociales due à l'indemnisation du chômage et aux dépenses de santé, il en est résulté une croissance très forte des prélèvements obligatoires.

• Une réaction contre cette emprise grandissante de l'État est née en Californie au début des années 70. Elle s'est progressivement généralisée et a conduit aux politiques économiques de R. Reagan, de M. Thatcher, au programme de privatisations en France, et d'une façon plus générale, aux engagements des gouvernements de faire diminuer le taux des prélèvements obligatoires.

La rationalisation théorique de ces programmes se trouve dans la vieille idée suivant laquelle « trop d'impôt tue l'impôt » — idée remise à la mode par l'économiste américain Laffer. La courbe de Laffer montre comment les recettes fiscales de l'État varient en fonction du taux d'imposition.

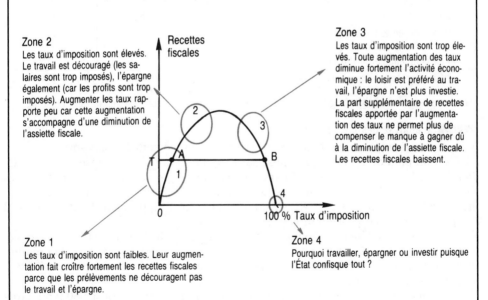

Zone 2
Les taux d'imposition sont élevés. Le travail est découragé (les salaires sont trop imposés), l'épargne également (car les profits sont trop imposés). Augmenter les taux rapporte peu car cette augmentation s'accompagne d'une diminution de l'assiette fiscale.

Zone 3
Les taux d'imposition sont trop élevés. Toute augmentation des taux diminue fortement l'activité économique : le loisir est préféré au travail, l'épargne n'est plus investie. La part supplémentaire de recettes fiscales apportée par l'augmentation des taux ne permet plus de compenser le manque à gagner dû à la diminution de l'assiette fiscale. Les recettes fiscales baissent.

Zone 1
Les taux d'imposition sont faibles. Leur augmentation fait croître fortement les recettes fiscales parce que les prélèvements ne découragent pas le travail et l'épargne.

Zone 4
Pourquoi travailler, épargner ou investir puisque l'État confisque tout ?

S'il s'agit d'obtenir des recettes fiscales correspondant au niveau T sur le graphique, choisir le point A est préférable à choisir le point B.

En définitive, la courbe de Laffer explique ce paradoxe apparent : c'est parfois en baissant les taux d'imposition qu'on augmente les recettes fiscales !

MÉNAGES

ENTREPRISES

ADMINISTRATIONS

MONNAIE ET FINANCE

EXTÉRIEUR

PERFORMANCES

La relance budgétaire de 1981-1982

La relance de 1981-1982 repose principalement sur la croissance du SMIC, l'augmentation des prestations sociales et le soutien de l'activité économique par les dépenses publiques. En contrepartie, des impôts nouveaux ont été instaurés et les cotisations sociales augmentées.

Le contenu des mesures

Mesures (1981-1982)	Montant total	Dont coût budgétaire
(1) Hausse du pouvoir d'achat du SMIC	8,5	3,5
(2) Mesures sociales (prestations) :	30,3	15,6
(3) Mesure en faveur de l'emploi et de l'investissement	42,1	38,0
(4) Augmentation des impôts et des cotisations sociales	− 28,2	− 15
Total des dépenses (1) + (2) + (3)	80,9	57,1
Total des recettes (4)	28,2	15,0
Différence dépenses-recettes :		
— en milliards de francs	52,7	42,2
— en pourcentage du PIB de 1981	1,70	1,35

Source : A. Fonteneau et A. Gubian, « Comparaison des relances économiques de 1975 et 1981-82 », in *Observations et Diagnostics économiques*, n° 12. Juillet 1985.

NB : Les mesures restrictives (augmentation des impôts et des cotisations sociales) sont notées avec le signe −.

L'analyse des mesures

Les caractéristiques principales de ce plan de relance sont les suivantes :

☐ C'est un plan de relance qui repose sur l'augmentation des dépenses (+ 80,9 milliards). Celles-ci sont en partie financées par une augmentation des impôts et des cotisations sociales (28,2 milliards). Le coût net total du plan est donc de 52,7 milliards, soit 1,7 % du PIB de 1981. Ce pourcentage est à rapprocher des 2,2 % du PIB du plan de relance précédent (septembre 1975).

☐ La plupart des dépenses nouvelles ont un caractère irréversible. C'est particulièrement le cas pour la hausse du SMIC, l'ensemble des mesures sociales, la création d'emplois publics. Au contraire, les impôts nouveaux sont tous transitoires, à l'exception de l'impôt sur les grandes fortunes.

☐ Le budget de l'État ne finance que partiellement la relance. Sur les 80,9 milliards de dépenses, 57,2 milliards relèvent du budget. Le reste est financé par :
— les organismes de Sécurité sociale (prestations aux familles et aux retraités) ;
— les entreprises (elles supportent 5 des 8,5 milliards liés à la hausse du SMIC).

☐ C'est un plan de relance étalé dans le temps. Il concerne les lois de finances de 1981 et 1982.

LES EFFETS MACRO-ÉCONOMIQUES DE LA RELANCE DE 1981-82

■ **L'impact macro-économique de l'ensemble des mesures de relance prises par la gauche**
(y compris hausse de la fiscalité ; en écart par rapport à la situation de référence que l'on aurait connue en l'absence de relance)

	1981	1982	1983
PIB (en volume, en %)	0,3	1,2	1,7
Consommation des ménages (en volume, en %)	0,5	1,7	2,3
Investissement total (en volume, en %)	0,6	3,1	4,8
Prix à la consommation des ménages (en %)	0,1	0,7	1,1
Emploi (en milliers de personnes)	36	225	323
Balance commerciale (en milliards de francs)	− 4,5	− 23	− 36
Capacité de financement des administrations (en milliards de francs)	− 9,8	− 43	− 35

Source : Simulations du modèle « OFCE-annuel », *Ibid.*

■ Commentaires

• L'impact sur la croissance du PIB, même s'il peut sembler modeste en valeur absolue, représente la quasi-totalité de la croissance française sur la période 81-83. Sans la relance budgétaire de 81-82, la croissance aurait été quasiment nulle pendant ces années.
• L'effet sur la consommation des ménages est important. On voit là l'orientation spécifique de ce plan de relance dans lequel les mesures de hausse de pouvoir d'achat, d'augmentation des prestations et de création directe d'emplois jouent le rôle essentiel.
• L'effet sur l'investissement semble dominant. Mais il faut nuancer : l'investissement des administrations et des entreprises nationalisées a été très soutenu tandis que l'investissement privé s'effondrait.
• L'impact sur l'inflation est sensible en 82 et 83, mais beaucoup moins important qu'on aurait pu le craindre.
• La stimulation de l'activité a permis de créer (ou de préserver) 323 000 emplois sur les trois années 81-83. Dans cet ensemble, la création d'emplois publics fut d'environ 180 000. Le reste est lié aux effets multiplicateurs de la relance.
• Le point noir est la forte dégradation de la balance commerciale. Le plan de relance est responsable d'un déficit de 36 milliards de francs en 1983, soit plus de la moitié du déficit commercial de cette année-là.
• Le plan de relance est responsable de près de la moitié du déficit des administrations durant les années 82-83.

MÉNAGES
ENTREPRISES
ADMINISTRATIONS
MONNAIE ET FINANCE
EXTÉRIEUR
PERFORMANCES

Les institutions financières françaises

Une institution financière est un organisme qui accorde des crédits ou qui effectue des placements à l'aide de ressources créées ou collectées.
La nomenclature officielle classe les institutions financières françaises en deux grandes catégories : les établissements de crédit et les organismes de placement collectif en valeurs mobilières.

Les Établissements de Crédit (EC)

Ils sont de deux sortes :

1. Les établissements qui créent leur propre monnaie pour effectuer les prêts.

☐ La Banque de France (banque centrale ou banque d'émission).

La monnaie émise par la Banque de France est appelée monnaie centrale ou encore monnaie légale, ou plus simplement monnaie Banque de France.

Cette monnaie prend deux formes :

• la forme essentiellement détenue par les ménages et les entreprises : les billets ;

• la forme essentiellement détenue par les institutions financières : les dépôts sur les comptes de ces institutions à la Banque de France.

☐ Les banques (banques dites secondaires ou commerciales).

Leur trait distinctif est, comme pour la banque centrale, de créer de la monnaie. Cette monnaie prend la forme de dépôts sur les comptes en banque

2. Les établissements qui doivent collecter des ressources auprès d'autres agents pour effectuer des prêts.

☐ La Caisse des Dépôts et Consignations (CDC) et les Caisses d'épargne.

La CDC dispose du circuit de collecte des Caisses d'épargne et bénéficie de placements obligatoires en provenance des compagnies d'assurances et des organismes de Sécurité sociale.

☐ Les Sociétés Financières et assimilées (SF).

Les SF sont orientées vers certains types spécifiques de financement.

☐ Les Institutions Financières Spécialisées et assimilées (IFS).

Ce sont des établissements auxquels l'État a confié une mission permanente d'intérêt public et qui ne peuvent effectuer d'autres opérations de prêt que celles liées à cette mission.

☐ Les institutions financières diverses.

Les Organismes de Placement Collectif en Valeurs Mobilières (OPCVM)

Les OPCVM prennent essentiellement deux formes :

1. Les Sociétés d'Investissement à CApital Variable (SICAV) se constituent par la vente de parts (= actions) auprès d'agents non financiers et emploient les fonds collectés dans l'achat d'actions et d'obligations.

2. Les Fonds Communs de Placement (FCP) sont créés sur le principe des SICAV mais, contrairement à elles, les FCP n'ont pas la personnalité morale.

LES ÉTABLISSEMENTS DE CRÉDIT ET ASSIMILÉS

BANQUE DE FRANCE ET FSC	BANQUES	CAISSES D'ÉPARGNE	SOCIÉTÉS FINANCIÈRES ET ASSIMILÉES	INSTITUTIONS FINANCIÈRES SPÉCIALISÉES ET ASSIMILÉES	INSTITUTIONS FINANCIÈRES DIVERSES
- **Banque de France** - Fonds de stabilisation des changes	- **Banques AFB** non compris BFCE - **Banque française du commerce extérieur** - **Banques mutualistes** • Banques populaires • Crédit agricole (y.c. CNCA) • Crédit mutuel • Crédit mutuel agricole rural • Crédit maritime • Banques du Crédit Coopératif • Stés coopératives de banques - **Crédits municipaux** • Groupement de banques pour l'émission d'emprunts obligataires (GBPE)	- **Caisses d'épargne et de prévoyance** • Caisses d'épargne et de prévoyance • Stés régionales de financement SOREFI SF • SA « Emprunts caisses d'épargne Écureuil » - **Caisse nationale d'épargne (la Poste)** **CAISSE DES DÉPÔTS ET CONSIGNATIONS** • **Caisse des dépôts** • Caisse de garantie pour le logements social IFS (CGLS ex-CPHLM)	- **Sociétés financières SF** (hors SCM et SOREFI) • Sociétés financières soumises à des dispositions particulières • Sociétés immobilières pour le commerce et l'industrie (SICOMI) • SOFERGIE • Stés de Financement des Télécom • Sociétés de crédit différé • Sociétés de crédit immobilier (HLM) - Caisse de refinancement hypothécaire - Sociétés financières habilitées à titre individuel (SFHT) : • Sociétés de crédit-bail immobilier • Sociétés de location avec option d'achat • Sociétés de gestion de moyens de paiements • Autres Stés financières - **Maisons de titres** - **Instituts Régionaux de Participation (IRP)** - **Sociétés de Bourses**	- **Institutions financières spécialisées IFS** • Caisse Centrale de Coopération Economique (CCCE) • Comptoir des Entrepreneurs • Crédit d'Equipement des PME (CEPME) • Crédit Foncier de France • Crédit Local de France (CAECL) • Crédit National • MATIF - SA - (CCIFP) • Sociétés de Développement Régional - SDR - y compris SOFIMAC, SOFIPARIL et SOCREDOM • Société française pour l'assurance du capital risque des PME (SOFARIS) • Société des Bourses Françaises (SBF) - **Institutions financières spécialisées et assimilées** • Caisse Nationale des Autoroutes (CNA) • Caisse Nationale des Télécommunications (CNT) • Caisse Nationale de l'Énergie	- **Fonds communs de créances** - **Sociétés de Caution Mutuelle SF (SCM)** • Groupements professionnels de répartition d'emprunts collectifs au profit d'agents non bancaires • Caisse Nationale de l'Industrie (CNI) • Caisse Nationale des Banques (CNB) • Caisse de consolidation et de mobilisation des crédits à moyen terme (CACOM) • Autoroutes de France • Comités Interprofessionnels du Logement (CIL)

MÉNAGES
ENTREPRISES
ADMINISTRATIONS
MONNAIE ET FINANCE
EXTÉRIEUR
PERFORMANCES

Les moyens de paiement

Les moyens de paiement permettent d'éteindre les dettes. L'ensemble des moyens de paiement disponibles dans une économie constituent la masse monétaire au sens strict, qui est désignée conventionnellement par le symbole M1.
M1 comprend les monnaies divisionnaires, les billets et les dépôts à vue monétaires détenus par les agents non financiers.

Les monnaies divisionnaires (pièces de monnaie) et les billets : la monnaie fiduciaire

☐ Il faut faire la distinction entre la fabrication et la mise en circulation.
Le Trésor frappe les pièces de monnaie et la Banque de France fabrique les billets. Les banques achètent les pièces et les billets et les revendent à leur clientèle : ils sont mis en circulation.
Les pièces et les billets ne sont comptabilisés dans les moyens de paiement qu'à partir du moment où ils sont mis en circulation, c'est-à-dire détenus par le public.
☐ L'expression monnaie fiduciaire était réservée autrefois aux moyens de paiement qui pouvaient être détenus en toute confiance (*fides* = confiance), car convertibles en or ou en argent. Bien qu'une telle convertibilité ait disparu, on continue par tradition à qualifier les pièces et les billets de monnaie fiduciaire. Circulant par simple transfert « de la main à la main », les pièces et les billets sont aussi qualifiés de monnaie manuelle.

Les dépôts à vue monétaires : la monnaie scripturale

☐ Quand on dépose de l'argent sur un compte en banque, on effectue un dépôt à vue monétaire (DVM). « A vue » car ce dépôt est disponible sans coût et sans délai. « Monétaire » car sa circulation permet d'effectuer des paiements par le jeu du débit et du crédit des comptes. A la différence des billets et des pièces, ces dépôts n'ont aucune existence matérielle. Leur existence et leur circulation résultent d'un simple jeu d'écriture. C'est pourquoi on les appelle monnaie scripturale.
☐ En France, la monnaie scripturale constitue l'essentiel des moyens de paiements. Elle est gérée par trois réseaux principaux :
— le réseau bancaire ;
— le réseau des chèques postaux (CCP) et des comptables du Trésor ;
— le réseau des Caisses d'épargne Écureuil et de la Caisse des dépôts et consignations.
Il ne faut pas confondre la monnaie scripturale (les DVM) et les instruments et techniques qui en assurent la circulation. Les trois principaux sont le chèque, le virement et la carte de crédit ; aucun d'eux ne constitue par lui-même de la monnaie.

LES PRINCIPALES TECHNIQUES DE CIRCULATION DES MOYENS DE PAIEMENT

■ Le chèque

En faisant un chèque, le titulaire (A) d'un compte donne l'ordre à sa banque de payer à vue au bénéficiaire (B) la somme inscrite sur le chèque. (B) appose sa signature au dos du chèque et le dépose sur son compte, dans sa propre banque. Celle-ci l'encaisse à sa place et crédite son compte. On dit que (B) a endossé le chèque.

■ L'ordre de virement

L'ordre de virement est un ordre donné à sa banque par un débiteur (A) de payer un créancier (B) par débit du compte de (A) et crédit du compte de (B).
Le virement automatique permet par un seul ordre d'effectuer une suite de paiements fixes et réguliers.

■ L'avis de prélèvement

Le bénéficiaire (B) du paiement émet un avis de prélèvement accepté par le payeur (A), l'autorisant à prélever périodiquement sur le compte de (A) les sommes dues et correspondant aux factures envoyées à (A) avant le prélèvement. L'avantage de l'avis de prélèvement sur le virement automatique est que l'on peut ainsi régler des dettes variables et irrégulières.

■ La carte de paiement

Elle peut correspondre à une gamme de fonctions dont les plus importantes sont les suivantes :

• Il peut s'agir d'une simple carte de retrait. Sa fonction unique est alors de permettre à son titulaire de retirer des billets dans les distributeurs automatiques.

• Elle peut, en plus de sa fonction de retrait, servir de technique de paiement sur le territoire national. Il s'agit alors d'une carte interbancaire permettant au titulaire d'accéder au réseau des banques, des Caisses d'épargne et des CCP et d'effectuer des paiements auprès des commerçants qui l'acceptent. Cette carte peut comporter une fonction supplémentaire de crédit lorsque le titulaire a choisi la formule de paiement différé en fin de mois.

• Enfin, la carte de paiement internationale permet d'effectuer des retraits et des paiements en France et à l'étranger grâce aux accords passés entre le Groupement Carte Bancaire, qui regroupe les réseaux émetteurs français et les principaux émetteurs internationaux que sont Visa et Mastercard.

Les moyens de paiement en France (mars 93, en milliards de francs)

Monnaie fiduciaire {	Monnaies divisionnaires	17,8	} 15,9 % de M1
	Billets	221,3	
Monnaie scripturale {	Banques (et sociétés financières)	855,6	} 84,1 % de M1
	CDC et Caisses d'épargne	119,2	
	CCP et Dépôts au Trésor	289,3	
	Institutions financières spécialisées	3,0	
	M1 =	1 506,2	

MÉNAGES

ENTREPRISES

ADMINISTRATIONS

MONNAIE ET FINANCE

EXTÉRIEUR

PERFORMANCES

L'émission de monnaie par la Banque de France

> **La Banque de France, comme toute banque centrale, émet de la monnaie en achetant des devises aux banques, en accordant des crédits à l'État et en refinançant les banques.**

L'achat de devises aux banques

☐ *Exemple* : La Société Générale (SG) a reçu 10 000 dollars d'un exportateur, Martin S.A. Elle ne souhaite pas les conserver et les vend à la Banque de France (BF). L'enregistrement comptable dans le bilan de la Banque de France est le suivant :

A l'actif : la BF inscrit les dollars achetés.
Au passif : la BF crédite le compte de la SG de l'équivalent en F.

Actif	Banque de France	Passif
Devises (dollars) 10 000 $ (= 56 000 F)	Compte de la SG + 56 000 F	

☐ *Analyse de l'exemple* : Le dépôt de 56 000 F inscrit sur le compte de la SG n'existant pas avant l'achat des devises : un simple jeu d'écritures l'a créé. La SG pourra utiliser cette somme pour faire des paiements : c'est de la monnaie. Émise par la banque centrale, on pourra la qualifier de monnaie centrale ; détenue par une banque, elle reçoit aussi le nom de réserves bancaires.

L'octroi de crédit à l'État (concours à l'État)

☐ *Exemple* : Supposons un déficit du budget de l'État qu'un emprunt auprès du public ne suffit pas à financer. Supposons qu'il reste 1 milliard de francs à trouver. Le Trésor fait appel à son banquier : la Banque de France. L'enregistrement comptable dans le bilan de la Banque de France est le suivant :

A l'actif, la BF inscrit la créance de 1 milliard sur l'État sous la rubrique « Concours à l'État ».
Au passif, la BF crédite le compte du Trésor de 1 milliard de francs.

Actif	Banque de France	Passif
Concours à l'État = + 1 milliard F	Compte du Trésor = + 1 milliard F	

☐ *Analyse de l'exemple* : Par un simple jeu d'écritures, la Banque de France a créé un dépôt de 1 milliard de francs que le Trésor va pouvoir utiliser pour régler ses dépenses. C'est de la monnaie qui, émise par la banque centrale, peut être qualifiée de monnaie centrale.

Le refinancement des banques (concours aux banques)

Exemple : Supposons que le Crédit Lyonnais ait besoin de 5 millions de francs de monnaie centrale, mais qu'il ne souhaite pas vendre des devises pour les obtenir. Il peut alors solliciter le concours de la Banque de France en lui vendant, pour 5 millions, une partie de son portefeuille de créances. On dira que le Crédit Lyonnais se refinance.

L'enregistrement comptable dans le bilan de la Banque de France est le suivant :

A l'actif, la BF inscrit sous la rubrique « Concours aux Banques » les 5 millions de francs de créances vendues par le Crédit Lyonnais.
Au passif, la BF crédite le compte du Crédit Lyonnais de 5 millions de francs.

Actif	Banque de France	Passif
Concours aux banques = + 5 millions F		Compte du Crédit Lyonnais = + 5 millions F

Analyse de l'exemple : En achetant une partie du portefeuille du Crédit Lyonnais, la Banque de France a créé 5 millions de francs de dépôts au profit du Crédit Lyonnais. Comme précédemment, il s'agit de monnaie centrale sous forme de réserves.

BILAN SIMPLIFIÉ DE LA BANQUE DE FRANCE

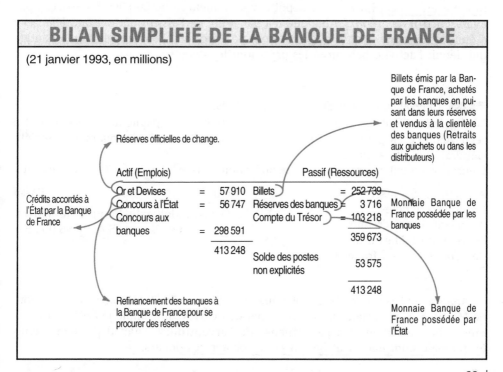

(21 janvier 1993, en millions)

Billets émis par la Banque de France, achetés par les banques en puisant dans leurs réserves et vendus à la clientèle des banques (Retraits aux guichets ou dans les distributeurs)

Réserves officielles de change.

Crédits accordés à l'État par la Banque de France

Actif (Emplois)			Passif (Ressources)		
Or et Devises	=	57 910	Billets	=	252 739
Concours à l'État	=	56 747	Réserves des banques	=	3 716
Concours aux banques	=	298 591	Compte du Trésor	=	103 218
		413 248			359 673
			Solde des postes non explicités		53 575
					413 248

Monnaie Banque de France possédée par les banques

Refinancement des banques à la Banque de France pour se procurer des réserves

Monnaie Banque de France possédée par l'État

MÉNAGES
ENTREPRISES
ADMINISTRATIONS
MONNAIE ET FINANCE
EXTÉRIEUR
PERFORMANCES

L'émission de monnaie par les banques

Les banques émettent de la monnaie scripturale à l'occasion d'opérations de crédit et d'achat de devises.
La circulation de la monnaie scripturale leur pose des problèmes spécifiques appelés fuites interbancaires.

La création de monnaie par les opérations de crédit

□ *Exemple* : M. Dupont s'endette auprès de la Société Générale (SG) pour acheter un logement. Il obtient un crédit de 500 000 F. C'est dire que la SG possède une créance de 500 000 F sur M. Dupont.

L'enregistrement comptable de cette opération dans le bilan de la SG est le suivant :

A l'actif, la SG inscrit la créance sur M. Dupont.
Au passif, la SG crédite le compte de M. Dupont.

Actif	SG	Passif
Créance sur M. Dupont : + 500 000 F		Compte de M. Dupont : + 500 000 F

□ *Analyse de l'exemple* : C'est par ce simple jeu d'écritures que la monnaie scripturale a été créée. En effet, le dépôt à vue monétaire de 500 000 F n'existait pas avant l'octroi de crédit. La banque n'a pas prêté de l'argent qui existait déjà ; elle a émis la monnaie dont elle avait besoin pour prêter. D'où la règle fondamentale qui définit l'activité bancaire : les prêts font les dépôts.

La création de monnaie par l'achat de devises

□ *Exemple* : L'entreprise Martin S.A. a exporté du champagne aux États-Unis et a reçu 10 000 $ en paiement. Désirant des francs, elle vend ses dollars à la Société Générale où elle a un compte.

L'enregistrement comptable de cette opération dans le bilan de la SG est le suivant :

A l'actif, la SG inscrit les dollars achetés.
Au passif, la SG crédite le compte de Martin S.A. de l'équivalent en francs (soit 56 000 F).

Actif	SG	Passif
Devises (dollars) = 10 000 $		Compte de Martin S.A. = 56 000 F

□ *Analyse de l'exemple* : Le dépôt à vue monétaire de 56 000 F inscrit sur le compte de Martin S.A. n'existait pas avant l'achat de devises : un simple jeu d'écritures l'a créé. Ainsi la banque n'a pas dépensé de l'argent qui existait déjà ; elle a émis la monnaie dont elle avait besoin pour acheter ces dollars.

LA COMPENSATION DES FUITES INTERBANCAIRES ET LE RÈGLEMENT DU SOLDE

■ La circulation de la monnaie scripturale Les fuites interbancaires

La monnaie scripturale émise par les banques est un moyen de paiement. Elle va donc circuler entre les agents économiques.

□ *Exemple* : Reprenons le cas de M. Dupont qui a obtenu un crédit de 500 000 F de la SG pour financer l'acquisition de son logement et qui règle le vendeur, M. Durand. Deux cas se présentent :
1. M. Durand est client de la Société Générale : Dans ce cas, le paiement est effectué par débit du compte de Dupont et crédit du compte de Durand. La monnaie créée reste donc dans le bilan de la SG.
2. Monsieur Durand est client d'une autre banque, le Crédit Lyonnais (CL) : Dans ce cas, Dupont tire un chèque de 500 000 F sur la SG, le remet à Durand qui le dépose au Crédit Lyonnais. C'est donc maintenant le CL qui détient le chèque et qui va en demander le paiement à la SG.

Le Crédit Lyonnais doit :
— créditer le compte de Durand,
— se faire payer par la SG le montant du chèque remis par Durand.

La Société Générale doit :
— débiter le compte de Dupont,
— payer au CL le chèque tiré par Dupont.

□ *Analyse de l'exemple* : En définitive, 500 000 F ont quitté le bilan de la SG (compte de Dupont débité), pour gagner le bilan du CL (compte de Durand crédité). On désigne ce mécanisme sous le terme de **fuite interbancaire**. Ces fuites doivent être compensées.

■ La compensation

Comme toutes les banques accordent des crédits en même temps, des fuites se produisent dans les deux sens. Il en résulte que chaque banque a des chèques à payer et d'autres à encaisser.
Tous les jours, dans les locaux des succursales de la Banque de France, les dettes et les créances réciproques sont annulées. Ce mécanisme est appelé la **compensation**.

■ Le règlement du solde

En règle générale, même si cette compensation est massive, elle n'est jamais parfaite et les banques demeurent débitrices envers d'autres. Ces soldes doivent être payés.
Comme chaque banque possède un compte à la Banque de France, les soldes seront payés en monnaie centrale, par débit des comptes des banques débitrices et crédit des comptes des banques créditrices.

MÉNAGES

ENTREPRISES

ADMINISTRATIONS

MONNAIE ET FINANCE

EXTÉRIEUR

PERFORMANCES

Les agrégats monétaires

La monnaie est d'abord l'ensemble des moyens de paiement : pièces, billets, dépôts dans les banques. Mais on considère aussi que la monnaie est une réserve de pouvoir d'achat. Or, certains placements ont cette propriété sans pour autant être des moyens de paiement. Il faut donc élargir la notion de monnaie.
C'est à partir de cette idée que des masses monétaires différentes sont construites.

■■■■■ Le principe de construction des agrégats monétaires

Les masses monétaires regroupent d'une part les moyens de paiement, d'autre part les placements des agents non financiers pouvant être transformés aisément et sans risque de perte important en moyens de paiement.

■■■■■ Les masses monétaires en France

Les statistiques monétaires françaises présentent quatre agrégats monétaires construits par élargissement successif (M1, M2, M3, M4).

☐ M1 regroupe tous les moyens de paiement gérés par les établissements de crédit, les centres de chèques postaux et le Trésor.

☐ M2 comprend, en plus de M1, l'ensemble des placements sur livrets. Les dépôts sur livrets ne sont pas des moyens de paiement car ils ne circulent pas par chèques ou virements, mais ils en sont très proches car ils sont disponibles sans coût et sans délai. On les appelle parfois « dépôts quasi monétaires ». Ces livrets comprennent :

• Ceux dont la rénumération est exonérée d'impôt mais qui sont plafonnés :

— livrets A des Caisses d'épargne, livrets bleus du Crédit mutuel ;

— livrets d'Épargne populaire créés en 1982 pour garantir aux titulaires de revenus modestes une protection contre l'inflation (la rémunération est indexée sur l'inflation) ;

— Comptes pour le Développement Industriel (CODEVI) créés en 1983 pour financer le secteur industriel ;

— Comptes d'épargne-logement donnant droit, après épargne préalable, à des facilités de prêts immobiliers ;

• Les livrets non plafonnés et sans exonération fiscale : livrets B des Caisses d'épargne et livrets ordinaires des banques.

☐ M3 comprend, en plus de M2, des placements qui ne sont pas disponibles immédiatement et/ou qui comportent un risque de perte en capital. Il s'agit :

— des dépôts en devises étrangères des résidents ;

— des placements à terme : dépôts à terme (un mois minimum), bons de caisse (un mois minimum) et les bons d'épargne (3 mois à 5 ans) ;

— des titres de créances négociables émis par les établissements de crédit.

Depuis 1991, on ajoute également : les parts des SICAV monétaires, les parts des Fonds Communs de Créances.

☐ M4 comprend, en plus de M3, les bons du Trésor et les billets de Trésorerie détenus par les agents non financiers résidents.

LES AGRÉGATS MONÉTAIRES FRANÇAIS

(décembre 1992, milliards de francs)

Monnaies divisionnaires	:	18,2
Billets	:	237,3
Dépôts à vue monétaires	:	1 388,3
	M1 =	1 643,8

De l'agrégat le plus étroit à l'agrégat le plus large. Du plus liquide au moins liquide.

Placements sur livrets	:	1 201,3
• Soumis à l'impôt	:	170,4
• Livrets A ou Bleus	:	738,4
• Épargne populaire	:	77,1
• CODEVI	:	92,0
• Comptes d'épargne-logt.	:	123,4
	M2 =	2 845,2

Dépôts en devises	:	63,6
Dépôts à terme	:	330,2
Bons de caisse et d'épargne	:	307,8
Titres de créances négociables	:	392,0
Titres d'OPCVM court terme	:	1 482,3
Parts de Fonds Communs de Créances	:	16,8
	M3 =	5 437,8

Bons du Trésor en comptes courants	:	36,3
Billets de Trésorerie	:	19,3
	M4 =	5 493,5

MÉNAGES

ENTREPRISES

ADMINISTRATIONS

MONNAIE ET FINANCE

EXTÉRIEUR

PERFORMANCES

La politique monétaire

La Banque de France, comme toute banque centrale, est responsable de la stabilité de la valeur de la monnaie. Or, une quantité excessive de monnaie fait croître les prix, c'est-à-dire déprécie la monnaie. La Banque de France doit donc réguler l'offre de monnaie du secteur bancaire. C'est là le principal objectif de la politique monétaire.

La Banque de France dispose, pour atteindre cet objectif, de trois techniques essentielles : la politique de refinancement, des réserves obligatoires et l'encadrement du crédit.

▬▬ La politique de refinancement

☐ Une banque a toujours besoin de réserves déposées à la Banque de France. Elles lui serviront à acheter les billets que réclame sa clientèle, à payer le Trésor public pour le compte de ses clients, et à s'approvisionner en devises. Ces besoins sont d'autant plus importants que l'activité bancaire se développe.

☐ L'ensemble du secteur bancaire français manque constamment de réserves et la Banque de France doit lui en prêter. Ces opérations de prêt s'appellent des opérations de refinancement. Elles s'effectuent sur le marché monétaire.

☐ Le refinancement a un coût pour les banques : comme tout prêteur, la Banque de France est rémunérée par un taux d'intérêt (en juin 93, environ 7 %). Si les banques accordent trop de crédit, la Banque de France fera croître le coût de refinancement pour les dissuader de développer encore leur activité.

▬▬ La politique des réserves obligatoires

La politique des réserves obligatoires consiste à imposer aux banques la détention de réserves bloquées sur un compte à la Banque de France. Le montant à déposer est en général proportionnel à la monnaie créée. Supposons, par exemple, que le taux de réserves obligatoires soit de 10 % et qu'une banque envisage d'accorder 100 de crédits nouveaux. Créant 100 de monnaie, elle devrait déposer 10 de réserves. Pour obtenir ces réserves, il faudrait qu'elle se refinance. Le coût de ce refinancement pourra, éventuellement, la dissuader d'accorder les 100 de crédit. Les demandes nouvelles de crédit ont donc d'autant moins de chance d'être satisfaites que le taux de réserves obligatoires est élevé.

▬▬ La politique d'encadrement du crédit

La façon la plus simple (et la plus brutale !) de contrôler la création monétaire est de contrôler l'action de crédit qui en est à l'origine. C'est ce que fait l'encadrement du crédit.

L'encadrement du crédit consiste à imposer aux banques des normes maximales obligatoires de progression des crédits. Il fait donc, en principe, marcher chaque banque au même pas. Il en résulte qu'il a l'inconvénient essentiel de figer la concurrence bancaire.

LES MODALITÉS TECHNIQUES DE LA POLITIQUE DE REFINANCEMENT

Il existe deux modalités techniques de refinancement : les concours à taux fixe (le réescompte) et les concours à taux variable.

■ Le réescompte

Dans le cas du réescompte, l'argent est prêté aux banques à un taux d'intérêt constant fixé unilatéralement par la Banque de France et révisé périodiquement. Quand la Banque de France veut faire croître le coût de refinancement des banques, elle fait croître leur taux d'escompte (et inversement). Mais ces révisions sont nécessairement épisodiques. L'inconvénient majeur du réescompte est que les banques obtiennent tout l'argent qu'elles désirent si elles acceptent de payer le prix affiché par la Banque de France : contrairement à un marché ordinaire, le prix ne croît pas quand la demande croît. Le refinancement est donc relativement aisé.
Ce type de concours est actuellement une survivance et il est appelé à disparaître progressivement.

■ Les concours à taux variable

Les concours à taux variable sont des prêts accordés aux banques à un taux d'intérêt qui varie journellement et qui reflète les conditions du marché.
Ainsi quand les banques développent trop leur activité, leurs besoins en monnaie centrale, croissant rapidement, leur coûtent vite de plus en plus cher. C'est un avantage important sur la politique d'escompte : l'efficacité sera meilleure.
Les concours à taux variable prennent la forme :
— d'opérations sur appel d'offres : périodiquement (plusieurs fois par mois), la Banque de France demande aux banques quelle quantité de monnaie elles souhaitent emprunter et à quel taux. Après collecte des réponses, elle prête à celles qui acceptent de payer le taux qu'elle a fixé ;
— d'opérations d'*open-market* : la Banque de France achète ou vend des bons du Trésor aux banques. En achetant, elle fournit de l'argent aux banques ; en vendant elle leur en retire ;
— de « pensions » sans appel d'offres : la Banque de France prête de l'argent contre remise de titres publics ou privés.

■ Efficacité de la politique de refinancement

Cette technique peut être efficace : pourquoi les banques accorderaient-elles un crédit leur rapportant 10 % si le refinancement qui en découle coûte 12 % ? Bien sûr, les banques chercheront alors à augmenter le coût du crédit et le porteront à 13 ou 14 %. Mais, dans ces conditions, ce sont peut-être les demandeurs de crédit qui seront moins nombreux.

Aménagement de l'encadrement du crédit :

Dans la pratique, l'encadrement du crédit n'a jamais été utilisé sans aménagement. Par exemple, dans la très longue période d'encadrement du crédit que la France a connue entre 1973 et 1985 :
— certains crédits ont toujours été désencadrés (crédits à l'exportation, crédits pour économiser l'énergie...) ;
— les petites banques ont été autorisées à progresser plus vite que les grandes ;
— les crédits financés sur fonds propres et sur ressources obligataires ont échappé à l'encadrement.

MÉNAGES

ENTREPRISES

ADMINISTRATIONS

MONNAIE ET FINANCE

EXTÉRIEUR

PERFORMANCES

Le taux d'intérêt

L'intérêt rémunère l'argent prêté et emprunté. Le taux d'intérêt permet de calculer ce que rapporte un placement (capitalisation), et la valeur présente d'une somme d'argent à percevoir dans le futur (actualisation). L'actualisation permet de choisir entre différents projets d'investissement.

Le taux d'intérêt est un prix intertemporel

Le taux d'intérêt est le prix de l'argent prêté. Mais c'est un prix bien particulier. Pour les biens et services, le prix se définit par rapport à autre chose (l'argent) à une date donnée.

Exemple: 1 kg de tomates = 6,50 F en juillet 1989.

Le prix de l'argent (l'intérêt) se définit par rapport à l'argent lui-même, mais à deux dates différentes. On dit que c'est un prix intertemporel.

Exemple: 100 francs maintenant = 108 francs dans un an.

On dira que le taux d'intérêt annuel est de 8 %.

Capitalisation et actualisation

☐ Si je prête de l'argent à 9 % pendant 3 ans et que les intérêts me sont versés chaque année, pour 100 francs prêtés, j'aurai touché $3 \times 9 = 27$ francs d'intérêts.

Si je prête de l'argent à 9 % pendant 3 ans mais que chaque année les intérêts restent placés au même taux, on dira que les intérêts sont capitalisés.

Années	Capital placé	Capital + intérêts
1	100	$100 (1 + 0,09)$
2	$100 (1 + 0,09)$	$[100 (1 + 0,09)] (1 + 0,09) = 100 (1 + 0,09)^2$
3	$100 (1 + 0,09)^2$	$[100 (1 + 0,09)^2] (1 + 0,09) = 100 (1 + 0,09)^3 = 129,50$ F

Dans ce cas, j'aurai touché 29,50 F d'intérêts. La croissance des intérêts dans le cas de la capitalisation est extrêmement rapide. Par exemple, au bout de 10 ans, les intérêts perçus sont égaux à 136,7 F dans le cas de capitalisation alors qu'ils ne sont que de 90 F si les intérêts ne sont pas capitalisés.

☐ On peut inverser le point de vue précédent et se demander quelle est la valeur présente d'une somme donnée à percevoir dans le futur. On parlera alors d'actualisation.

Exemple: Je vais toucher 100 F dans 3 ans. Quelle est la valeur actuelle des 100 F si le taux d'intérêt est de 9 % ?

Réponse: $100 : (1 + 0,09)^3 = 77,22$ frs. En effet, il faut placer 77,22 F maintenant au taux de 9 % pour obtenir 100 F dans trois ans.

Actualisation et choix des projets d'investissement

Les calculs d'actualisation permettent d'effectuer des choix entre différents projets d'investissement en retenant les projets qui ont la valeur actualisée la plus élevée.

DE QUOI DÉPEND LE TAUX D'INTÉRÊT ?

■ De l'offre et de la demande de fonds prêtables

Les taux d'intérêt sont faibles quand l'offre de fonds est abondante (et inversement). Les taux d'intérêt sont élevés quand la demande de fonds est importante (et inversement).

• L'offre de fonds prêtables a deux composantes principales :

— **le crédit** offert par les banques et les autres établissements de crédit. Quand l'activité bancaire se développe, quand la politique monétaire est expansionniste, les taux d'intérêt ont tendance à baisser ;

— **l'épargne** que les ménages et les entreprises souhaitent placer (ou épargne financière). Quand l'épargne financière est abondante, les taux d'intérêt ont tendance à baisser. A ces deux composantes principales peuvent s'ajouter des capitaux étrangers.

• La demande de fonds prêtables dépend de **l'importance des dépenses que les agents économiques n'arrivent pas à financer eux-mêmes.** En particulier :
— la demande de fonds prêtables est importante quand les entreprises ont un faible taux d'autofinancement ;
— la demande de fonds prêtables est importante quand le déficit du budget de l'État est important.
A ces deux éléments principaux s'ajoutent la demande de crédit à la consommation des ménages, la demande de financement de logements, et la demande de capitaux de l'étranger.

■ De l'inflation

L'inflation se répercute sur les taux d'intérêt pour compenser la perte de pouvoir d'achat qu'elle fait subir au capital placé. Il en résulte que les taux d'intérêt ont tendance à être élevés quand les taux d'inflation sont élevés, et faibles quand les taux d'inflation sont faibles.

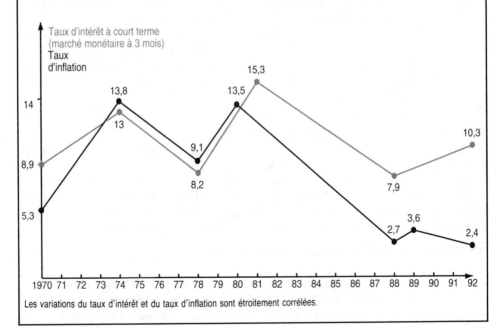

Les variations du taux d'intérêt et du taux d'inflation sont étroitement corrélées.

MÉNAGES
ENTREPRISES
ADMINISTRATIONS
MONNAIE ET FINANCE
EXTÉRIEUR
PERFORMANCES

Les taux d'intérêt

Dans toute économie développée, il existe un très grand nombre de taux d'intérêt. Il est possible de les classer suivant leur mode de fixation, la qualité de l'emprunteur et l'échéance du prêt.

▬▬ Les taux d'intérêt suivant leur mode de fixation

☐ Un premier ensemble de taux d'intérêt dépend étroitement de l'offre et de la demande de fonds. Il s'agit des taux d'intérêt qui se forment sur les marchés des capitaux. Ils comprennent donc les taux du marché monétaire, les taux du marché obligataire, les taux du marché hypothécaire et les taux des euromonnaies.

☐ Un second ensemble est constitué par les taux d'intérêt des crédits bancaires. Les taux des crédits bancaires ne reflètent qu'indirectement et imparfaitement la situation du marché. Les taux des crédits sont beaucoup moins flexibles que les taux des marchés des capitaux.

Le taux de base est le taux minimum du crédit bancaire. A partir du taux de base, les banques proposent une gamme de taux dépendant de l'échéance du prêt, de sa nature, du risque présenté par l'emprunteur.

☐ Les taux administrés. Ces taux font l'objet d'une réglementation par les pouvoirs publics. La rémunération de l'épargne liquide est encore en France largement réglementée (Livrets A et B, Livret Bleu, CODEVI...). Les taux pratiqués sont ainsi souvent inférieurs aux taux du marché. L'objectif recherché est de dégager des ressources peu coûteuses pour des financements précis (par exemple, le logement à partir des livrets de Caisse d'épargne, ou l'industrie à partir des CODEVI).

☐ De nombreux prêts ont encore des taux réduits par rapport à ceux du marché. Les secteurs concernés sont le logement, les investissements des collectivités locales, l'agriculture, l'exportation... Très souvent, c'est par la procédure des taux bonifiés que les avantages sont accordés à l'emprunteur : la banque accorde un prêt à taux réduit et l'État lui verse la différence avec le taux du marché.

La tendance est à la banalisation (la disparition progressive des prêts bonifiés).

▬▬ Les taux d'intérêt suivant la qualité de l'emprunteur

Les taux d'intérêt ne sont pas les mêmes pour tous les emprunteurs car ils ne présentent pas tous le même risque de non-remboursement.

C'est l'État qui traditionnellement bénéficie des taux d'intérêt les plus faibles : on considère que le risque de défaut qu'il présente est nul. Les emprunts garantis par l'État se trouvent à peu près dans la même situation. Les taux sont ensuite majorés d'une « prime de risque » suivant la garantie présentée par l'emprunteur.

▬▬ Les taux d'intérêt suivant l'échéance du prêt

On distingue :
— les taux à court terme (inférieurs à 2 ans) ; ex. : marché interbancaire ;
— les taux à moyen terme (de 2 à 7 ans) ; ex. : crédits d'équipement ;
— les taux à long terme (supérieurs à 7 ans) ; marchés obligataire et hypothécaire.

PANORAMA DES TAUX D'INTÉRÊT EN FRANCE

■ **L'évolution des taux d'intérêt à long terme (obligations)**

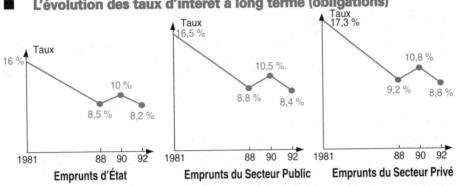

Emprunts d'État   Emprunts du Secteur Public   Emprunts du Secteur Privé

Les mouvements de longue période sont parfaitement synchrones : tendance à la baisse pendant la période de désinflation ; légère remontée en 1990, amorce de baisse ensuite. Les différences de taux tiennent à la qualité de l'emprunteur.

■ **Les principaux taux bancaires débiteurs (1992, fin d'année)**

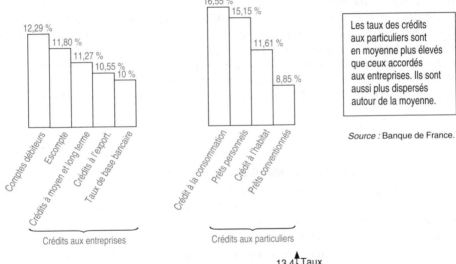

Les taux des crédits aux particuliers sont en moyenne plus élevés que ceux accordés aux entreprises. Ils sont aussi plus dispersés autour de la moyenne.

Source : Banque de France.

■ **Un exemple de taux administré : le taux des livrets A**

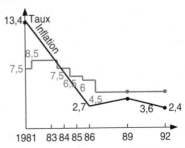

Les taux administrés sont beaucoup moins flexibles que les taux libres. Il y a perte de pouvoir d'achat jusqu'en 1984.

MÉNAGES

ENTREPRISES

ADMINISTRATIONS

MONNAIE ET FINANCE

EXTÉRIEUR

PERFORMANCES

Les obligations

> **Une obligation est un titre négociable représentatif d'une fraction d'un emprunt à long terme émis par une société ou par l'État. Il confère à son détenteur un droit de créance productif d'intérêts. Les obligations sont aussi appelées valeurs à revenu fixe car le montant des intérêts ou leur mode de calcul sont fixés par le contrat d'émission.**

L'émission d'une obligation

☐ Une obligation est caractérisée essentiellement par :
— la désignation de l'emprunteur, la date d'émission et la durée de l'emprunt ;
— le nominal : montant de la dette de l'emprunteur. (Une obligation est dite émise *au pair* quand le prix d'achat à l'émission est égal au nominal.)
— Le montant des intérêts versés annuellement (le coupon) ou, à défaut, les modalités de leur calcul. (Quand le coupon est fixé et constant, on peut calculer le taux d'intérêt facial de l'obligation en divisant le coupon par le nominal et en donnant le résultat en %.) *Exemple* : Cie bancaire Mai 83-91 ; Nominal = 5 000 ; coupon = 750 F ; taux facial 750 : 5 000 = 15 %.
☐ Éventuellement, des conditions particulières peuvent être ajoutées. *Exemple* : Remboursement au-dessus du pair : dans ce cas, la différence entre le nominal et le prix de remboursement est appelée prime de remboursement.
☐ Dans l'hypothèse d'existence de conditions particulières d'émission, le rendement effectif de l'obligation n'est plus le taux facial. Le rendement qui tient compte des caractéristiques particulières de l'obligation est appelé taux actuariel brut.

L'achat en Bourse d'une obligation

☐ Si l'obligation n'est pas achetée à l'émission (marché primaire), elle peut être achetée ultérieurement en Bourse (marché secondaire). Son prix d'achat est alors fixé par l'offre et la demande. La cote permet de calculer ce prix.
☐ La cote comprend le cours et le coupon couru, tous deux exprimés en pourcentage du nominal. Le cours permet de calculer le prix du capital et le coupon couru la partie de l'intérêt annuel écoulé. Le prix d'achat sera la somme de ces deux éléments. *Exemple* :

Date : 26/02/86 Obligation CNE 12,5 %. Oct 84-92.	Nominal 5 000	Cours 114,6	Coupon couru 3,514

Prix d'achat : $\dfrac{5\,000 \times (114,6 + 3,514)}{100} = 5\,905,70$ F.

LES DIFFÉRENTS TYPES D'OBLIGATIONS

Catégories	Caractéristiques	Avantages *Inconvénients*
Obligations à taux fixes	Montant du coupon connu avec exactitude jusqu'à l'échéance (le plus souvent constant).	Revenu régulier certain. *Risque de chute des cours dans le cas de hausse des taux.*
Obligations à taux d'intérêt variable	Montant du coupon calculé à partir d'un indice de référence selon une formule prévue par le contrat d'émission. Principaux indices de références : TMO = taux du marché obligataire ; TMM (ex. T 4M) = taux moyen mensuel du marché monétaire ; TAM : taux annuel du marché monétaire.	• Le revenu s'adapte à la hausse des taux d'intérêt. • Un taux minimal peut être garanti. • *Le montant du coupon n'est pas connu à l'avance.* • *Baisse du revenu avec baisse des taux.*
Obligations à taux flottant ou révisable	Montant du coupon indexé et connu à l'avance car la période de référence choisie est éloignée dans le temps. TRM = obligation à taux flottant ; TRA = obligation à taux révisable annuel ; TRO = taux révisable sur une période plus longue que l'année.	• Le revenu s'adapte à la hausse des taux d'intérêt. • Il est connu à l'avance. • *Baisse du revenu avec la baisse des taux.*
Obligations à capital indexé	Capital (et parfois coupon) indexé sur une valeur de référence. Seul l'État peut désormais recourir à ces émissions. Ex. : Emprunt Barre 77 : 8,80 % indexé sur l'ECU.	Permet parfois des plus-values extraordinaires. Ex : Emprunt Giscard 73 : 7 % indexé sur le lingot.
Titres participatifs	Réservés aux entreprises publiques et coopératives. Formule qui participe de l'action (titre non remboursable) et de l'obligation (valeur à revenu fixe).	Rémunération composée d'une partie TMO et d'une partie indexée sur l'activité de l'émetteur.
Titres subordonnés à durée indéterminée	Titres émis par les grandes banques nationalisées. Aucune échéance prévue pour le remboursement.	Taux variable TMO. *Baisse du revenu avec baisse des taux.*
Obligations convertibles en actions	Comprend un droit de conversion en actions de la société émettrice (modalités prévues au contrat).	Plus-value si le cours de l'action dépasse celui de l'obligation. *Rendement inférieur aux obligations ordinaires.*
Obligations à bons de souscription (ou warrants)	Les obligations à bon de souscription d'obligation (OBSO) donnent droit à souscrire, dans un délai déterminé, une nouvelle obligation identique à la précédente. NB : Pour les obligations à bons de souscription d'actions (OBSA), voir la page « actions ».	Si les taux d'intérêt baissent, les obligations souscrites avec le bon permettent d'obtenir un taux supérieur à celui du marché.
Obligations assimilables du Trésor (OAT) Obligations renouvelables du Trésor (ORT)	Types d'émission spécifiques réservés aux fonds d'État.	

MÉNAGES

ENTREPRISES

ADMINISTRATIONS

MONNAIE ET FINANCE

EXTÉRIEUR

PERFORMANCES

Les actions

> **Une action est un titre de propriété représentant une part du capital d'une société. Elle est rémunérée par un dividende fluctuant qui dépend des bénéfices réalisés par la société. Les actions de certaines sociétés peuvent se négocier en Bourse où elles font l'objet d'une cotation.**

Le capital d'une société

Le capital d'une société (ou fonds social) est égal à la valeur nominale de chaque action multipliée par le nombre d'actions émises. Par exemple, le capital de Damart S.A. est de 31 089 050 F, divisé en 621 781 actions de 50 F.

Les droits des actionnaires

☐ Pouvoir de contrôle sur la gestion dans les assemblées générales.

☐ Droit sur les bénéfices : L'A.G., sur proposition du conseil d'administration décide de la part des bénéfices qui doit être distribuée aux actionnaires. Le bénéfice distribué divisé par le nombre d'actions constitue le dividende (ou *coupon*).

☐ Droit sur les actifs : Si la société est liquidée, l'actif est réalisé et distribué aux détenteurs d'actions après règlement du passif.

Cotation en Bourse et Capitalisation Boursière (CB)

Une action peut être achetée au moment de l'émission (marché primaire) ou ensuite en Bourse (marché secondaire) à un prix (la cote) qui dépend de l'offre et de la demande.

Exemple : 2 juillet 1993 — Damart S.A. = 4 085 F.

En multipliant le cours de Bourse par le nombre d'actions, on obtient la capitalisation boursière qui donne une évaluation de la société.

Exemple : Damart S.A. — CB = 621 781 x 4 085 F, soit environ 2,5 milliards de francs.

Rendement, rapport cours-bénéfice

☐ Le rendement d'une action est le rapport exprimé en pourcentage entre le dernier dividende payé (y compris avoir fiscal) et le cours de Bourse :

Exemple : Damart S.A. Dernier dividende (+ avoir fiscal) = 75 F
      2 juillet 1993 Cours = 4 085 F. → Rdt = 1,8 %.

On voit que quand le cours d'une action augmente, son rendement baisse.

☐ Le rapport cours-bénéfice (ou PER = *Price Earning Ratio*).

C'est le rapport entre le cours d'une action et le bénéfice net par action de la société.

Exemple : Damart S.A. a fait 179,3 F de bénéfice net par action → PER = 4 085 : 179,3 = 22,8 (Damart capitalise 22,8 fois ses bénéfices). Une action est d'autant plus chère que le PER est élevé.

ACTIONS DE STATUTS PARTICULIERS

Catégories	Caractéristiques	Exemples (4 mai 1990)
Actions d'apport	Actions remises en rémunération d'actifs apportés à la société (participations, terrains, usines, brevets...).	
Promesses d'actions, actions nouvelles	Les actions émises peuvent être cotées sous le nom de promesses d'actions tant que toutes les formalités ne sont pas achevées. Elles prendront ensuite le nom d'actions nouvelles si des décalages de jouissance empêchent leur assimilation immédiate aux actions anciennes.	• *Euro Disneyland* Promesse d'action. Cours = 103,20 • *CGE Action nouvelle.* Cours = 600 CGE Action ordinaire. Cours = 622
Parts de fondateur	Actions émises lors de la création d'une société pour rémunérer la contribution des fondateurs. Leur émission est maintenant interdite.	*Explosifs Produits Chimiques.* Part fondateur. Cours = 1 850
Actions à dividende prioritaire (ADP)	Actions à dividendes supérieurs à ceux des actions ordinaires mais sans droit de vote. En général émises par une société dont un groupe souhaite garder le contrôle. Elles sont en général très décotées par la Bourse car, par hypothèse, les ADP ne bénéficieront pas de la hausse des cours lors d'une éventuelle OPA destinée à contrôler la société.	*Legrand* Action ordinaire. Cours = 4 450 ADP. Cours = 2 250
Actions prioritaires	Actions à droit de vote et à dividendes majorés et prioritaires.	*CFC Action prioritaire.* Cours = 541
Certificats d'investissement (CI) et Certificats d'investissement privilégiés (CIP)	En général, titres représentatifs d'actions restant détenues par l'État, un organisme public, ou une entreprise nationalisée. Offrent toutes les caractéristiques de l'action, à l'exception du droit de vote. Ils peuvent prendre la forme de CIP à dividendes prioritaires et supérieurs à ceux des actions. C'est à la suite des nationalisations de 1981 que les CI ont pris leur forme actuelle. Leur émission a permis aux sociétés nationalisée de se financer en Bourse.	• *CI Crédit Lyonnais.* Cours = 818 • *CIP Péchiney.* Cours = 335
Titres participatifs	Voir Obligations.	
Bons de souscription à des actions (warrants)	Titres qui donnent le droit (mais non l'obligation) de souscrire à des actions nouvelles pendant une certaine période et à prix déterminé à l'avance. Ce droit est détaché d'une obligation (OBSA) ou d'une action et est coté séparément. L'intérêt de ces titres est de pouvoir s'intéresser à une action avec une mise de fonds moindre que pour l'action elle-même. Ce sont des titres très spéculatifs. Ils montent plus vite que l'action mais leur valeur peut tomber à 0 si le cours de l'action n'atteint pas le prix de souscription.	*Bon de souscription Société Générale.* Cours = 180. Donne le droit à souscrire une action SG à 450 F jusqu'au 16-11-91. Pour que l'acheteur de ce bon soit gagnant il faut que l'action SG monte à plus de 450 + 180 = 630 F avant le 16-11-91 (cours actuel = 621)

MÉNAGES

ENTREPRISES

ADMINISTRATIONS

MONNAIE ET FINANCE

EXTÉRIEUR

PERFORMANCES

Les marchés de la Bourse de Paris

> Le cours d'une action est le prix résultant de l'offre et de la demande. La cote officielle est la liste des cours officiellement négociés en Bourse. Elle comprend trois compartiments :
> le Règlement mensuel, le Comptant et le Second Marché.
> En dehors du marché officiel, le Hors Cote traite les autres valeurs.

▬▬▬ Le Comptant et le Règlement Mensuel (RM)

Ce sont les compartiments les plus importants. En particulier, c'est au RM que sont traitées les grandes valeurs.

☐ *Pour une société qui veut être cotée, un ensemble de règles communes :*

1. Les comptes doivent être révisés par un cabinet comptable.
2. Les deux derniers exercices doivent avoir été bénéficiaires.
3. La société doit accepter de mettre sur le marché au moins 25 % de son capital.
4. Le capital doit être supérieur à 150 millions de francs à Paris (30 en province).
5. L'information des actionnaires doit être détaillée et disponible.

☐ *Pour l'actionnaire, des règles différentes concernant le paiement et la livraison des titres :*

1. Marché au comptant : le règlement des titres achetés et la livraison des titres vendus sont immédiats.
2. Marché à règlement mensuel : le cours de l'action est fixé par l'acheteur et le vendeur un jour donné, mais le paiement et la livraison sont différés en fin de mois.

▬▬▬ Le Second Marché (SM)

Il s'agit d'un compartiment de la cote officielle dont le but est de favoriser l'accès de sociétés en Bourse grâce à des <u>conditions d'admission simplifiées</u>. Pour être admis au SM :

— Il n'est pas obligatoire d'avoir fait au préalable des bénéfices ou d'avoir distribué un dividende.
— Il n'est pas nécessaire de faire réviser ses comptes. Toutefois, la société a trois ans pour leur donner la même qualité que celle exigée au comptant ou au RM.
— Il suffit de mettre 10 % du capital dans le public.
— Il n'existe pas de condition de taille et les informations à fournir aux actionnaires sont réduites.

▬▬▬ Le Hors Cote

Il traite les <u>valeurs non inscrites à la cote officielle</u>. C'est un marché très ouvert puisqu'il suffit de présenter ses trois derniers bilans pour s'y faire coter. On y trouve :

— des affaires d'avenir pour lesquelles ce marché sert de couveuse avant l'introduction à la cote officielle ;
— des sociétés qui n'auront jamais une envergure suffisante ;
— des sociétés déclassées à la suite de mauvais résultats.

LES DIFFÉRENTS TYPES D'ORDRE D'ACHAT ET DE VENTE

Tout ordre doit comporter le nom de l'opérateur, le sens de l'opération (achat ou vente), le nom de la valeur, la quantité de titres, le marché où la valeur est cotée (Comptant, RM...). Les autres précisions sont les suivantes :

Types d'ordre	Caractéristiques	Avantages, *Inconvénients*
Ordre valable jour	L'ordre n'est valable que pour une seule séance.	Protection contre une évolution incertaine du marché. *Contrainte d'intervenir tous les jours.*
Ordre valable à révocation	Ordre valable jusqu'au jour de la liquidation sur le RM ou jusqu'à la fin du mois civil sur les autres marchés. Peut être annulé à tout moment.	Permet de prendre position pour l'ensemble du mois boursier. *Ne pas oublier les ordres passés !*
Ordre au mieux	Ordre donné sans précision de cours. Il sera exécuté au premier cours qui suit l'instruction.	Certitude d'être exécuté. *Incertitude totale sur le cours : risque d'acheter à un cours trop élevé, risque de vendre à un cours trop faible.*
Ordre à cours limité	Ordre qui n'est exécuté que lorsque le cours fixé à l'achat ou à la vente est atteint.	Permet de se protéger à l'achat d'un cours trop élevé ; à la vente d'un cours trop faible. *Risque de ne pas être exécuté.*
Ordre de vente « Stop »	Ordre de vente d'un titre si le cours fléchit au-dessous d'un certain seuil. *Exemple :* Peugeot a été acheté 700 F ; le cours actuel est de 870 F. Une vente « stop » à 840 signifie que l'action ne sera vendue que si le cours baisse jusqu'à 840 ou au-dessous. La limite « stop » peut être revue régulièrement.	Permet de suivre la progession d'un titre tout en protégeant l'essentiel de ses bénéfices dans le cas d'une chute des cours. *Si le cours s'effondre brutalement l'ordre sera exécuté et les bénéfices disparaissent : la protection n'est pas totale.*
Ordre d'achat « Stop »	Achat d'un titre si le cours progresse au-delà d'un certain niveau. *Exemple :* Peugeot cote 700 F ; Achat Stop 740 signifie que l'ordre sera exécuté si le cours atteint ou dépasse 740 F.	Permet de profiter d'un retournement de tendance à la hausse. *Si le cours s'envole brutalement, risque d'achat à un cours trop élevé.*

Il y a actuellement environ :
290 actions cotées au RM
600 actions au Comptant
280 actions cotées au SM.

Cotation

Depuis le 23 Juin 1986, fonctionne à la Bourse de Paris un système de cotation en continu qui s'appuie sur le Système informatique d'aide à la cotation (SIAC). Ainsi, chaque titre fait l'objet de plusieurs cotations au cours d'une même séance boursière.
Ce système s'est progressivement étendu à la quasi-totalité de la cote officielle.

MÉNAGES
ENTREPRISES
ADMINISTRATIONS
MONNAIE ET FINANCE
EXTÉRIEUR
PERFORMANCES

Principes de spéculation sur le règlement mensuel

> Le Règlement Mensuel (RM) permet de spéculer à la hausse ou à la baisse avec une mise de fonds minimale.
> Il se caractérise par un fort effet de levier qui multiplie les gains, mais aussi les pertes.

▄▄▄ L'achat à découvert sur le règlement mensuel : la spéculation à la hausse

Principe : Achat d'une valeur dont on espère la hausse et revente de cette valeur avant la liquidation.

Avantage : L'intérêt de ce mécanisme est, selon la règle de fonctionnement du RM, de n'avoir à payer l'achat que le jour même où l'on encaisse le produit de la vente, c'est-à-dire en fin de mois. L'investissement initial du spéculateur se limite donc à un dépôt de garantie qui servira à couvrir une perte éventuelle.

▄▄▄ Et si le cours de l'action baisse ?

Si à la place de la hausse espérée le cours a baissé, l'acheteur à découvert a le choix entre trois solutions.

☐ Ne pas revendre les titres, en régler le paiement... et attendre des jours meilleurs.
☐ Vendre les titres. Le bénéfice escompté se transforme en perte (avec effet de levier !).
Stratégie à suivre si l'on estime que la baisse va se poursuivre.
☐ Faire reporter le règlement de son achat à la liquidation prochaine. Dans ce cas, un nouveau délai d'un mois s'ouvre au cours duquel l'investisseur pourra à tout moment solder sa position. Ce report a un coût : *l'intérêt de report.*

▄▄▄ La vente à découvert sur le règlement mensuel : la spéculation à la baisse

Principe : Vente d'une valeur dont on espère la baisse et rachat de cette valeur avant la liquidation.

Avantage : L'intérêt de ce mécanisme est, selon la règle de fonctionnement du RM, de n'avoir à livrer les titres vendus qu'en fin de mois et donc de pouvoir vendre des titres que l'on ne possède pas encore. Après avoir vendu la valeur à livrer, le spéculateur espère la racheter ensuite à un cours plus bas et encaisser la différence.

▄▄▄ Et si le cours de l'action monte ?

Si, à la place de la baisse espérée, le cours de l'action a monté, le vendeur à découvert a le choix entre deux solutions.

☐ Acheter les titres pour les livrer en fin de mois. Mais dans ce cas, comme le cours d'achat est supérieur au cours de vente, c'est une perte qui apparaît. C'est la stratégie à suivre si l'on estime que la tendance s'est retournée et que la hausse va se poursuivre.
☐ Faire reporter le règlement de la vente sur le mois suivant. Dans ce cas, un nouveau délai d'un mois s'ouvre au cours duquel l'investisseur pourra à tout moment solder sa position. On parle alors de *déport* et d'intérêt de déport.

EXEMPLES DE SPÉCULATION

■ Spéculation à la hausse gagnante

Date	Analyse de la valeur	Décision	Compte de liquidation	Banque ou société de Bourse
3 août	L'action Peugeot cote 540 F. Elle semble sous-cotée : on espère une hausse dans le mois	Ordre d'achat d'une quotité (25)	Engagement à payer la quotité le 30 août : 540 F x 25 = 13 500 F	Dépôt de garantie en espèces (20 %) : 13 500 F x 0,2 = 2 700 F
19 août	Les prévisions se réalisent : Peugeot cote 595 F. La hausse de 10,2 % est jugée suffisante	Ordre de vente d'une quotité (25)	Recette à encaisser le 30 août : 595 F x 25 = 14 875 F	Retrait du dépôt de garantie
21 août jour de liquidation			Arrêt du compte de liquidation. Le bénéfice est : 14 875 − 13 500 = 1 375 F	
30 août jour de règlement				Versement du bénéfice (1 375 F moins l'impôt et les frais)

Ainsi, le gain est de 1 375 F pour un capital immobilisé de 2 700 F, soit 50,9 % en 18 jours, alors que la hausse du cours de l'action n'a été que de 10,2 %.

■ Spéculation à la baisse gagnante

Date	Analyse de la valeur	Décision	Compte de liquidation	Banque ou société de Bourse
4 janvier	L'action Carrefour cote 2 900 F. Elle semble surcotée : on attend une baisse dans le mois	Ordre de vente d'une quotité (5)	Recette à encaisser le 31 janvier : 2 900 F x 5 = 14 500 F	Dépôt de garantie de 20 %. 14 500 F x 0,2 = 2 900 F
18 janvier	Les prévisions se réalisent . Carrefour cote 2 523 F. La baisse de 13 % semble suffisante.	Ordre d'achat d'une quotité (5)	Engagement à payer le 31 janvier 2 523 F x 5 = 12 615 F	
21 janvier jour de liquidation			Arrêt du compte de liquidation. Le bénéfice est : 14 500 − 12 615 = 1 885 F	Retrait du dépôt de garantie.
31 janvier jour de règlement				Versement du bénéfice 1 885 F

Le gain est de 1 885 F pour un capital immobilisé de 2 900 F, soit 65 % en 18 jours, alors que la baisse de l'action n'est que de 13 %.

Marché interbancaire et marché des T.C.N.

MÉNAGES
ENTREPRISES
ADMINISTRATIONS
MONNAIE ET FINANCE
EXTÉRIEUR
PERFORMANCES

En dehors des marchés financiers sur lesquels s'échangent les actions et les obligations, les marchés des capitaux comprennent en France deux autres compartiments essentiels :
— le marché interbancaire, réservé aux établissements de crédit,
— le marché des titres de créances négociables (T.C.N.) ouvert à tous les agents économiques.

Le marché interbancaire

☐ Le marché interbancaire est un marché fermé : la liste des acteurs est fixée par le Comité de la réglementation bancaire. Les principaux intervenants sont la Banque de France, le Trésor, les banques et la Caisse des dépôts et consignations et les Caisses d'épargne, les sociétés financières et institutions financières spécialisées. En fonction de leur situation de trésorerie, ces intervenants prêtent ou empruntent. Parmi les prêteurs importants, on trouve la Caisse des dépôts et les grandes banques. En revanche, les sociétés financières et les banques spécialisées sont plutôt emprunteurs.

☐ La fluidité du marché est assurée par deux catégories d'intermédiaires :
— certaines banques sont spécialisées dans les opérations sur le marché interbancaire : elles empruntent pour leur compte et reprêtent l'argent emprunté ;
— les agents des marchés interbancaires (AMI) sont des intermédiaires qui se bornent à mettre en rapport les prêteurs et les emprunteurs.

☐ Les prêts et les emprunts sont en général de très courte durée. Le compartiment « au jour le jour » (prêt pour une journée) est le compartiment le plus important.

☐ Les taux d'intérêt s'établissent librement en fonction de l'offre et de la demande.

Le marché des titres de créances négociables

Ce marché a été créé progressivement à partir de 1985 pour fournir à tous les investisseurs des placements de durées diversifiées. Ces placements sont des titres négociables : ils peuvent donc être revendus avant l'échéance.

☐ Il existe six catégories de T.C.N. (1993) :
— les billets de trésorerie (émis par les entreprises ; durée maximale : 1 an)
— les certificats de dépôts (émis par les banques et les caisses d'épargne ; durée maximale : 2 ans)
— les bons des sociétés financières (durée maximale : 2 ans)
— les bons des institutions financières spécialisées (durée maximale : 2 ans)
— les bons du Trésor (échéances de quelques semaines à 7 ans)
— les bons à moyen terme négociables (BMTN). Ces titres ont une durée minimale d'un an mais aucune durée maximale n'est imposée. Ils sont destinés, comme leur nom l'indique, à occuper le créneau du moyen terme, mais ils pourront également à l'avenir concurrencer les obligations. Les BMTN peuvent être émis par les établissements de crédit ou les entreprises, résidents ou non-résidents, en francs ou en devises. Leur vocation internationale est donc clairement affirmée.

☐ Le marché des T.C.N., de création récente, a connu un succès considérable. Le total des émissions se montait à 2 330,4 milliards de francs fin 1992.

LES TITRES DE CRÉANCES NÉGOCIABLES

■ Les émissions de titres

Tous
émetteurs
(sauf État)

BMTN
13,1 %

Certificats
de dépôts
44,6 %

Bons des
Institutions
Financières
Spécialisées
2,0 %

Bons
du Trésor
30,7 %

État

Billets de
Trésorerie
Entreprises
7,4 %

Bons des Sociétés
Financières 2,2 %

■ Les détenteurs de titres

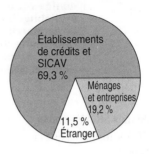

Établissements
de crédits et
SICAV
69,3 %

Ménages
et entreprises
19,2 %

11,5 %
Étranger

Déc. 92 : 2 330,4 milliards

■ Le succès des T.C.N.

Le succès des titres de créances négociables est indéniable, mais inégal.

● Les bons du Trésor

Le marché des bons du Trésor avec plus de 710 milliards de francs fin 1992 représente à lui seul 31 % du marché total. Théoriquement, tout le monde peut acheter et vendre ces bons. Dans la pratique, c'est essentiellement un marché de professionnels.

Les investisseurs étrangers commencent à s'intéresser aux bons du Trésor : les non-résidents en détiennent pour environ 60 milliards.

● Les certificats de dépôts

Le marché des certificats de dépôts a connu un développement encore plus spectaculaire que le marché des bons du Trésor. Pour tous les gestionnaires de fonds (assurances, mutuelles, SICAV...), la signature des établissements de crédit qui empruntent de l'argent par ce moyen est une excellente garantie. La BNP et le Crédit Lyonnais sont les banques qui ont le plus emprunté en émettant ces certificats. Notons que les certificats de dépôts permettent aussi aux banques d'emprunter des devises. Actuellement, environ 15 % du total des certificats de dépôts sont libellés en dollars ou en ECU.

● Les billets de trésorerie

Le marché des billets de trésorerie est plus décevant. Ce sont les entreprises qui empruntent en émettant des billets de trésorerie : actuellement, on en compte une centaine seulement. Les plus gros emprunteurs sont EDF et Peugeot. Les PME sont encore pratiquement absentes de ce marché.

● Les bons des ISF et des SF

Les marchés des bons des ISF et des SF restent encore très restreints.

● Les bons à moyen terme négociables

Ils ont connu depuis leur création (fév. 92) un développement considérable (307,8 milliards de francs fin 1992).

MÉNAGES

ENTREPRISES

ADMINISTRATIONS

MONNAIE ET FINANCE

EXTÉRIEUR

PERFORMANCES

Les SICAV

> **Les sociétés d'investissement à capital variable sont des sociétés dont la vocation est la gestion collective d'un portefeuille d'actions et d'obligations pour le compte de leurs souscripteurs.**
> **Le capital des SICAV est divisé en parts (ou actions). Chaque part représente une fraction de la totalité du portefeuille.**
> **Les SICAV peuvent ête classées en SICAV actions, SICAV obligations, et SICAV court terme.**

▰▰▰ Les SICAV actions

Ces SICAV investissent l'essentiel des fonds qui leur sont confiés en <u>actions</u>. On peut distinguer :

☐ <u>Les SICAV actions diversifiées</u> : l'éventail de leurs placements leur permet de répartir au maximum les risques, parfois au détriment de la performance globale.

☐ <u>Les SICAV actions spécialisées</u> : ces SICAV investissent dans des actions d'un pays, d'un marché ou d'un secteur particulier. Elles sont particulièrement intéressantes pour l'investisseur qui veut avoir accès à un marché étranger.

☐ <u>Les SICAV actions françaises</u> : investies en valeurs françaises, elles peuvent être spécialisées ou diversifiées.

▰▰▰ Les SICAV obligations

Ces SICAV investissent les fonds collectés en <u>obligations</u>. On peut distinguer :

☐ <u>Les SICAV orientées vers la plus-value</u> : les gestionnaires de ces SICAV distribuent aux souscripteurs des revenus très faibles (2 à 3 %) et consacrent le reste de la performance à l'achat d'obligations, ce qui accroît la valeur des parts.

☐ <u>Les SICAV à coupons élevés</u> : le souscripteur est assuré de toucher un coupon relativement élevé, au détriment de la valorisation des parts. Ces SICAV intéressent les particuliers qui souhaitent recevoir des revenus complémentaires.

☐ <u>Les SICAV à revenus trimestriels</u> : il s'agit d'une catégorie particulière des SICAV à coupons élevés. Le souscripteur reçoit un revenu tous les trimestres, pratiquement du même montant à chaque fois.

▰▰▰ Les SICAV court terme

Investies dans des <u>titres à court terme</u>, ces SICAV présentent beaucoup moins de risques de baisse de la valeur de la part que les autres SICAV. On peut distinguer :

☐ <u>Les SICAV court terme sensibles</u> : elles cherchent une plus-value maximale en acceptant un certain degré de risque.

☐ <u>Les SICAV court terme régulières</u> : investies essentiellement en obligations à durée de vie courte, elles assurent une progression régulière de la valeur de la part.

☐ <u>Les SICAV court terme monétaires</u> : investies pour l'essentiel en valeurs à caractère monétaire, elles assurent à leur souscripteur une parfaite sécurité et une rentabilité proche de celle du marché monétaire.

PANORAMA DES SICAV ACTIONS

■ Croissance des encours

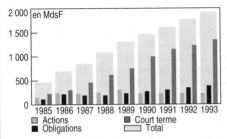

Si, depuis trois ans et demi, les encours des Sicav obligataires et de court terme ne cessent de gonfler, celui des Sicav actions est revenu au niveau de 1986, alors même qu'elles sont presque deux fois plus nombreuses qu'à l'époque.

Source : Le revenu français - Spécial SICAV 1993.

■ Les SICAV immobilières et foncières

Elles acquièrent des titres de sociétés du secteur foncier et immobilier. Elles permettent d'investir dans la pierre sans les inconvénients du placement direct. Elles progressent moins que les autres actions en cas de hausse de la Bourse, mais fléchissent moins en cas de baisse. Ce sont des placements « défensifs ».

■ Les SICAV diversifiées

Type même du placement collectif hybride, elles échappent à toute caractérisation précise. On peut toutefois distinguer les SICAV diversifiées à prédominance française, des SIVAC diversifiées à prédominance internationale.

■ Les SICAV spécialisées par secteur géographique

On peut distinguer les SICAV à prépondérance européenne, américaine, Japon-Pacifique. Placements risqués, leur performance est évidemment directement liée aux marchés particuliers qui les concernent. Mais elle est liée également au cours des monnaies étrangères.

Les SICAV spécialisées en valeur-or

Leur portefeuille est constitué d'actions de mines d'or et de titres de sociétés tournées vers la commercialisation de l'or. Le risque de ces SICAV reflète la grande volatilité du prix de l'or. Le prix de l'or dépend principalement :
— du cours du dollar : lorsque le dollar monte, l'or baisse (et inversement) ;
— de l'inflation : en période inflationniste, l'or progresse ;
— du prix du pétrole : quand le prix du pétrole augmente, les pays producteurs du Moyen-Orient investissent volontiers leur gain supplémentaire en or ;
— de la tenue des marchés financiers : une mauvaise conjoncture financière peut favoriser l'or :
— des ventes d'or en provenance de la Russie pour financer son commerce extérieur.
En général, pour limiter les risques, ces SICAV comportent une part importante (jusqu'à 50 %) d'actions et d'obligations françaises.

■ Les SICAV spécialisées en valeurs technologiques

Elles investissent dans les sociétés du secteur de la technologie et de l'innovation et en particulier dans les sociétés de services et d'ingénierie informatique (SSII). Ces SICAV sont assez risquées car, bien que le secteur soit porteur, la concurrence exacerbée et l'accélération de la concentration pèsent souvent sur la rentabilité des firmes. Aussi, pour limiter les risques, ces SICAV sont en général : investies pour environ 50 % en actions et obligations françaises.

MÉNAGES

ENTREPRISES

ADMINISTRATIONS

MONNAIE ET FINANCE

EXTÉRIEUR

PERFORMANCES

Les causes du krach boursier de 1987

Le 19 octobre 1987 et les jours suivants, les cours des actions se sont effrondrés sur les places internationales. Les raisons de ce krach boursier doivent être cherchées aussi bien dans l'évolution fondamentale de l'économie mondiale que dans le développement excessif de la spéculation. La très forte intégration des marchés a « mondialisé » le phénomène.

Modification des anticipations des marchés

☐ L'économie mondiale présente à l'automne 87 un ensemble de déséquilibres importants : déficit budgétaire américain, déficit de la balance commerciale américaine, excédents commerciaux allemand et japonais, baisse du dollar.

☐ Ces déséquilibres alimentent la crainte d'une récession économique qui serait due :
— à la hausse des taux d'intérêt américains rendue nécessaire pour attirer les capitaux étrangers afin de financer les déficits ;
— aux risques d'inflation aux État-Unis dus à la croissance des prix des biens importés consécutive à la baisse du dollar.
Cette récession se traduirait par une baisse des profits, et donc du cours des actions.

Les bulles spéculatives

On parle de bulle spéculative quand ce qui motive les investisseurs, ce n'est plus la valeur intrinsèque des actions, mais l'anticipation générale de la hausse future. La vague d'achats qui en découle fait monter les cours ; l'anticipation généralisée de la hausse a créé la hausse. Au fur et à mesure que le phénomène s'amplifie, le retournement du marché devient de plus en plus probable. La hausse prolongée des cours entre 1983 et 87, puis leur effondrement correspondent bien à ce schéma.

Le décrochage entre actions et obligations

La flambée du cours des actions signifie une baisse de leur rendement. En effet, un dividende de 20 F versé pour une action qui vaut 400 F signifie un rendement de 5 %. Ce rendement n'est plus que de 2,5 % si le cours de l'action est de 800 F. Or, un investisseur qui intervient sur les marchés financiers a toujours le choix entre un placement en actions et un placement en obligations. Si les taux d'intérêt des obligations sont supérieurs aux rendement des actions, seule la perspective de plus-value sur les actions peut les faire préférer aux obligations. Quand les taux d'intérêt sur les obligations augmentent en même temps que le cours des actions, l'écart de rendement peut devenir trop important par rapport aux perspectives de plus en plus incertaines de plus-value sur les actions. Dès lors existe un risque important de déplacement massif des fonds investis en actions vers les obligations, et donc un risque d'effondrement des cours. C'est précisément ce qui s'est passé juste avant le krach. Le vendredi 9 octobre, par exemple, le bon du Trésor américain à 30 ans a franchi la barre des 10 % alors que le rendement de la plupart des actions était autour de 2 % ! Le réajustement était inévitable.

L'INTERNATIONALISATION DE LA CRISE

■ La propagation internationale du krach

L'analyse chronologique des événements montre clairement que l'effondrement des cours a commencé aux États-Unis. La transmission aux autres centres boursiers est due :
• aux ventes effectuées par les investisseurs américains sur les autres marchés. Il s'agissait pour eux de réaliser des bénéfices là où c'était encore possible, notamment en raison de la plus-value de change due à la baisse du dollar. Il fallait également qu'ils se procurent des liquidités pour financer leurs pertes ;
• aux réactions identiques des intermédiaires financiers internationaux sur tous les marchés ;
• au mimétisme des réactions des résidents devant la chute du marché américain.

■ Le rôle des programmes d'achats et de ventes automatiques

Aux État-Unis, les nouvelles techniques financières d'intervention sur les marchés à terme ont permis la mise au point de programmes d'achats automatiques lorsque le marché est orienté à la hausse et de la vente automatique quand le marché est orienté à la baisse. La mise en œuvre de ces programmes a certainement accentué la chute initiale des cours.
Par ailleurs, l'augmentation des ventes a été la plus faible sur les places qui disposaient de mécanismes de sécurité (limites de prix, suspension des transactions... Ex. : France, Japon, Espagne). Mais ces mécanismes de sécurité sur certaines places ont entraîné un déversement des ventes sur les marchés qui n'en disposaient pas (Pays-Bas par exemple).

■ Tableau d'ensemble de la crise boursière

Pays	Variation durant				
	la semaine précédant le krach	le 19 octobre 1987	le 20 octobre 1987	le 21 octobre 1987	la semaine du krach
	variations en % entre deux cours de clôture				
États-Unis	− 9,1	− 20,4	5,3	9,1	− 12,2
Japon	− 0,2	− 5,3	− 12,1	9,4	− 12,0
Royaume-Uni	− 2,4	− 10,1	− 11,7	6,1	− 23,0
Canada	− 4,8	− 9,1	0,0	− 0,4	− 14,4
Allemagne	− 2,8	− 7,1	− 5,1	6,8	− 11,7
France	− 8,3	− 4,7	− 5,8	5,4	− 9,2
Italie	− 1,0	− 5,7	− 4,4	3,7	− 10,4
Suisse	− 2,4	− 10,8	− 4,6	5,7	− 16,6
Pays-Bas	− 4,6	− 7,8	− 8,4	4,2	− 15,0
Espagne	− 5,0	− 1,6	− 5,7	− 1,7	− 12,3
Belgique	− 4,9	− 10,5	− 0,5	8,5	− 6,1
Australie	− 3,4	− 3,7	− 25,0	1,2	− 29,3
Hong Kong	− 2,6	− 2,3	fermé	fermé	fermé
Singapour	− 4,3	− 12,1	− 20,9	férié	− 30,8
Taïwan	− 10,6	3,2	− 4,7	− 4,5	− 18,5
Corée du Sud	0,9	0,6	− 2,4	0,4	0,5

Source : 58ᵉ rapport annuel de la Banque des Règlements Internationaux (in *Problèmes Économiques*, n° 2087, 24 août 1988).

MÉNAGES
ENTREPRISES
ADMINISTRATIONS
MONNAIE ET FINANCE
EXTÉRIEUR
PERFORMANCES

La balance des paiements (I) Principes

La balance des paiements est un document statistique dont le but est de comptabiliser l'ensemble des échanges de biens et services, d'actifs réels et financiers, et d'actifs monétaires entre les résidents d'une économie et les non-résidents, au cours d'une période.

Qui sont les résidents et les non-résidents ?

☐ Résidents.

— Personnes physiques de nationalité française habitant en France et personnes physiques de nationalité étrangère établies en France depuis plus de deux ans (à l'exception des fonctionnaires étrangers).

— Personnes morales françaises ou étrangères (à l'exception des représentations diplomatiques et consulaires) ayant un établissement en France.

☐ Non-résidents. Toutes les autres personnes physiques et morales (et notamment les Français non fonctionnaires installés à l'étranger).

Les différents types d'échanges (ou opérations)

1/ Transactions courantes.

A. Marchandises : On distingue celles qui franchissent la frontière (exportations et importations) de celles qui ne la franchissent pas (négoce international).

B. Services : Il s'agit des échanges de services liés au commerce extérieur (transports, assurances...), des services liés aux échanges de technologie (grands travaux, brevets, services de gestion...), des intérêts et dividendes, des salaires, des voyages, des recettes et dépenses des gouvernements français et étrangers.

C. Autres biens et services : Ligne de correction statistique.

D. Transferts unilatéraux : Cette ligne enregistre la contrepartie comptable des biens, services ou capitaux exportés ou importés gratuitement.

2/ Transferts en capital.

Ce poste regroupe les remises de dettes aux P.V.D. et les pertes sur cessions de créances.

3/ Capitaux à long terme.

A. Crédits commerciaux : Crédits liés aux importations et exportations d'une échéance supérieure à un an.

B. Investissements directs : Transactions sur biens immobiliers, prises de participation, création de succursales...

C. Autres investissements (secteur public) : Investissements gouvernementaux à long terme à l'étranger et participation au capital des organismes internationaux.

D. Prêts : Prêts accordés ou reçus dont l'échéance est supérieure à un an.

E. Investissements de portefeuille : Opérations sur valeurs mobilières.

4/ Capitaux à court terme.

Ils retracent les flux de créances et d'engagements inférieurs ou égaux à un an contractés vis-à-vis de l'extérieur par le secteur non bancaire (A), le secteur bancaire (B) et le secteur officiel (C).

■ Les règles de présentation comptable

• Toute opération donne lieu à deux inscriptions : l'une traduit sa nature économique, l'autre son mode de règlement.

• Un chiffre positif (crédit) traduit une diminution des avoirs, qu'ils soient réels, financiers ou monétaires. *Exemple :* Une exportation est une diminution des avoirs en biens et s'inscrit en crédit.

• Un chiffre négatif (débit) traduit une augmentation des avoirs. *Exemple :* le règlement d'une exportation en devises est une augmentation des avoirs en monnaie étrangère et s'inscrit au débit.

Il en résulte que toute opération entre les résidents et les non-résidents fait l'objet d'une double inscription au crédit et au débit : la balance des paiements est globalement équilibrée.

■ Exemple (la numérotation correspond à celle de la page de gauche)

Opérations économiques	Postes de la balance des paiements	C (+)	D (−)
1. Exportation de marchandises réglée comptant en devises.	1.A. Marchandises (exportations)	100	
	4.B. Créances en devises du secteur bancaire		100
2. Importation de marchandises financée par crédit à long terme.	1.A. Marchandises (importations)		80
	3.A. Crédit commercial à l'importation	80	
3. Voyages à l'étranger payés en devises.	1.B. Voyages		10
	4.B. Créances en devises du secteur bancaire	10	
4. Transferts des économies des travailleurs immigrés.	1.D. Transferts unilatéraux		5
	4.B. Engagements en francs du secteur bancaire	5	
5. Prêts à l'étranger du secteur bancaire en francs.	3.D. Prêts à l'étranger du secteur bancaire		20
	4.B. Engagements en francs du secteur bancaire	20	
6. Achat d'actions françaises réglé en francs.	3.E. Investissement de portefeuille	15	
	4.B. Créances en francs du secteur bancaire		15
7. Achat d'immeubles à l'étranger réglé en devises.	3.B. Investissements directs		10
	4.B. Créances en devises du secteur bancaire	10	
8. Prêt de banques étrangères au gouvernement français.	3.D. Prêts de l'étranger	10	
	4.C. Créances du secteur officiel		10

■ Balance des paiements résumée

	(+) C	(−) D	Soldes
1. Transactions courantes.			
A. Marchandises	100	80	+ 20
B. Services		10	− 10
D. Transferts		5	− 5
3. Capitaux à long terme			
A. Crédits commerciaux	80		+ 80
B. Investissements directs		10	− 10
D. Prêts	10	20	− 10
E. Investissements en portefeuille	15		+ 15
4. Capitaux à court terme			
B. Secteur bancaire	45	115	− 70
C. Secteur officiel		10	− 10
	250	250	0

MÉNAGES

ENTREPRISES

ADMINISTRATIONS

MONNAIE ET FINANCE

EXTÉRIEUR

PERFORMANCES

La balance des paiements (II) Les soldes

> **La balance des paiements est, par construction, un document comptable équilibré où le total des débits est égal au total des crédits.**
> **On peut faire apparaître des soldes regroupant des lignes recensant des opérations économiques homogènes ou comparables.**

Les différents soldes et les différentes balances

☐ Le solde de la balance commerciale apparaît par différence à la ligne Exportation-Importations de marchandises.

☐ Le solde de la balance des transactions courantes reprend le solde de la balance commerciale et y ajoute le solde de la balance des « invisibles » (négoce international, services, autres biens et services, transferts unilatéraux).

☐ Le solde de la balance de base reprend le solde de la balance des transactions courantes et y ajoute les soldes des flux de capitaux à long terme et des transferts en capital.

☐ Le solde de la balance globale (ou « balance des flux non monétaires ») reprend le solde de la balance de base et y ajoute le solde des flux de capitaux à court terme du secteur privé non bancaire (et les ajustements).

☐ Par construction de la balance des paiements, le solde de la balance globale est égal, mais de signe opposé, au solde des mouvements de capitaux à court terme du secteur bancaire et du secteur officiel.

☐ Ce dernier solde représente le financement monétaire de la balance globale. Quand la balance globale est déficitaire, par exemple, la position monétaire extérieure se détériore, c'est-à-dire qu'on assiste à une diminution des avoirs et/ou une croissance des engagements à court terme des secteurs bancaire et officiel envers l'extérieur.

Les soldes de la balance des paiements de la France en 1991

BALANCES (en millions de francs)		FINANCEMENT DE LA BALANCE GLOBALE	
— Commerciale	: − 56 430	— Mouvements de capitaux à CT du secteur bancaire	: + 4 259
— Courante	: − 33 369	— Mouvements de capitaux à CT du secteur officiel	: + 31 178
— De base	: − 18 845		= 35 437
— Globale	: − 35 437		

LES OPÉRATIONS DE LA BALANCE DES PAIEMENTS

(1991, millions de francs)

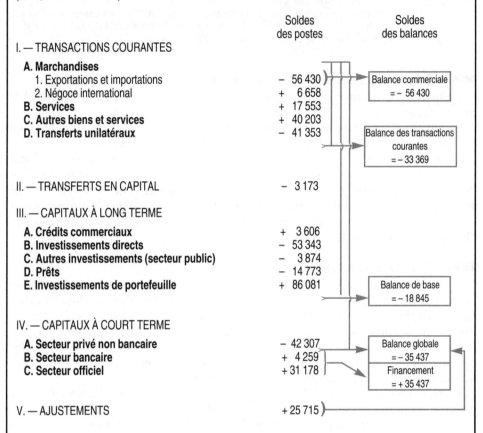

	Soldes des postes	Soldes des balances
I. — TRANSACTIONS COURANTES		
A. Marchandises		
1. Exportations et importations	− 56 430	Balance commerciale = − 56 430
2. Négoce international	+ 6 658	
B. Services	+ 17 553	
C. Autres biens et services	+ 40 203	
D. Transferts unilatéraux	− 41 353	Balance des transactions courantes = − 33 369
II. — TRANSFERTS EN CAPITAL	− 3 173	
III. — CAPITAUX À LONG TERME		
A. Crédits commerciaux	+ 3 606	
B. Investissements directs	− 53 343	
C. Autres investissements (secteur public)	− 3 874	
D. Prêts	− 14 773	
E. Investissements de portefeuille	+ 86 081	Balance de base = − 18 845
IV. — CAPITAUX À COURT TERME		
A. Secteur privé non bancaire	− 42 307	Balance globale = − 35 437
B. Secteur bancaire	+ 4 259	
C. Secteur officiel	+ 31 178	Financement = + 35 437
V. — AJUSTEMENTS	+ 25 715	

MÉNAGES

ENTREPRISES

ADMINISTRATIONS

MONNAIE ET FINANCE

EXTÉRIEUR

PERFORMANCES

La balance commerciale de la France

La balance commerciale de la France enregistre nos exportations et nos importations de marchandises.
Presque constamment déficitaire depuis 1976 et jusqu'en 1991, elle a dégagé en 1992 un excédent de 31 milliards de francs. Cette amélioration se confirme en 1993.

▄▄▄▄ Balance commerciale et taux de couverture

☐ Le solde de la balance commerciale est la différence entre les exportations et les importations de biens.

☐ Le taux de couverture est le rapport entre la valeur des exportations et la valeur des importations de biens. En règle générale, les importations sont recensées CAF (coût, assurance, frêt) c'est-à-dire que l'on ajoute au prix les frais de transport et d'assurance. Les exportations sont recensées FAB (Franco à bord) c'est-à-dire hors frais de transport et d'assurance. Cette dissymétrie explique que l'équilibre des échanges se situe à un taux de couverture voisin de 95 % quand la balance commerciale est présentée CAF-FAB. Quand la balance commerciale est présentée FAB-FAB, l'équilibre correspond à un taux de couverture de 100 %.

▄▄▄▄ L'évolution de la balance commerciale

☐ Le taux de couverture a très nettement fléchi après le premier choc pétrolier. Le déséquilibre s'est progressivement résorbé ensuite et l'équilibre fut atteint en 1978. Le second choc pétrolier (1979) et la très forte hausse du dollar ont ensuite considérablement dégradé la balance commerciale. Le déficit fut maximum en 1982.

☐ Par la suite, la balance commerciale se rétablit progressivement. L'effondrement des prix du pétrole et la baisse du cours du dollar furent les causes de cette amélioration. L'équilibre fut pratiquement réalisé en 1986.

☐ La balance commerciale s'est ensuite dégradée à partir de 87. En 1991, hors matériel militaire, la balance commerciale CAF-FAB est déficitaire de 97 milliards de francs. Le taux de couverture est de 93 % alors qu'il faudrait 96,9 %.

☐ En 1992, la balance commerciale a dégagé un excédent dû à la fois au ralentissement des importations (récession) et à la progression des exportations (amélioration de la compétitivité-prix).

▄▄▄▄ Points forts et points faibles de la balance commerciale de la France

☐ Les produits agro-alimentaires dégagent des excédents croissants (+ 29,9 milliards en 1987 ; + 53,2 milliards en 1992).

☐ Le solde énergétique est structurellement déficitaire (– 80 milliards en 1992).

☐ Les produits manufacturés (y compris matériel militaire), largement déficitaires en 1990 (– 56,9 milliards), dégagent des excédents en 1992 (+ 3,6 milliards). Certains secteurs sont particulièrement performants (industrie du verre, matériel électrique, aéronautique, voitures, parachimie et pharmacie, matériel militaire).

BALANCE COMMERCIALE DE LA FRANCE

1992 CAF-FAB

Produits	Exportations FAB		Importations CAF		Solde	Taux de
	Milliards de F	%	Milliards de F	%	Milliards de F	couvert. %
Produits de l'agriculture, sylviculture, pêche	83,9	6,8	50,6	4,0	33,3	165,8
Produits des industries agricoles et alimentaires	116,5	9,5	96,8	7,7	19,7	120,4
dont : viandes et produits laitiers	42,0	3,4	34,3	2,7	7,7	122,4
autres produits	74,5	6,1	62,5	4,9	12	119,2
Produits énergétiques	27,9	2,3	107,8	8,5	− 79,9	25,9
dont : pétrole brut, gaz naturel, produits pétroliers raffinés	13,9	1,1	99,6	7,9	− 99,6	–
Biens intermédiaires	291,1	23,7	313,3	24,8	− 22,2	92,9
dont : minéraux et produits de la 1re transformation						
de l'acier..	42,8	3,5	36,8	2,9	6,0	116,3
métaux et demi-produits non ferreux	34,2	2,8	45,2	3,6	− 11,0	75,7
produits de la fonderie et du travail des métaux	35,5	2,9	35,0	2,8	0,5	101,4
matériaux de construction et céramique................	12,3	1,0	15,2	1,2	− 2,9	80,9
produits de l'industrie du verre	12,2	1,0	8,9	0,7	3,3	137,1
produits chimiques de base	90,8	7,4	95,3	7,5	− 4,5	95,3
papier carton	25,6	2,1	37,2	2,9	− 11,6	68,8
caoutchouc et matières plastiques	39,2	3,2	40,7	3,2	− 1,5	96,3
Biens d'équipement professionnel	316,6	25,8	302,3	23,9	14,3	104,7
dont : produits de la mécanique et matériel de précision .	119,0	9,7	123,6	9,8	− 4,6	96,3
matériel électrique et électronique prof.	119,6	9,7	132,0	10,4	− 12,4	90,6
produits de la construction aéronautique	78,1	6,4	46,7	3,7	31,4	167,2
Electroménager, électronique grand public	23,1	1,9	32,8	2,6	− 9,7	70,4
Equipement automobile des ménages	172,2	14,0	139,6	11,0	32,6	123,4
Biens de consommation courante	190,0	15,5	216,8	17,2	− 26,8	87,6
dont : produits de la parachimie et de la pharmacie	70,3	5,7	42,5	3,4	27,8	165,4
produits textiles	64,1	5,2	87,3	6,9	− 23,2	73,4
presse; produits imprimerie et édition....................	11,5	0,9	15,3	1,2	− 3,8	75,2
cuirs et chaussures	11,5	0,9	21,0	1,7	− 9,5	54,8
bois, meubles	32,6	2,7	49,1	3,9	− 16,5	66,4
Divers	6,1	0,5	3,9	0,3	2,2	156,4
Total	**1 227,5**	**100,0**	**1 263,9**	**100,0**	**− 30,4**	**97,1**
Matériel militaire	20,8		4,4		+16,4	
Total y compris matériel militaire	**1 247,3**		**1 268,3**		**− 21,0**	**98,3**

BALANCE COMMERCIALE DE LA FRANCE
PAR ZONE ET PAR PAYS (millions de F)

	1985	1991	1992		1985	1991	1992
CEE à 12.................................	− 69 458	− 7 875	16 088	OCDE hors CEE.......................	− 6 332	− 71 349	− 60 865
dont : Allemagne......................	− 28 553	− 12 064	− 20566	dont : Etats-Unis......................	2 098	− 38 476	− 26 952
Belgique-Luxembourg........	− 8 369	− 768	4 016	Japon	− 16 170	− 29 547	− 30 099
Espagne...........................	− 7 202	14 628	19 660	Suisse	16 217	15 084	14 447
Grande-Bretagne	− 7 546	6 919	15 773	Autres pays étr. hors OCDE	− 16 058	− 16 891	8 334
Irlande	− 2 693	− 6 901	− 8 817	dont : Pays de l'Est....................	− 4 660	− 16 759	− 14 321
Italie	− 1 468	− 9 982	− 657	OPEP...................................	− 29 037	− 12 626	1 705
Pays-Bas	− 15 934	− 7 533	− 4 321	DOM-TOM...............................	14 184	27 427	27 477
				Total....................................	**− 91 848**	**− 96 115**	**− 36 443**

Source : TEF 93/94

MÉNAGES

ENTREPRISES

ADMINISTRATIONS

MONNAIE ET FINANCE

EXTÉRIEUR

PERFORMANCES

Le taux de change

> **Le taux de change est le prix d'une devise. Les devises s'achètent et se vendent sur un marché : le marché des changes. Les variations des taux de change dépendent étroitement des différences de taux d'inflation entre les pays.**

Le taux de change

Le taux de change entre deux monnaies est égal à la quantité de l'une qu'il faut donner pour obtenir une unité de l'autre. Par exemple : 1 dollar = 5,60 francs. On dit que le cours du dollar est de 5,60 F.

L'offre et la demande sur le marché des changes

☐ Un bien qui vaut 100 dollars aux États-Unis vaudra 560 F en France si le dollar vaut 5,60 F. Il vaudra 700 F si le dollar vaut 7,00 F. Donc, si le cours du dollar augmente, les produits américains valent plus cher. Les Français en demandent moins et demandent donc moins de dollars pour les payer. Il en résulte que la quantité demandée de dollars diminue lorsque le cours du dollar augmente.

☐ Un bien qui vaut 560 F en France vaudra 100 dollars aux États-Unis si le dollar vaut 5,60 F. Il vaudra 80 dollars si le dollar vaut 7 F. Donc, si le cours du dollar augmente, les produits français valent moins cher aux États-Unis. Si la demande pour les biens français est élastique, les Américains vont augmenter leurs dépenses en dollars de produits français. Plus de dollars seront donc offerts pour obtenir des francs. Il en résulte que l'offre de dollars croît quand le cours du dollar augmente.

☐ Si le marché des changes est libre, la rencontre de l'offre et de la demande sur le marché des changes détermine un cours d'équilibre et une quantité d'équilibre.

Taux de change et prix. La parité des pouvoirs d'achat

☐ Si le commerce mondial était parfaitement concurrentiel et les biens échangés entre les pays parfaitement équivalents, à un même bien devrait correspondre un prix unique quelle que soit la monnaie dans laquelle ce prix est exprimé. Ce qui permet de calculer le taux de change.

Exemple :

Une automobile française vaut 100 000 F
Une automobile allemande équivalente vaut 30 000 DM

$$1 \text{ DM} = \frac{100\,000}{30\,000} = 3,33 \text{ F}$$

☐ Que se passe-t-il si l'inflation est de 5 % en France et de 2 % en Allemagne ?
L'automobile française vaudra l'an prochain 105 000 F
L'automobile allemande vaudra l'an prochain 30 600 Marks

$$1 \text{ DM} = \frac{105\,000}{30\,600} = 3,43 \text{ F}$$

Conclusion : on constate que le franc s'est déprécié par rapport au mark de 3 %, c'est-à-dire exactement de la différence entre les taux d'inflation.

☐ Quand cette relation est vérifiée, on dit que les monnaies sont à parité de pouvoir d'achat. Bien sûr, il ne peut s'agir que d'une tendance puisque le commerce international n'est pas parfaitement concurrentiel.

CHANGE, COMPÉTITIVITÉ, INTÉRÊT

■ Taux de change, inflation et compétitivité

Les exportations seront d'autant plus aisées que le pays est compétitif, c'est-à-dire que les prix des biens exportés exprimés en monnaie étrangère sont faibles par rapport aux prix des biens équivalents produits dans le pays où l'on exporte.

L'évolution des prix à l'exportation dépend de deux facteurs :

• **Du différentiel d'inflation** : quand l'inflation est de 10 % chez soi et de 4 % dans le pays client, la perte de compétitivité est de 6 % par an.

• **De l'évolution du taux de change** : quand la monnaie du pays exportateur se déprécie de 2 % par an par rapport à la monnaie du pays importateur, les prix à l'exportation exprimés en monnaie étrangère diminuent de 2 %. Il en résulte que la compétitivité s'améliore de 2 % par an. Au total, un pays qui perd 6 % de compétitivité à cause de son inflation et gagne 2 % à cause de la dépréciation de sa monnaie voit son indicateur de compétitivité se détériorer de 4 %.
Taux de variation de la compétitivité = Taux de variation du taux de change – Différentiel d'inflation.

Exemple :
Entre 1973 et 1979, la hausse totale des prix à la consommation en Allemagne fut de 40,2 % contre 97,7 % en France. Différentiel d'inflation = 57,5 % sur cette période.
Dans le même temps, le mark passait de 1,668 F à 2,321 F, soit une dépréciation du franc de 39,1 %.

D'où : Taux de variation de la compétitivité de la France = 39,1 – 57,5 = – 18,4 % sur 7 ans.
La France a perdu environ 2,44 % de compétitivité par an par rapport à l'Allemagne pendant la période 1973-1979.

Remarque :
Quand la variation du taux de change compense exactement le différentiel d'inflation, la compétitivité ne varie pas. Nous sommes dans la situation où les monnaies sont à parité de pouvoir d'achat (voir page précédente).

■ Taux de change et taux d'intérêt

Quand les mouvements de capitaux sont libres, un investisseur français peut aussi bien acheter un bon du Trésor de l'État français, libellé en francs, qu'une obligation émise par Volkswagen, libellée en marks.
Supposons que le bon du Trésor français rapporte 10 % par an et l'obligation émise par Volkswagen seulement 8 %. L'investisseur aura malgré tout intérêt à acheter l'obligation allemande si la dépréciation du franc qu'il anticipe est supérieure à 2 %. Ainsi, les pays à monnaie faible doivent proposer des taux d'intérêt plus élevés que les pays à monnaie forte. Les différences de taux d'intérêt entre les pays reflètent les variations de taux de change que les investisseurs anticipent.
En 1989, par exemple, les taux d'intérêt français à long terme étaient supérieurs d'environ 2 % aux taux d'intérêt allemands.

MÉNAGES

ENTREPRISES

ADMINISTRATIONS

MONNAIE ET FINANCE

EXTÉRIEUR

PERFORMANCES

Taux de changes flexibles, taux de changes fixes

Il existe deux grandes catégories de systèmes de changes : les taux de changes flexibles et les taux de changes fixes. Dans le système de changes flexibles, les variations du taux de change assurent l'équilibre automatique de la balance des paiements. Dans le système de changes fixes, les pays déficitaires perdent des devises et les pays excédentaires en accumulent.

▬▬▬ Les changes flexibles (ou flottants)

On dit que les changes sont flexibles lorsque le taux de change est déterminé sur le marché des changes par le libre jeu de l'offre et de la demande de devises.

☐ Supposons que le marché du dollar par rapport au franc soit dans cette situation (ce qui correspond à la période actuelle). Que se passe-t-il si l'offre de dollars est supérieure à la demande ? Le prix du dollar baissera. Cette baisse du dollar s'arrêtera quand l'offre sera égale à la demande. Le marché sera équilibré.

☐ A quoi correspond cette situation d'équilibre ? L'offre de dollars (pour obtenir des francs) sert aux Américains à payer leurs importations de biens et de titres français. La demande de dollars vient des Français pour payer leurs importations de biens et de titres américains. On voit donc qu'à l'équilibre sur le marché des dollars correspond l'équilibre des échange entre la France et les États-Unis.

☐ En conséquence, dans un système de changes flexibles généralisé, la variation spontanée des taux de change assure l'équilibre de tous les échanges et donc de toutes les balances de paiements. Si un pays veut importer plus qu'il n'exporte, sa monnaie se déprécie et cette dépréciation le ramènera à l'équilibre.

▬▬▬ Les changes fixes

Les changes sont fixes quand on décide de maintenir le même taux de change quelle que soit la situation du marché des changes.

☐ Imaginons que le marché du dollar par rapport au franc soit dans cette situation. Que se passe-t-il si la France veut importer plus de biens et de titres américains qu'elle n'en exporte aux États-Unis ? Dans ce cas, la demande de dollars est supérieure à l'offre. Pour que le franc ne se déprécie pas, il faut combler cet écart. La Banque de France devra puiser dans ses réserves et vendre aux importateurs français les dollars qui leur manquent.

☐ Si le déficit se maintient, les réserves en dollars s'épuisent. C'est le signe que le franc est surévalué, c'est-à-dire qu'il est trop cher par rapport à la valeur qu'il aurait si le marché était libre. Il faut alors dévaluer le franc, c'est-à-dire fixer un cours plus élevé pour le dollar. Bien sûr, le raisonnement peut s'inverser : un pays excédentaire accumule des devises. Cette situation est plus confortable que la précédente, mais à long terme se pose la question de l'utilisation des réserves accumulées.

☐ En conséquence, un système de changes fixes peut fonctionner quand le taux fixé n'est pas trop éloigné de la réalité économique. Sinon, il faut ajuster les parités. C'est pourquoi ce système est aussi appelé parfois système de taux de changes ajustables.

AVANTAGES ET INCONVÉNIENTS DES SYSTÈMES DE CHANGE

CHANGES FIXES

INCONVÉNIENTS	AVANTAGES
1. Les banques centrales doivent détenir des réserves de change, ce qui mobilise des ressources qui seraient mieux utilisées ailleurs. **2.** Comme le commerce international croît, les réserves doivent être de plus en plus importantes. **3.** Comme les variations des taux de change dépendent des taux d'inflation, maintenir un change fixe implique d'aligner son inflation sur celle de ses partenaires. **4.** Pour économiser des réserves, les pays déficitaires ont souvent été tentés par le contrôle des changes (restreindre les voyages à l'étranger, limiter les mouvements de capitaux) ou par des quotas d'importations, ou par des droits de douane. Toutes mesures qui sont des obstacles à la croissance. **5.** Les spéculations se déchaînent contre les monnaies faibles à chaque fois que les opérateurs sur le marché sentent que le taux de change ne sera pas maintenu.	**1.** L'avantage essentiel est que la garantie de la stabilité des taux de change favorise le commerce international. Les entreprises n'ont plus de risques de change. Leurs calculs et leurs prévisions se trouvent considérablement facilités. **2.** Si la stabilité est garantie, la spéculation est sans objet : aucun gain ne peut être attendu si aucune réévaluation ou dévaluation n'est en vue. **3.** Une fixité assurée pendant une longue période peut être une étape décisive vers une monnaie commune. L'argument est particulièrement important dans le cas du SME Si, par exemple, pendant 10 ans, 1 ECU = 7 francs = 2 marks, pourquoi ne pas adopter l'ECU comme monnaie commune ? Tous les coûts liés aux changes seraient éliminés.

CHANGES FLEXIBLES

INCONVÉNIENTS	AVANTAGES
1. Les taux de change risquent de fluctuer de façon imprévisible, ce qui peut considérablement gêner le commerce international en généralisant les risques de change. **2.** Puisque les taux de change varient par hypothèse, les spéculateurs seront toujours présents sur le marché. D'où le risque de « bulles spéculatives » (comme sur le marché des actions...) accentuant la volatilité des taux de change.	**1.** Les banques centrales ne sont pas obligées de détenir des réserves de change — ou, du moins, incomparablement moins que dans le système précédent. **2.** Un pays peut choisir son taux d'inflation. S'il est plus élevé que celui du voisin, la monnaie, en se dépréciant, conduira à l'équilibre. **3.** La question des déséquilibres des balances de paiements ne se pose plus. C'est le taux de change qui assure l'équilibre.

MÉNAGES

ENTREPRISES

ADMINISTRATIONS

MONNAIE ET FINANCE

EXTÉRIEUR

PERFORMANCES

La politique de dévaluation

Dans un système de changes fixes, dévaluer c'est diminuer la valeur de sa monnaie par rapport à celle d'une autre monnaie. La dévaluation a pour but de résoudre les problèmes de balance des paiements qui naissent quand une monnaie est surévaluée.

▬▬▬ Pourquoi faut-il parfois dévaluer ?

Dans un système de changes fixes, quand un pays subit un déficit de balance des paiements, il perd des réserves de change. L'objectif de la dévaluation est de stopper les sorties de devises en rétablissant l'équilibre de la balance des paiements.

▬▬▬ Les coûts d'une dévaluation : la dégradation des termes de l'échange

☐ La dévaluation augmente mécaniquement les prix des produits importés exprimés en monnaie nationale. Une voiture allemande de 50 000 marks vaut 150 000 F pour un mark à 3 F et 175 000 F avec un mark à 3,50 F.

☐ La dévaluation diminue mécaniquement les prix des produits exportés exprimés en monnaie étrangère. Si une voiture française vaut 30 000 marks quand le mark est à 3 F, elle ne vaut plus que 25 714 marks quand le mark est à 3,50 F.

☐ La conséquence de ces deux effets est donc qu'il faudra donner plus de biens français pour obtenir un volume donné de biens étrangers. De ce point de vue, la dévaluation est un appauvrissement. On dit que les termes de l'échange se dégradent.

▬▬▬ Les avantages d'une dévaluation : les gains de parts de marché

La contrepartie de la détérioration des termes de l'échange est l'amélioration de la compétitivité-prix de l'économie : les produits nationaux sont moins chers, on en exporte plus ; les produits étrangers sont plus chers, on en importe moins.

Ces deux effets redressent le commerce extérieur en termes de quantités échangées, c'est-à-dire en volume.

▬▬▬ Le succès ou l'échec d'une dévaluation

Pour qu'une dévaluation soit un succès, il faut deux conditions :

☐ Il faut d'abord que l'amélioration en volume (augmentation des quantités exportées et diminution des quantités importées) parvienne à compenser la détérioration des termes de l'échange (augmentation des prix des biens importés et diminution des prix des biens exportés).

☐ Il faut ensuite que le redressement de la balance des paiements soit suffisant. Bien qu'aucune règle générale ne puisse être avancée, il faut savoir que :

— La dégradation des termes de l'échange est certaine alors que les gains de parts de marché sont hypothétiques ;

— La dégradation des termes de l'échange est immédiate tandis que les gains de parts de marché ne peuvent être que progressifs.

— La dévaluation risque d'autant moins d'être un succès que certaines importations sont incontournables (ex. : pétrole) et que les exportations sont peu sensibles aux prix (manque de produits exportables, mauvais positionnement sur les marchés).

DÉVALUATIONS ET RÉÉVALUATIONS

■ Les systèmes de changes fixes

Les systèmes dits de changes fixes ont toujours été en fait des systèmes de changes « ajustables » : dévaluations et réévaluations se succèdent.

• L'étalon-or
C'est le système appliqué au XIXᵉ siècle et jusqu'en 1922.
Chaque monnaie est définie de manière fixe par rapport à l'or. Les paiements internationaux sont théoriquement effectués en or. En pratique, seuls les soldes sont parfois réglés en or. La livre sterling, considérée comme équivalent de l'or, joue en fait le rôle de monnaie internationale.

• L'étalon de change-or
(Gold Exchange Standard)
En 1922, la livre et le dollar (dites devises clés) sont considérés comme équivalents à l'or et définis par rapport à l'or. Les autres monnaies sont définies de manière fixe, soit par rapport à l'or, soit par rapport à une devise clé.
En 1934, après avoir dévalué le dollar, les États-Unis s'engagent à acheter et vendre de l'or au taux fixe de 35 dollars l'once (31,1 g).
En 1972, les États-Unis décident de ne plus assurer la conversion de leur monnaie en or : on entre dans un système de changes flottants.
• Le SME est un système de changes fixes avec marges de fluctuation.

■ Et les réévaluations ?

Le franc a souvent joué la carte de la dévaluation pour soutenir la compétitivité de l'économie française. Le mark a joué la carte de la réévaluation. Pourquoi ?
• fondamentalement, grâce à une faible inflation ;

• un taux de change fort est favorable au solde commercial à court terme si la compétitivité n'est pas trop dégradée ;
• un taux de change fort est favorable à la désinflation car les produits importés sont peu coûteux ;
• les profits à l'importation sont importants.

■ Deux exemples de dévaluations réussies

1. Décembre 1958 : le plan Rueff. Austérité, lutte contre l'inflation et dévaluation.
Le franc est dévalué de 15 % par rapport au dollar, les échanges sont libérés, la convertibilité externe du franc est assurée. La priorité est donnée à l'équilibre budgétaire. Les résultats sont spectaculaires. Le taux de couverture des importations par les exportations, inférieur à 95 % depuis 1956 remonte à 120 % en 1959 ; le taux d'inflation qui était de 11 % tombe à 4 %. Le déficit budgétaire est considérablement réduit.
2. Août 1969. Le franc est dévalué de 11 %. Le taux de couverture passe de 90 % à 105 % et la Banque de France reconstitue son stock de devises qui avait considérablement diminué à la suite de la crise de Mai 1968.

■ La courbe en J : simulation d'une dévaluation du franc de 10 %

Des travaux économétriques montrent qu'après une dévaluation de 10 %, la balance commerciale française se dégrade brutalement pendant plus de 2 ans pour se rétablir ensuite (courbe en J).

MÉNAGES

ENTREPRISES

ADMINISTRATIONS

MONNAIE ET FINANCE

EXTÉRIEUR

PERFORMANCES

Le système monétaire européen

> **Le système monétaire européen (SME) est avant tout un système de change stable organisé autour de l'ECU *(European Currency Unit)* qui sert d'unité de compte et de moyen de paiement entre les banques centrales.**
> **Le SME est aussi un mécanisme de crédit organisant la solidarité financière des pays membres.**

▬▬ Définition de l'ECU

L'ECU est un panier de monnaies. Il est composé de quantités fixes des 12 monnaies européennes. Ainsi, posséder 1 ECU, c'est posséder 12 monnaies dans une combinaison donnée. Les quantités de chacune des monnaies sont déterminées en fonction des PIB des différents pays et de leur poids dans le commerce européen.

▬▬ Le cours journalier de l'ECU

Pour calculer en francs le cours journalier de l'ECU, on multiplie chacune des quantités des 12 monnaies par le taux de change et on additionne le tout.
Exemple : 22 juin 1993 (nouvelle définition de l'ECU : 20 septembre 1989).

Monnaies	Quantités fixes x	Taux de change	=
Mark DM	0,6242	3,3612	2,09806
Florin F	0,2198	2,9974	0,65883
Franc belge FB	3,301	0,163675	0,54029
Franc Luxembourg FL	0,130	0,163375	0,02128
Couronne danoise KRD	0,1976	0,8783	0,17355
Franc français FF	1,332	1	1,33200
Livre irlandaise IRL	0,008552	8,2105	0,07022
Lire italienne LIT	151,8	0,003721	0,56485
Livre sterling ST	0,08784	8,4475	0,74203
Peseta PTA	6,885	0,044095	0,30359
Escudo ESC	1,393	0,0355	0,04945
Drachme GRD	1,440	0,02466	0,03551
			1 Ecu = 6,58966 F

▬▬ Les cours-pivots et le cours officiel de l'ECU

Les monnaies qui composent l'ECU sont liées par des parités fixes qu'on appelle cours-pivots. Par exemple, le cours-pivot du mark est égal à 3,35386 F, le cours-pivot de la peseta est égal à 0,042391 F, etc. (juin 93).
Si, dans l'exemple ci-dessus, on remplace chaque taux de change par chaque cours-pivot, on obtient le cours officiel (ou cours-pivot de l'ECU ; ex. : juin 93 = 6,82216 F).

▬▬ La relation entre le cours journalier et le cours officiel de l'ECU

Chacune des 12 monnaies dispose d'une marge de fluctuation autour des 10 cours-pivots définis par rapport aux autres monnaies. Le taux de change du marché doit se situer à l'intérieur de cette marge de fluctuation (± 2,25 % sauf exceptions jusqu'à la crise d'août 1993 ; ± 15 % depuis).

L'ECU ET LE SME

■ Comment les ECU sont-ils émis ?

Chaque banque centrale des États membres dépose 20 % de ses réserves en or et en dollars auprès du Fonds européen de coopération monétaire (FECOM). En échange de ces réserves le FECOM a remis aux banques centrales l'équivalent en ECU.

Ces versements sont provisoires et renouvelés tous les trois mois.

■ Le poids de chaque monnaie dans le cours de l'ECU

Quand on multiplie chaque cours par la quantité fixe de chaque monnaie dans l'ECU et que l'on divise par le cours de l'ECU, on obtient le poids de chaque monnaie dans l'ECU.

Exemple : 28 juin 93
Quantité de marks : 0,6242
Cours : 3,3612
ECU : 6,58966 F
→ poids du mark :
$$\frac{0,6242 \times 3,3612}{6,58966} = 31,8 \%$$

À cette date, un ECU c'est donc :

marks :	31,8 %
florins :	10,0 %
francs belges + francs luxembourgeois }	8,5 %
couronnes danoises :	2,6 %
francs français :	20,2 %
livres irlandaises :	1,1 %
lires italiennes :	8,6 %
livres sterling :	11,3 %
drachmes :	0,5 %
pesetas :	4,6 %
escudos :	0,8 %

■ Dévaluations, réévaluations

Entre la création du SME (1979) et fin 92, il y a eu 15 modifications de parité.

Le mark a été réévalué 7 fois.
Le franc a été dévalué 4 fois.
Le franc a perdu presque 30 % de sa valeur par rapport au mark entre 1979 et 1990.

■ Le marché privé de l'ECU

Depuis quelques années, l'ECU n'est pas seulement une monnaie internationale réservée aux banques centrales. Les banques créent des dépôts en ECU et accordent des crédits libellés en ECU. Ces ECU circulent, sont prêtés, empruntés. Un marché privé de l'ECU est donc actuellement en pleine expansion. Les transactions en ECU sont au 3e rang mondial après le dollar et le mark.

■ Le mécanisme de crédit

Au lieu de soutenir sa monnaie qui se déprécie en cédant ses propres devises, une banque centrale peut demander à bénéficier d'un crédit que lui accordent automatiquement les autres banques centrales par l'intermédiaire du FECOM. Au terme du prêt, le remboursement se fait à concurrence de 50 % en ECU : les ECU circulent ainsi entre les banques centrales.

Ce système de crédit permet ainsi aux monnaies faibles d'être aidées par les monnaies fortes dans le maintien de leur parité. La stabilisation des taux de change se trouve facilitée par cette solidarité financière.

■ Le cas particulier de la drachme

La drachme fait partie de la définition de l'ECU mais ne participe pas encore (fin 1992) au système de changes fixes du SME.

MÉNAGES

ENTREPRISES

ADMINISTRATIONS

MONNAIE ET FINANCE

EXTÉRIEUR

PERFORMANCES

Les euromonnaies

Une euromonnaie est une devise qui circule en dehors de son pays d'origine. Les euromonnaies font l'objet de prêts et d'emprunts sur les euromarchés. L'euromarché le plus important est le marché de l'eurodollar, mais toutes les grandes monnaies ont leur euromarché.

Qu'est-ce qu'une euromonnaie ?

☐ Quand un Français détient des dollars déposés sur un compte dans une banque américaine, il détient des dollars « ordinaires ». S'il s'avise de déposer ses dollars dans une banque française, le voilà détenteur d'eurodollars. Ce principe est général. On appelle eurodevise (ou euromonnaie) une devise qui a quitté son pays d'origine et qui est déposée par un non-résident dans une banque non-résidente. Des marks déposés par un Espagnol dans une banque suisse, des yens déposés par un Allemand dans une banque de la City... sont des euromonnaies.

☐ Les euromonnaies peuvent faire l'objet de prêts et servir à acheter des titres. Ces opérations s'effectuent sur des euromarchés. La première monnaie à avoir été utilisée en dehors de son pays d'origine est le dollar. Le marché de l'eurodollar est encore aujourd'hui le plus actif, mais toute monnaie occupant une place importante dans les transactions internationales s'échange maintenant sur un euromarché. Il existe ainsi le marché de l'euroyen, de l'eurofranc, de l'euromark...

Naissance d'une euromonnaie

Dupont S.A. (société française) a exporté aux États-Unis et est payé en dollars, déposés sur son compte à la Bank of America, New York. Comme la Société générale lui propose une rémunération intéressante pour ses dollars, cette entreprise décide de les transférer à la Société générale. Celle-ci lui ouvre un compte où ses dollars sont enregistrés, et c'est elle, maintenant, qui détient les dollars.

Des dollars, monnaie créée aux États-Unis, ont été déposés par un non-résident (Dupont S.A.) auprès d'une banque non résidente (la Société générale). Ils sont devenus des eurodollars.

Les crédits en euromonnaie

Poursuivons l'exemple précédent avec un nouveau personnage, Durand S.A.

Durand S.A., client de la Société générale, doit payer un fournisseur espagnol, client de la Banco de Santander. N'ayant pas de dollars, il s'adresse à la Société générale qui va lui prêter les dollars déposés par Dupont S.A. Durand S.A. paie son fournisseur, lequel dépose les dollars à la Banco de Santander : un nouveau dépôt en eurodollar est né et c'est maintenant la banque espagnole qui détient les dollars. A son tour, la Banco de Santander peut évidemment faire un crédit en dollars.

On voit donc que les dollars de Dupont S.A. peuvent alimenter toute une chaîne de dépôts et de crédits en dollars en dehors des États-Unis. Le système bancaire mondial multiplie les euromonnaies.

EURODEVISES - EURODOLLARS

■ Un point de vocabulaire

Euromonnaie est un mot bien mal choisi ! D'abord parce que ce ne sont pas des « monnaies » : on ne fait pas ses courses en Fance en payant avec des dollars ! C'est pourquoi on peut préférer eurodevise à euromonnaie.

Ces euromonnaies ne sont pas forcément européennes. Des dollars déposés à Hong Kong sont qualifiés d'euromonnaie alors qu'il s'agit « d'asiadollars » !

■ Petite histoire des eurodollars

Plusieurs événements sont à l'origine des eurodollars (début des années 60) :
• la crise de Cuba conduisit les pays de l'Est à retirer leurs avoirs en dollars des banques américaines pour les déposer à Londres, Paris ou Zurich ;
• la crise de la livre sterling conduisit les banques de la City à accorder, dès la fin des années 50, des crédits en dollars à partir des dollars déposés auprès d'elles ;
• une réglementation (dite réglementation Q) interdisait, aux États-Unis, la rémunération des dépôts à vue et limitait celle des dépôts à terme. Les dépôts des non-résidents ont quitté les États-Unis pour chercher une meilleure rémunération ailleurs.

■ Où sont déposées les euromonnaies ?

Londres est la première place mondiale, mais les Bahamas, Singapour, Hong Kong et Bahrein représentent à eux quatre la moitié de l'activité londonienne.

■ Le marché de l'eurodollar : un marché indispensable

Une monnaie internationale est une monnaie qui peut servir d'unité de compte, de réserve de valeur et de moyen de paiement à l'échelle internationale. Le dollar est certainement la première des monnaies internationales.

Dès lors, à partir du moment où existent une offre et une demande très importantes de dollars, il était inéluctable que se développe un marché du dollar en dehors des États-Unis.

L'explosion du marché fut fantastique :
1960 : 10 milliards d'eurodollars
1970 : 100 milliards d'eurodollars
1980 : 1 100 milliards d'eurodollars
1987 : 2 000 milliards d'eurodollars
1992 : plus de 3 000 milliards d'eurodollars

■ Pétrodollars, eurodollars et dette des pays en voie de développement

A la suite des deux chocs pétroliers, les pays producteurs ont accumulé des excédents massifs en dollars. Ces dollars ont été déposés auprès du système bancaire mondial, alimentant le marché de l'eurodollar. Les banques ont massivement utilisé ces eurodollars dans des crédits aux pays en voie de développement, contribuant ainsi au « recyclage » des pétrodollars... et par la même occasion à la croissance de la dette des pays en voie de développement (environ 1 100 milliards de dollars).

MÉNAGES

ENTREPRISES

ADMINISTRATIONS

MONNAIE ET FINANCE

EXTÉRIEUR

PERFORMANCES

La finance internationale

La finance internationale comprend deux grandes catégories
d'opérations financières :
— des opérations financières en monnaie nationale avec des non-
résidents ;
— des opérations financières en euromonnaie.

▩ Les opérations financières en monnaie nationale avec des non-résidents

☐ Les banques françaises accordent des crédits en francs à l'étranger. Il peut s'agir
de prêts accordés à des pays étrangers ou à des sociétés multinationales.
Ce peuvent être aussi des crédits commerciaux consentis aux non-résidents qui importent des produits français. Ces crédits facilitent nos exportations.
☐ Un emprunteur peut aussi utiliser un marché financier étranger pour émettre un
emprunt. Les sociétés multinationales utilisent souvent les marchés de New York
et de Londres de préférence à Paris où les capitaux sont moins abondants. Ces opérations se sont considérablement développées depuis 1980. A l'opposé, un investisseur peut acheter des titres sur un marché étranger : actions, obligations...

▩ Les opérations en euromonnaie

☐ Les opérations en euromonnaie concernent d'abord les banques. Le marché interbancaire international met en relation des milliers de banques qui peuvent y placer
à court terme leurs liquidités, ou emprunter à court terme, en particulier en euromonnaie. Compte tenu de la dématérialisation totale des échanges et de la rapidité
des communications, ces opérations de prêts et d'emprunts s'effectuent pratiquement
instantanément. Une banque qui veut prêter ou emprunter a toujours le choix entre
le marché monétaire national, les marchés monétaires étrangers et les marchés des
eurodevises. Ces marchés communiquent donc étroitement entre eux.
☐ Les crédits bancaires ou euromonnaie. Les banques utilisent les euromonnaies
pour effectuer des prêts. En général, ces prêts sont accordés par des pools de banques qui ont des ressources importantes en eurodevises. Elles complètent et renou-
vellent ces ressources par des emprunts sur le marché bancaire international. Ces
prêts sont octroyés à des sociétés importantes, parfois à des collectivités locales ou
encore à des États.
☐ Les euroémissions. De gros emprunteurs peuvent collecter de l'argent en émettant des titres libellés en euromonnaie.
— Ces titres peuvent être des euro-obligations *(Euro-bonds)*. Il s'agit alors d'emprunt
à long terme, d'un montant très élevé (plusieurs millions ou dizaines de millions de
dollars), organisé par un banquier « chef de file », aidé d'un « syndicat de garantie ».
Le banquier chef de file choisit la monnaie, la durée de l'emprunt, les taux d'intérêt.
Le syndicat de garantie s'engage à acheter les titres non vendus.
— Les emprunts peuvent aussi se faire en vendant des *Euro-notes* (bons à court terme)
ou des NIFS *(Note Insurance Facilities)* qui sont des titres à court terme adossés
à un crédit en euromonnaie.

■ **Un exemple d'euroémission (semaine du 10 au 16 juin 1990)**

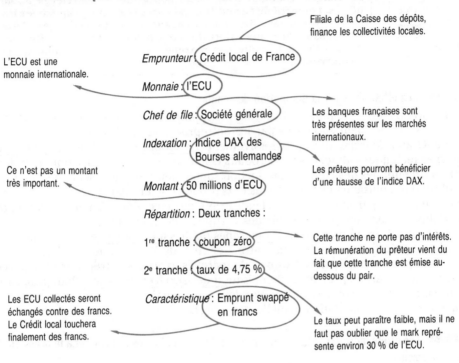

L'ECU est une monnaie internationale.

Emprunteur : Crédit local de France

Filiale de la Caisse des dépôts, finance les collectivités locales.

Monnaie : l'ECU

Chef de file : Société générale

Les banques françaises sont très présentes sur les marchés internationaux.

Indexation : Indice DAX des Bourses allemandes

Les prêteurs pourront bénéficier d'une hausse de l'indice DAX.

Ce n'est pas un montant très important.

Montant : 50 millions d'ECU

Répartition : Deux tranches :

1re tranche : coupon zéro

2e tranche : taux de 4,75 %

Cette tranche ne porte pas d'intérêts. La rémunération du prêteur vient du fait que cette tranche est émise au-dessous du pair.

Les ECU collectés seront échangés contre des francs. Le Crédit local touchera finalement des francs.

Caractéristique : Emprunt swappé en francs

Le taux peut paraître faible, mais il ne faut pas oublier que le mark représente environ 30 % de l'ECU.

■ **La part des différentes monnaies dans les emprunts internationaux**

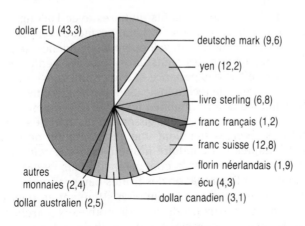

dollar EU (43,3)
deutsche mark (9,6)
yen (12,2)
livre sterling (6,8)
franc français (1,2)
franc suisse (12,8)
florin néerlandais (1,9)
écu (4,3)
dollar canadien (3,1)
autres monnaies (2,4)
dollar australien (2,5)

Source : Rapport mensuel de la Bundesbank, janvier 1990, in *Problèmes Économiques*, n° 2172.

MÉNAGES

ENTREPRISES

ADMINISTRATIONS

MONNAIE ET FINANCE

EXTÉRIEUR

PERFORMANCES

1993 : le Grand Marché (I)

Le Marché commun ayant déjà supprimé les barrières douanières, l'objectif du Grand Marché européen est de supprimer les
barrières non tarifaires qui entravent encore les échanges. Cette
suppression aura des effets directs sur les coûts et des effets indirects liés à la taille des marchés et à l'accroissement de la
concurrence.

■■■■ Les effets directs : la diminution des coûts

☐ Le Grand Marché éliminera d'abord les formalités douanières et les coûts qui leur
sont liés, qu'ils soient supportés par les entreprises ou par les États.
☐ Le Grand Marché doit progressivement harmoniser les réglementations et
normes techniques attachées aux produits échangés. Par l'harmonisation devraient
être ainsi éliminés des coûts de production supplémentaires (une seule norme = un
seul produit ; plusieurs normes = plusieurs produits différents) et des délais de commercialisation (par exemple, dans l'industrie pharmaceutique, il faut attendre parfois plusieurs années pour obtenir des certificats de conformité).
☐ Le Grand Marché doit ouvrir les marchés publics à la concurrence. Les marchés
publics représentent actuellement entre 7 et 10 % du PIB communautaire. Or, chaque État passe actuellement très peu de marchés avec des entreprises étrangères.
☐ Le Grand Marché prévoit la libéralisation des services financiers (banques, assurances, agents en Bourse). Se trouveraient ainsi éliminées les rentes de situation
qu'autorise la segmentation actuelle des marchés.

■■■■ Les effets indirects : effets d'intégration liés à la taille des marchés et à la pression de la concurrence

☐ Les effets liés à la taille des marchés. Il y a généralement corrélation entre
la taille du marché et la taille des entreprises. Des entreprises plus grandes font
des économies d'échelle :
— Elles obtiennent une baisse des coûts unitaires avec l'allongement des séries.
— Elles multiplient les établissements. Ceci leur permet de regrouper certaines fonctions comme la vente, la recherche-développement, le financement. L'économie naît
ici d'une meilleure répartition des coûts fixes pour des ventes en augmentation.
— Elles génèrent des « effets d'expérience et d'apprentissage » améliorant l'efficacité
des équipes et la maîtrise de la technologie. Sont particulièrement concernés les secteurs de pointe à main-d'œuvre qualifiée (ex. : les télécommunications).
☐ Les effets liés à la concurrence. L'élargissement du marché et la suppression des
barrières de natures diverses signifient une augmentation de la pression concurrentielle qui doit logiquement conduire à une baisse des coûts et des prix.
— Certaines entreprises subiront la concurrence. Dans ce cas, la baisse des prix
risque de se traduire par l'élimination des firmes peu productives.
— Pour d'autres, la concurrence aura un effet stimulant et jouera un rôle moteur
dans la recherche de nouveaux produits et de nouveaux marchés. Ce rôle moteur
pourra prendre des aspects purement internes (baisse des coûts, innovations…)
mais aussi externes (accords de partenariat, de sous-traitance, filiale commune…).

EXEMPLES DE BAISSES DES COÛTS LIÉES AU GRAND MARCHÉ

■ **Exemples de baisses des coûts unitaires totaux par effets d'expérience et d'apprentissage**

Industries ou services	Baisse des coûts unitaires pour un doublement de la production cumulée (en %)
Composants électroniques	30
Micro-informatique	30
Roulements à billes	27
Plastiques industriels	25
Maintenance des équipements	24
Assurance-vie	23
Aéronautique	20
Énergie électrique	20
Démarreurs automobiles ..	15
Raffinage du pétrole	10

■ **Coûts directs des formalités douanières**

	En milliards d'ECU 1987	En % du commerce intra-communautaire
Coûts administratifs supportés par les entreprises :		
Internes	5,9	
Externes	1,6	
Total	7,5	1,5
Coûts des retards aux frontières	0,4-0,8	0,1-0,2
Coût total pour les entreprises	7,9-8,3	1,6-1,7
Coûts administratifs supportés par les pouvoirs publics ..	0,5-1,0	
Coût total des formalités douanières	8,4-9,3	

■ **Réduction de prix plausibles sur l'ensemble des services financiers (Banque, Assurances, Valeurs mobilières) (en %)**

	Belgique	Allemagne	Espagne	France	Italie	Luxembourg	Pays-Bas	Grande-Bretagne	Ensemble
Fourchette envisageable	6-16	5-15	16-26	7-17	9-19	3-13	0-9	2-12	5-15
Milieu de la fourchette	11	10	21	12	14	8	4	7	10

■ **Économies réalisables dues à la concurrence pour les marchés publics**

	Belgique	Allemagne	France	Italie	Grande-Bretagne	Europe des 5	Europe des 12
En milliards d'ECU 1984	1,1	2,8	2,0	2,4	3,4	11,7	13,9
En % du PIB	1,1	0,4	0,3	0,4	0,6	0,5	0,5

Source : Michel Catinat, « Les conditions de réussite du grand marché intérieur », *Économie et Statistiques,* n° 217-218.

| MÉNAGES |
| ENTREPRISES |
| ADMINISTRATIONS |
| MONNAIE ET FINANCE |
| EXTÉRIEUR |
| PERFORMANCES |

1993 : le Grand Marché (II)

> Les effets macro-économiques du Grand Marché concernent les prix, la croissance, les finances publiques, le commerce extérieur et l'emploi.

▬ Effets sur les prix : des baisses attendues, mais une vigilance nécessaire.

☐ La réduction des prix doit normalement découler de la réduction directe des coûts, des économies d'échelle et de la pression de la concurrence.

☐ Mais des obstacles éventuels peuvent apparaître. On connaît les avantages de la concentration dans le domaine de l'efficacité productive, mais on connaît aussi ses inconvénients : elle favorise les ententes et limite donc la concurrence.

☐ Face à ce danger, la Communauté devra mener une politique de contrôle de la concentration : surveillance des fusions, des prises de participation, des OPA.

▬ Effets sur la croissance : des conséquences positives

☐ La baisse des prix entraîne une hausse du pouvoir d'achat intérieur, ce qui stimule la demande interne, et donc la croissance.

☐ La baisse des prix améliore la compétitivité vis-à-vis de l'extérieur de la Communauté, ce qui stimule la demande externe, et donc la croissance.

☐ Un rôle particulier peut être donné à la libération des services financiers : un impact direct sur l'investissement est possible par la baisse de son coût de financement. Or l'investissement est un des facteurs essentiels de la croissance.

▬ Effets sur les budgets des États membres : de nouvelles marges de manœuvre

☐ Grâce à la baisse du coût des dépenses budgétaires qu'entraînera l'ouverture des marchés publics, on peut s'attendre à l'amélioration des finances de chaque État.

☐ Cette amélioration viendra aussi de la croissance des recettes fiscales directement liées à l'activité économique.

☐ Le desserrement des contraintes budgétaires libérera des ressources financières, ouvrant des possibilités de recrutement de fonctionnaires dans les secteurs à fort besoin pour les années à venir (santé, enseignement).

▬ Effets sur le commerce extérieur de l'ensemble de la Communauté : ambiguïté

☐ Les exportations sont stimulées par l'amélioration de la compétitivité.

☐ Mais les importations augmenteront dans la mesure où une partie de la demande supplémentaire se tournera obligatoirement vers l'extérieur de la Communauté.

☐ Et surtout, on peut se demander si la réalisation du Grand Marché ne va pas favoriser la pénétration de produits fabriqués ailleurs qu'en Europe. En effet, l'élargissement du marché, l'homogénéisation des normes, l'abandon des barrières internes, bénéficieront aux produits extracommunautaires.

LES PRINCIPALES INFLUENCES MACROÉCONOMIQUES DU MARCHÉ UNIQUE

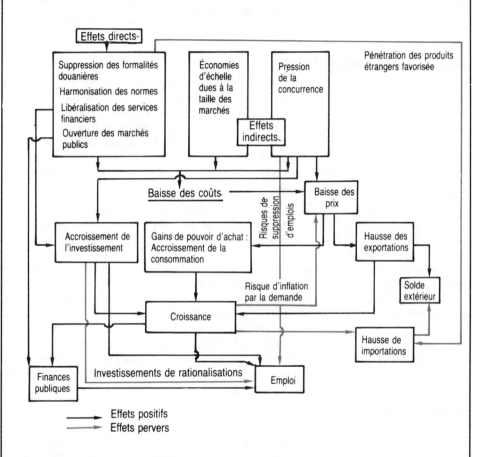

■ Effets sur l'emploi :
négatifs à court terme, positifs à moyen terme

Face à la concurrence, les entreprises passives stagneront ou disparaîtront, supprimant des emplois. Quant aux entreprises dynamiques, leur développement se fera sans doute dans un contexte de restructuration peu favorable à l'emploi.
Les effets positifs à moyen terme sont liés à l'accélération de la croissance, au développement des investissements de capacité que cela exige, à l'accroissement de la demande, à la possibilité d'emplois publics supplémentaires.

MÉNAGES

ENTREPRISES

ADMINISTRATIONS

MONNAIE ET FINANCE

EXTÉRIEUR

PERFORMANCES

Les agrégats

Les richesses produites dans une économie sont mesurées soit par le Produit Intérieur Brut soit par le Produit National Brut. Les revenus versés en contrepartie des richesses produites sont mesurés par le Revenu National.

Le Produit Intérieur Brut (PIB)

Le PIB mesure la valeur des richesses produites au cours d'une année par les unités de production résidant sur le territoire. La contribution propre de chaque unité productive à la création de richesses est la valeur ajoutée. Le PIB est donc essentiellement constitué par la somme des valeurs ajoutées. Par ailleurs, les valeurs ajoutées sont calculées hors taxes. Pour obtenir le prix du marché, il faut ajouter la TVA et les droits de douane sur les produits importés.

En définitive, PIB = Somme des valeurs ajoutées + TVA + droits de douane.

Le Produit National Brut (PNB)

☐ Le PNB mesure la valeur des richesses produites au cours d'une année <u>par les facteurs de production résidents</u>. Il diffère donc du PIB car une production réalisée par une unité de production résidant sur le territoire peut être le résultat de facteurs de production non résidents.

Exemple : Une succursale d'une firme américaine s'est installée en France avec des capitaux américains. Sa production est comptée dans le PIB car elle réside en France. Mais, dans le calcul du PNB, il faudra soustraire la rémunération du capital versée aux propriétaires américains car ils résident aux États-Unis.

Donc : PNB = PIB + Revenus du travail et du capital reçus du reste du monde
　　　　　　　　　 − Revenus du travail et du capital versés au reste du monde.

☐ Pour une économie comme la France, la différence PIB-PNB n'est pas très importante. Par contre, elle l'est pour un pays sous-développé dont les usines ont été installées grâce à des capitaux étrangers.

Le Revenu National

☐ Le Produit National Net (PNN) ou <u>Revenu National au prix du marché</u>. Une partie du PNB doit être consacrée à l'amortissement des bâtiments et des équipements. Ces amortissements ne constituent pas un revenu puisqu'ils servent simplement à conserver à l'identique la capacité productive de l'économie et le parc de logements. Donc : PNN = PNB − Amortissements.

☐ <u>Le Revenu National au coût des facteurs</u> (RN). Jusqu'à présent, tous les agrégats ont été comptabilisés aux prix du marché. Ces prix comprennent les impôts liés à la production et à l'importation. Si l'on veut mesurer les revenus perçus par le travail et le capital, il faut soustraire ces impôts. On obtient alors le Revenu National.

☐ <u>Contenu du Revenu National</u>. Le Revenu National est donc la somme :

— de la rémunération du travail salarié (salaires + charges sociales) ;

— des excédents nets d'exploitation des producteurs qui comprennent les revenus de la propriété, de l'entreprise et du travail non salarié.

■ **Produit National Brut et Produit National Brut par tête des principaux pays (1990)**

Pays	1990		Taux ann. moyen de croiss[ce] PNB/hab. 1980-90	Pays	1990		Taux ann. moyen de croiss[ce] PNB/hab. 1980-90
	Val. tot. Millions dollars	Valeur/ habitant dollars			Val. tot. Millions dollars	Valeur/ habitant dollars	
Allemagne (ex-RFA)	1 411 346	22 730	2,2	Suisse	219 337	32 790	1,7
Belgique	154 688	15 440	1,2	Afrique du Sud	90 410	2 520	– 0,9
Danemark	113 515	22 090	2,1	Algérie	51 585	2 060	– 0,3
Espagne	429 404	10 920	2,7	Égypte	31 381	600	2,1
France	1 099 750	19 480	1,7	Canada	542 774	20 450	2,4
Grèce	60 245	6 000	0,8	États-Unis	5 445 825	21 700	2,2
Irlande	33 467	9 550	1,1	Argentine	76 491	2 370	– 1,8
Italie	970 619	16 850	2,2	Brésil	402 788	2 680	0,6
Luxembourg	10 875	28 770	3,9	Mexique	214 500	2 490	– 0,9
Pays-Bas	258 804	17 330	1,4	Venezuela	50 574	2 560	– 2,0
Portugal	50 692	4 890	2,4	Chine (n.c. Formose)	415 884	370	7,9
Royaume-Uni	923 959	16 070	2,5	Inde	294 816	350	3,2
Autriche	147 016	19 240	2,0	Japon	3 140 948	25 430	3,5
Finlande	129 823	26 070	3,1	Thaïlande	79 044	1 420	5,6
Hongrie	30 047	2 780	1,5	Turquie	91 742	1 630	3,0
Norvège	98 079	23 120	2,7	Australie	290 522	17 005	1,7
Pologne	64 480	1 700	1,2	Nouvelle-Zélande	43 185	12 680	0,6
Suède	202 498	23 680	1,8				

Source : TEF 1992

■ **Quelques agrégats par tête (France, 1992 en francs)**

Produit Intérieur Brut par habitant	121 788
Produit Intérieur Brut par actif occupé	312 261
Revenu National Brut par habitant	120 363

Chaque Français employé crée en moyenne environ 312 000 F de richesses par an, mais cela ne représente, une fois la distribution effectuée, que 122 000 F par Français.

PIB par habitant et Revenu National par habitant sont très peu différents en France.
Il n'en est pas de même dans un pays sous-développé où une partie importante des richesses produites sert à rémunérer le capital étranger et ne constitue donc pas un revenu pour ses habitants.

MÉNAGES

ENTREPRISES

ADMINISTRATIONS

MONNAIE ET FINANCE

EXTÉRIEUR

PERFORMANCES

PNB et bien-être

Le PNB est très souvent utilisé pour mesurer la croissance d'une économie nationale et on compare fréquemment les niveaux de vie dans les différents pays en comparant leur PNB par tête. On assimile ainsi PNB et bien-être économique. Cette assimilation est contestable.

Le problème des prix et des taux de changes

Le PNB est généralement évalué en francs courants. Pour obtenir une évaluation réelle de son évolution, il faut l'évaluer en francs constants. Par ailleurs, comparer le PNB de deux pays exige de choisir une unité monétaire commune, par exemple le dollar. Ainsi, toute augmentation du cours du dollar par rapport au franc accroît la différence entre le PNB par tête aux États-Unis et le PNB par tête en France.

PNB et distribution des revenus

Le PNB ne tient pas compte de la distribution des revenus. Pour une même valeur du PNB, on peut difficilement admettre que le bien-être sera le même dans une société égalitaire et dans une société inégalitaire.

PNB et nature des biens produits

Le PNB est une mesure de la valeur des biens produits alors que le bien-être dépend de la satisfaction que procurent ces biens. Pour les biens échangés sur un marché, on peut admettre (à la rigueur) que prix et satisfaction coïncident : les consommateurs n'achètent que ce qu'ils désirent. Mais pour les biens et services fournis par les administrations, il n'en est pas de même. Mesurer le bien-être par le PNB, c'est admettre qu'un milliard dépensé en armement procure la même satisfaction qu'un milliard pour la santé publique.

PNB et loisirs

Le PNB ne tient pas compte du temps de loisir. Or, une augmentation des loisirs augmente le bien-être et peut augmenter ou diminuer le PNB selon que l'effet de l'accroissement de la productivité du travail l'emporte ou non sur l'effet de la réduction du temps de travail.

PNB et nuisances

Le PNB ne tient pas compte des aspects négatifs de la croissance : détérioration de l'environnement, encombrement urbain, insécurité, etc. On arrive facilement à des incohérences : l'augmentation des accidents de la route, en augmentant les services rendus par les hôpitaux, les assurances, la justice, augmentent le PNB !

PNB et travail domestique

Le PNB ne tient pas compte de la production non marchande réalisée dans le cadre de l'économie domestique. Tondre sa pelouse n'accroît pas le PNB. La faire tondre par une entreprise de jardinage accroît le PNB. Pourtant, le résultat en termes de bien-être est le même : la pelouse est tondue et le même travail a été dépensé.

ÉCONOMIE SOUTERRAINE OU « AU NOIR »

■ **Qu'est-ce que l'économie souterraine ?**

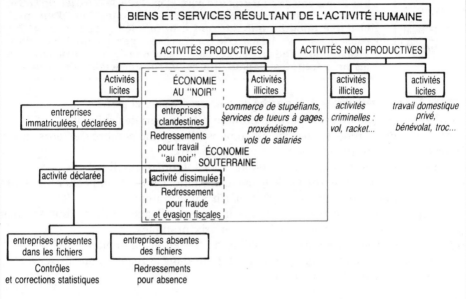

← Production évaluée dans les comptes ——→ ←—— "Production" non évaluée ——→

■ **L'économie « au noir » : un revenu évalué à + de 4 % du PIB**

Motifs de redressement de la valeur ajoutée	Année de base 1981		Compte définitif 1985		Actualisation 1988	
	Millions de francs	% PIB	Millions de francs	% PIB	Millions de francs	% PIB
1. Économie « au noir » (Eurostat) **Fraude et évasion fiscales** dont :	**99 600**	**3,1**	**141 450**	**3,0**	**170 500**	**3,0**
— Dissimulation de recettes	83 600	2,6	110 100	2,3	135 000	2,4
— TVA non versée	16 000	0,5	31 350	0,7	35 500	0,6
Travail « au noir » dont :	**37 500**	**1,2**	**47 300**	**1,0**	**63 000**	**1,1**
— Activités marchandes	28 950	0,9	35 800	0,8	50 000	0,9
— Services domestiques	8 400	0,3	11 500	0,2	13 000	0,2
Redressements comptables Pourboires non déclarés	6 400	0,2	10 550	0,2	13 000	0,2
Avantages en nature non déclarés	2 150	0,1	1 200	—	1 500	—
2. Entreprises absentes	**88 000**	**2,8**	**123 900**	**2,6**	**150 000**	**2,7**

Source : Jean-Charles Willard, « L'Économie souterraine dans les comptes nationaux », *Économie et Statistiques.* Nov. 1989.

MÉNAGES

ENTREPRISES

ADMINISTRATIONS

MONNAIE ET FINANCE

EXTÉRIEUR

PERFORMANCES

Concurrence et marché

Sur le marché de concurrence pure et parfaite, le libre jeu de l'offre et de la demande aboutit à la détermination d'un prix et d'une quantité qui satisfont à la fois les producteurs et les consommateurs. Le marché concurrentiel permet ainsi l'équilibre économique. Mais il permet plus : dans une économie de marché, les prix sont des signaux qui orientent l'ensemble du système.

▬▬▬ Les caractéristiques d'un marché de concurrence pure et parfaite

Un marché de concurrence pure et parfaite a les propriétés suivantes.

— Atomicité du marché. Le marché est composé d'un grand nombre d'acteurs : aucun ne peut, à lui seul, influencer la formation du prix.

— Homogénéité du produit. Les produits sont interchangeables.

— Libre entrée et libre sortie. Aucune contrainte ne peut empêcher un entrepreneur d'accéder au marché ou d'en partir s'il le souhaite.

— Transparence. L'information circule librement. Chacun sait à tout moment quelles sont les quantités échangées et les prix pratiqués.

— Mobilité. Il existe une parfaite mobilité du travail et du capital.

Ces critères ne se rencontrent guère à l'état pur dans la réalité, mais ils servent de référence pour caractériser un marché.

▬▬▬ Le fonctionnement d'un marché de concurrence pure et parfaite

☐ Que se passe-t-il quand, dans un marché concurrentiel, l'offre est supérieure à la demande parce que le prix est trop élevé ?

Une partie de la production ne trouve pas preneur. Les producteurs ont intérêt à vendre moins cher pour tenter d'écouler leur production. Les prix baissent. Les plans de production sont revus à la baisse, certaines entreprises font faillite : l'offre diminue. Mais comme les prix ont baissé, la demande va augmenter. Le processus s'arrête quand l'offre est égale à la demande (quantité d'équilibre).

☐ On appelle prix d'équilibre le prix qui permet de faire coïncider l'offre et la demande. Ce prix est le prix idéal. A ce prix aucun consommateur ne souhaite acheter plus ; aucun producteur ne souhaite produire plus. Les désirs des uns sont compatibles avec les désirs des autres.

▬▬▬ Le rôle des prix dans une économie de marché

Au-delà de la réalisation de l'équilibre, dans une économie de marché, les prix sont des signaux qui mettent en route toute la machine économique.

☐ Supposons que la demande d'un produit soit supérieure à l'offre. La concurrence entre les demandeurs va faire croître le prix. Cette hausse est un signal pour le producteur : elle signifie que l'offre a mal anticipé la demande et qu'il faut produire plus. Par ailleurs, la hausse du prix permet de produire plus avec profit.

☐ Après la croissance de la production, l'offre et la demande seront de nouveau confrontées. Si les entrepreneurs ont été trop optimistes, un processus inverse se mettra en route ; cette fois-ci c'est la baisse des prix qui en sera le signal.

L'ÉCONOMIE DE MARCHÉ

■ La courbe de l'offre et de la demande

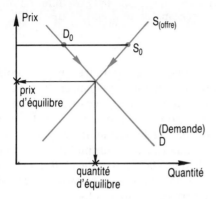

Quand l'offre est supérieure à la demande (So > Do), la concurrence fait baisser le prix jusqu'à l'équilibre.

La conception de l'économie comme un ensemble de marchés concurrentiels peut être jugée de deux façons qu'il ne faut pas confondre.

■ Le point de vue normatif

On se demande dans ce cas si le marché est le meilleur système possible (la « norme »). Les libéraux soutiennent que c'est le système concurrentiel qui permet de satisfaire au mieux les désirs des consommateurs, de libérer les potentialités des entrepreneurs et de concilier les intérêts *a priori* divergents des uns et des autres. Donc, si l'économie est peu concurrentielle, un des objectifs essentiels de la politique économique sera de supprimer les entraves à la concurrence. Toutes les politiques dites de « déréglementation » sont fondées sur cette analyse. Bien sûr, on peut aussi soutenir

que le marché ne doit pas être la norme et qu'il existe d'autres façons d'organiser la production et la demande (la planification impérative, la planification incitative, l'économie mixte, etc.).

■ Le point de vue positif

On se pose alors la question de savoir si l'économie fonctionne effectivement suivant les règles de la concurrence. On peut faire ainsi remarquer que :
• l'atomicité est très rare dans l'industrie : très souvent un nombre restreint d'entreprises dominent le marché. Parfois, il n'y en a qu'une seule (monopole) ;
• la libre entrée n'existe pas dès que le capital minimal exigé est important ou que la qualification est élevée ;
• le produit est rarement homogène. Les firmes cherchent à différencier les produits vendus ;
• l'entreprise recherche un profit « sûr », « satisfaisant »... et durable. Elle est ainsi conduite à peu augmenter sa production quand la demande croît pour ne pas avoir à stocker ou licencier si la demande baisse ultérieurement ;
• le consommateur réagit à bien d'autres variables que les prix et le revenu (mode, prestige, publicité...) ;
• la courbe d'offre des entreprises n'est jamais simple. Les prix sont différents suivant l'importance des commandes, suivant le demandeur, le lieu du marché, la période, etc.

Selon l'importance que l'on attribue à ces différentes objections, on sera plus ou moins amené à penser que le marché est un cadre explicatif utile du fonctionnement de l'économie.

MÉNAGES

ENTREPRISES

ADMINISTRATIONS

MONNAIE ET FINANCE

EXTÉRIEUR

PERFORMANCES

Monopole et oligopole

Quand un producteur ou un groupe de producteurs dominent la production et les échanges, le prix n'est pas le résultat uniquement de l'offre et de la demande mais celui de cette domination. Le monopole et l'oligopole correspondent à cette situation.

■■■■ Le monopole ou le quasi-monopole

☐ Il y a monopole quand un seul vendeur se trouve en face d'un très grand nombre d'acheteurs. N'ayant pas de concurrents, la demande qui s'adresse à lui est la demande totale du marché. Il fixe donc son prix en fonction des bénéfices qu'il désire.

Si la demande diminue, le monopole diminue la production mais maintient le prix, ce qui aggrave la baisse de la demande mais conserve la rentabilité. Si la demande augmente, le monopole préfère souvent faire attendre l'acheteur plutôt que d'investir : il en profitera pour augmenter le prix. Citroën, dans les années 50, a eu avec la 2CV le monopole de la voiture populaire et s'est comporté de cette façon. Hausse des prix et malthusianisme des ventes caractérisent le monopole.

☐ En pratique, la situation de monopole est rare.

— Elle apparaît le plus souvent pour certains services publics. Par exemple, EDF a le monopole de la distribution de l'électricité. En revanche, il existe fréquemment des quasi-monopoles ; par exemple, l'unique épicier d'un village relativement isolé.

— Un monopole privé peut toujours être contesté : par un concurrent potentiel attiré par ses profits, par les réactions des consommateurs devant des prix trop élevés, par les pouvoirs publics qui peuvent le nationaliser.

— De plus, un monopole est rarement absolu. La SNCF a le monopole du transport par voie ferrée, elle n'a pas le monopole du transport.

— Notons enfin que les monopoles sont parfois masqués et organisent une pseudo-concurrence pour leurs produits. Ex. : Unilever se cache derrière Persil, Omo, Lux...

■■■■ L'oligopole

Il y a oligopole quand il n'existe qu'un petit nombre de vendeurs en face d'un grand nombre d'acheteurs. Cet état du marché peut conduire à plusieurs situations.

☐ La guerre des prix : chaque entreprise s'efforce de vendre plus en acceptant de vendre en dessous du prix de revient et contraindre le concurrent à la faillite. *Exemple :* la guerre des tarifs aériens aux États-Unis ; le marché des micro-ordinateurs.

☐ Le cartel : les firmes fixent les prix, s'entendent sur des quotas de production, se répartissent les marchés, précisent les spécialisations et se partagent les profits. Des accords de ce type permettent de retrouver les conditions de monopole. Mais les cartels sont très instables et les accords souvent remis en cause. *Exemple :* l'OPEP.

☐ Les accords de prix : l'accord porte sur les prix. Chaque firme décide de sa production et conserve ses profits. Ce type d'accord est souvent accompagné de pactes de non-agression pour certains clients ou certaines régions.

☐ La coopération : les firmes peuvent regrouper des services communs.

■ L'oligopole selon la CEE

Lorsqu'il y a oligopole (et *a fortiori* monopole), il y a risque de non-concurrence. Pour tenter de cerner ce risque, la CEE a établi un indicateur appelé C4, qui est la part de marché des 4 plus grandes entreprises d'un secteur donné.

• **Si C4 > 80 %** : il y a danger grave et probable d'atteinte à la concurrence.
Exemples : Extraction d'un minerai de fer, Armement, Machines de bureau.
• **Si 60 % < C4 < 80 %** : il y a danger sérieux et possible d'atteinte à la concurrence.
Exemples : Construction aéronautique, Minerais non ferreux.
• **Si 40 % < C4 < 60 %** : l'état de la concurrence est à surveiller.
Exemples : Construction automobile, Transformation de l'acier, Industries du caoutchouc.
• **Si C4 < 40 %** : les règles de la concurrence s'appliqueront vraisemblablement.
Exemples : Matières plastiques, Industrie textile, Industrie du cuir.

■ Un autre exemple de marchés non concurrentiels : les marchés à prix rigides

• Supposons que le prix soit rigide et inférieur au prix d'équilibre. La demande est supérieure à l'offre (Do > So sur le graphique). Des demandeurs prêts à payer le prix sont donc rationnés : ils ne trouvent pas sur le marché ce qu'ils sont prêts à acheter. D'où la question : lesquels seront servis ? Réponse : puisqu'il n'existe pas de mécanismes économiques, il faut trouver d'autres mécanismes.

Exemple :
Dans le cadre d'une politique sociale, le gouvernement décide de modérer la progression des loyers. Résultat : les loyers sont trop bas, les investisseurs fuient l'immobilier, les propriétaires conservent leurs appartements vides, l'offre diminue. La demande augmente à cause des prix faibles. Qui loger ? Qui ne pas loger ?
On peut tout imaginer : la liste d'attente, les dessous-de-table, le marché noir, le tirage au sort, une bureaucratie qui répartit sur critères sociaux, les pots-de-vin aux bureaucrates...
Conclusion :
Des prix imposés trop faibles, en stimulant la demande et en décourageant l'offre, organisent la pénurie.

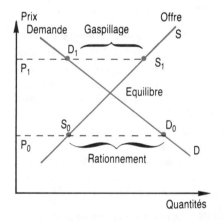

• On peut évidemment tenir le raisonnement inverse (P$_1$ → S$_1$ > D$_1$) : des prix imposés trop élevés, en décourageant la demande et surtout en stimulant l'offre organisent le gaspillage.
Exemple :
Pour des raisons sociales, les prix agricoles ont souvent été fixés à des niveaux qui créaient une situation d'offre excédentaire et donc du gaspillage de production.

MÉNAGES

ENTREPRISES

ADMINISTRATIONS

MONNAIE ET FINANCE

EXTÉRIEUR

PERFORMANCES

Mesures, avantages et coûts de la croissance

La croissance est l'augmentation continuelle des richesses produites. La croissance permet l'accroissement du niveau de vie de façon cumulative. Elle présente des coûts dont le principal est de renoncer à une partie de la consommation présente dans l'espoir d'une consommation future plus importante.

Mesurer la croissance

On parle de croissance quand le PIB augmente de façon continue. Pour mesurer cet accroissement, il convient de suivre certaines règles :
— il faut d'abord raisonner en francs constants et non pas en francs courants ;
— il faut calculer la croissance du PIB par tête si on veut mesurer la croissance du niveau de vie ;
— il est souhaitable de distinguer croissance effective du PIB et croissance des capacités de production (croissance potentielle). Quand la capacité de production d'une économie n'est pas utilisée à 100 %, la croissance du PIB peut simplement refléter une meilleure utilisation de la capacité de production. Quand la capacité est utilisée à 100 %, la croissance ne peut venir que d'un accroissement de la capacité.

Avantages de la croissance

☐ L'avantage essentiel de la croissance est l'accroissement du niveau de vie. Cet accroissement est cumulatif. Il en résulte que de faibles écarts entre les taux de croissance conduisent assez rapidement à d'importants écarts de niveaux de vie.
Exemple : Si deux pays A et B ont initialement le même PNB par tête, le même nombre d'habitants et le même taux de croissance de leur population, mais que A croisse au rythme de 4 % par an et B au rythme de 2 % par an, les habitants de A auront un niveau de vie double de ceux de B au bout de 36 ans.
☐ La croissance rend également possibles, sinon aisées, les politiques de redistribution des revenus en faveur des plus pauvres, le financement des biens et services collectifs, les dépenses de santé, les charges sociales diverses.

Les coûts de la croissance

☐ La croissance génère tout un ensemble de coûts sociaux et individuels : détérioration de l'environnement, pollution, ensemble des problèmes liés à l'urbanisation...
☐ Une économie en croissance est une économie en transformation constante. Les innovations sont cause d'obsolescence aussi bien pour les individus que pour les machines. Le chômage structurel accompagne donc souvent la croissance.
☐ La croissance est spontanément inégalitaire : les salariés les moins productifs sont les moins formés, les moins adaptables et les plus vulnérables.
☐ La croissance s'obtient d'abord en investissant, c'est-à-dire en sacrifiant la consommation d'aujourd'hui dans l'espoir d'un supplément de consommation future. Ce sacrifice de consommation présente est le principal coût de la croissance.

LA RENONCIATION À LA CONSOMMATION PRÉSENTE

■ Pourquoi ?

Pour qu'une économie croisse, il faut augmenter la capacité de production, donc investir. Or investir suppose de produire des biens d'équipement plutôt que des biens de consommation : c'est renoncer à une partie de la consommation. Évidemment, si l'on renonce à consommer maintenant, c'est que l'on espère consommer plus, plus tard. Quelle est l'importance de ce sacrifice ?

■ Exemple

Un pays a le choix entre :
• **Scénario A** : le revenu de départ est de 100. Avec une consommation de 80 au départ et un investissement de 20, on obtient une croissance de 3 %. En appliquant le taux annuel de 3 %, on obtient une première progression de la consommation.
• **Scénario B** : le revenu de départ est de 100. Avec une consommation de 70 au départ et un investissement de 30, on obtient une croissance de 4 %. En appliquant le taux annuel de 4 %, on obtient une seconde progression de la consommation.
Dans le scénario A, on croît moins vite, mais on part de plus haut que dans le scénario B. On est donc gagnant au début et perdant ensuite.

• **Comparons les profils de consommation.** On constate que, dans le scénario de forte croissance (4 %) :
1. La consommation ne rattrape le niveau de départ (80) qu'au bout de 4 ans.
2. La consommation n'atteint le même niveau que dans le scénario de faible croissance qu'au bout de 14 ans.
3. Les gains de consommation qui se produisent après 14 ans n'arrivent à compenser les pertes accumulées pendant les 14 premières années qu'au bout de 24 ans !
4. Passés 24 ans, les gains sont substantiels.

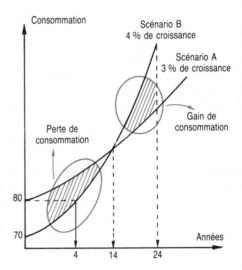

• **Conclusion** : les gains de la croissance sont un phénomène de longue période. Ce sont les individus les plus jeunes qui sont gagnants ; les plus âgés perdront. La jeunesse d'une population est certainement un atout pour mener une politique de croissance.

■ La règle des 72

Pour obtenir le nombre d'années au bout desquelles le PNB double, il suffit de diviser 72 par le taux de croissance.

MÉNAGES

ENTREPRISES

ADMINISTRATIONS

MONNAIE ET FINANCE

EXTÉRIEUR

PERFORMANCES

Les facteurs de la croissance

La croissance économique dépend de la croissance des facteurs de production, travail et capital. Cette croissance peut être quantitative, mais aussi qualitative.

Le travail

□ La croissance dépend de la quantité de travail utilisé dans la production.

Il n'y a pas de relation simple entre quantité de travail et population totale. La population, dans sa composante employée, est un facteur de croissance ; dans sa composante inactive et au chômage, elle représente un coût. Il existe donc un taux optimal de croissance de la population, en deçà duquel l'économie va manquer de main-d'œuvre, mais au-delà duquel les coûts de la population inactive et du chômage feront diminuer le PNB par tête.

□ La croissance dépend de la qualité du travail. Il est bien évident que la productivité du travail dépend du niveau de qualification : l'heure de travail de l'OS n'est pas celle de l'ingénieur. La différence de productivité est sensible à court terme dans l'emploi exercé. Elle l'est aussi à long terme : une main-d'œuvre éduquée et qualifiée s'adapte beaucoup mieux aux changements qu'implique la croissance.

Le capital et le progrès technique

□ Fournir 5 marteaux-piqueurs à 10 terrassiers travaillant jusqu'alors avec des pioches accroît leur production ; leur en fournir 10 l'accroît encore davantage. Mais leur en donner 11 est excessif : la rentabilité du dernier marteau-piqueur est nulle. C'est dire que si l'accumulation consistait simplement à additionner des machines identiques, la croissance serait rapidement bloquée. Il faut que la qualité du capital renouvelle sans arrêt sa rentabilité. Après les marteaux-piqueurs, il faut passer au bulldozer !

□ Le progrès technique est, à lui seul, un facteur de la croissance car il accroît la productivité du capital. Si l'on suppose par exemple que toutes les machines usées sont remplacées par des machines de même valeur, mais plus productives, la production croît sans que le stock de capital ait augmenté.

□ Les innovations d'ordre technologique incluses dans les machines sont qualifiées de progrès technique incorporé. Il existe aussi du progrès technique non incorporé dans les équipements : il s'agit d'innovations dans l'organisation de la production, dans le contrôle de gestion, dans les relations humaines, etc.

Le progrès général et l'application des connaissances

La qualité du travail et la qualité du capital ne peuvent croître que si, d'une manière générale, les connaissances progressent. D'où les rôles, dans la croissance, de l'éducation, des inventions, des innovations... et de l'esprit d'entreprise.

DEMANDE, OFFRE ET CROISSANCE

■ Croissance et composantes de la demande

On peut décomposer la croissance du PIB suivant la contribution apportée par chaque composante de la demande. De ce point de vue, une année de crise (1982), a un profil très différent d'une année de reprise (1989).

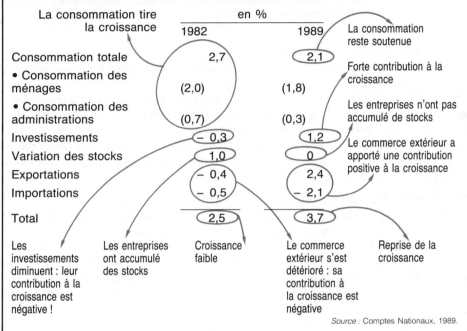

La consommation tire la croissance	en % 1982	1989	
			La consommation reste soutenue
Consommation totale	2,7	2,1	
			Forte contribution à la croissance
• Consommation des ménages	(2,0)	(1,8)	
• Consommation des administrations	(0,7)	(0,3)	Les entreprises n'ont pas accumulé de stocks
Investissements	− 0,3	1,2	
Variation des stocks	1,0	0	Le commerce extérieur a apporté une contribution positive à la croissance
Exportations	− 0,4	2,4	
Importations	− 0,5	− 2,1	
Total	2,5	3,7	

Les investissements diminuent : leur contribution à la croissance est négative !

Les entreprises ont accumulé des stocks

Croissance faible

Le commerce extérieur s'est détérioré : sa contribution à la croissance est négative

Reprise de la croissance

Source : Comptes Nationaux, 1989.

■ Croissance et facteurs agissant sur l'offre

Quelques travaux statistiques ont tenté de mesurer les facteurs de la croissance. Par-delà la diversité des résultats, tous mettent en évidence le rôle joué par le progrès des connaissances et par le raccourcissement des délais qui séparent les inventions des applications.
Exemple : France, période 1951-1969

Taux de croissance du PIB	5 %	Le rôle du facteur travail n'est pas quantitatif mais qualitatif. La mobilité joue un rôle encore plus important que la formation.
Emploi	0 %	
Durée du travail	− 0,1 %	
Qualité du travail	0,4 %	Le rôle du capital tient pour 1/3 à la « qualité du capital » (progrès technique incorporé).
Changements d'emplois vers des emplois plus productifs	0,6 %	
Volume du capital	1,1 %	Connaissances, inventions, innovations et rapidité des applications expliquent la moitié de la croissance (le progrès technique non incorporé est inclus dans cette rubrique).
Rajeunissement du capital	0,4 %	
Intensité de la demande	0,1 %	
Progrès des connaissances et changements dans les délais d'application	2,5 %	

Source : Étude de Carré-Dubois-Malinvaud.

MÉNAGES
ENTREPRISES
ADMINISTRATIONS
MONNAIE ET FINANCE
EXTÉRIEUR
PERFORMANCES

Les fluctuations cycliques

Des périodes de récession succèdent aux périodes d'expansion :
l'économie subit des fluctuations. Très souvent ces périodes se succèdent avec une certaine régularité.
Bien qu'il existe des différences importantes d'un cycle à l'autre,
il est possible de caractériser les différentes phases que l'on rencontre dans tous les cycles.

Les creux et les dépressions

Le creux est le point bas du cycle. Si la situation économique est particulièrement
mauvaise, le creux est appelé dépression.
Une dépression est caractérisée par un taux de chômage très élevé et une très faible
utilisation des capacités de production. Les profits industriels et commerciaux sont
faibles ou se transforment en perte. Les faillites sont nombreuses. Les investissements
chutent. Les banques prêtent peu faute de demandeurs de crédit. Les creux ont les
mêmes caractéristiques mais à un degré moindre. La dernière dépression remonte
à la crise des années 30.

La reprise et l'expansion

On parle de reprise lorsque le creux est franchi. On dit aussi que le point de retournement inférieur est dépassé. La reprise est prolongée par l'expansion.
Dans la reprise, la consommation redémarre. La production s'accroît facilement :
on utilise le capital inemployé et on commence à embaucher les chômeurs. Puis les
anticipations des entrepreneurs se modifient grâce à l'amélioration des ventes et des
profits : on remplace les machines usagées, on investit. Les banques recommencent
à prêter. Les prix sont stables ou croissent lentement.

Le sommet

On approche d'un sommet cyclique quand le taux d'utilisation de la capacité de production tend vers son maximum. Des goulots d'étranglement apparaissent : la main-
d'œuvre spécialisée manque, des entreprises tournent à pleine capacité.
Accroître encore la production nécessite des investissements qui augmentent la productivité du travail. Mais ces investissements exigent du temps avant d'aboutir à une
offre de biens supplémentaire. L'offre a donc de la peine à suivre la demande et
les prix croissent. Les revendications salariales naissent et sont satisfaites. Elles seront
répercutées sur les prix. Quand la hausse des prix se généralise, on parle d'inflation.

La récession

A partir du point de retournement supérieur, l'économie bascule dans la récession.
La consommation commence à fléchir. Les investissements réalisés se révèlent insuf-
fisamment rentables. Les taux d'intérêt qui semblaient supportables se révèlent trop
élevés. Les faillites deviennent courantes. La production et l'emploi baissent. Les revenus salariaux diminuent, accentuant la baisse de la demande. Il devient inutile d'investir car des équipements sont inutilisés. L'inflation ralentit. Éventuellement, si la recession se prolonge, de nombreux prix peuvent baisser. Le chômage se développe.

■ Le schéma du cycle

Deux cycles ne sont jamais semblables. Dans certains cas, une inflation importante se développe au sommet ; dans d'autres, la hausse des prix est pratiquement insensible et la récession apparaît alors que l'on pouvait penser que l'expansion n'était qu'à son début.

Parfois la dépression est très longue. Elle peut être aussi très brutale. Dans d'autres cas, elle est à peine sensible.

Ces différences de morphologie rendent certains cycles difficiles à identifier.

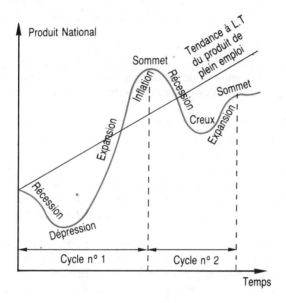

■ Un exemple de dépression : la crise de 1929

(indice 100 : 1929)

États-Unis	1929	1930	1931	1932
Ventes au détail	100	101	90	69
Emplois	100	87	73	61,4
Masse salariale	100	81,5	61	41,5
Production industrielle	100	80,5	67	53,5
Prix de gros	100	90	77	68

MÉNAGES
ENTREPRISES
ADMINISTRATIONS
MONNAIE ET FINANCE
EXTÉRIEUR
PERFORMANCES

Les causes des cycles

Rechercher les causes des fluctuations économiques, c'est repérer l'élément principal des perturbations, comprendre pourquoi des mécanismes cumulatifs se mettent en place, et expliquer pourquoi des points de retournement apparaissent.

Le rôle crucial de l'investissement privé

☐ La demande globale comprend la consommation, les exportations, les dépenses publiques et l'investissement privé. Dans ces quatre composantes, la consommation est la variable la plus stable.

☐ Les dépenses publiques jouent un rôle stabilisant depuis la Seconde Guerre : l'État accélère leur progression dans les récessions, il modère leur croissance dans les expansions.

☐ Les exportations jouent un rôle qui va en s'accentuant.

☐ C'est incontestablement l'investissement privé qui est la variable la plus instable. Les entrepreneurs passent rapidement du pessimisme à l'optimisme, des ruptures d'accumulation à la volonté de rattraper le temps perdu.

Pourquoi des mouvements cumulatifs ?

☐ Imaginons la reprise amorcée. Les gens dépensent plus. Les secteurs qui bénéficient de la consommation nouvelle embauchent. De nouveaux revenus sont distribués, puis dépensés, etc. De proche en proche un effet multiplicateur se développe.

☐ Cet effet multiplicateur amorce l'expansion. La consommation croît. Or on n'a pas investi dans la période précédente. Chaque entrepreneur veut investir pour répondre à la demande et l'investissement croît brutalement. Ce phénomène est appelé accélérateur.

☐ Multiplicateur et accélérateur se renforcent mutuellement. L'effet multiplicateur amplifie le besoin d'investir et l'achat de biens d'investissement conduit à la distribution de revenus qui seront dépensés, alimentant la consommation.
Inversez les raisonnements et vous aurez les mécanismes cumulatifs des dépressions.

Pourquoi des points de retournement ?

☐ Le sommet. Les différentes composantes de la demande fléchissent. La consommation croît moins vite à cause de la hausse des prix. Parce que l'État mène une politique anti-inflationniste, les dépenses publiques ralentissent. Les exportations diminuent car l'inflation détériore la compétitivité.
De nombreux investissements passés vont donc se révéler non rentables. L'investissement chute brutalement. Tout est en place pour la récession.

☐ Le creux. Les composantes principales de la consommation jouent le rôle d'amortisseur : la demande peut rester soutenue dans l'alimentation, l'habillement, le logement. Au besoin, les ménages entament leurs économies. Dans ces secteurs, il faudra remplacer le capital usagé et reconstituer les stocks, ce qui peut être suffisant pour amorcer une reprise. Celle-ci sera favorisée par l'État (hausse des dépenses publiques, baisse des impôts) et par les exportations (la baisse des prix les favorise).

LES CYCLES AUX USA

■ Un cas extrême d'instabilité de l'investissement

Juste avant la crise de 1929, aux États-Unis, les investissements privés se montaient à 16,2 milliards de dollars, c'est-à-dire le double de ce qui était nécessaire pour remplacer le capital usé. La croissance du stock de capital était donc extrêmement rapide.

Trois ans plus tard, les dépenses totales d'investissement étaient égales à 1 milliard de dollars (16 fois moins !).

Le stock de capital diminuait donc à un rythme très rapide. Mais cette baisse ne pouvait durer : il fallut bien recommencer à investir dans les secteurs des biens de première nécessité où la demande s'était maintenue. Ce fut un facteur important de la reprise.

■ Le caractère cyclique de l'économie américaine est très prononcé

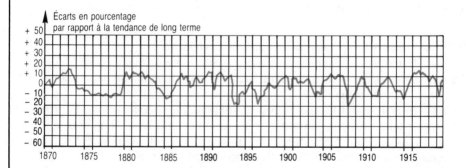

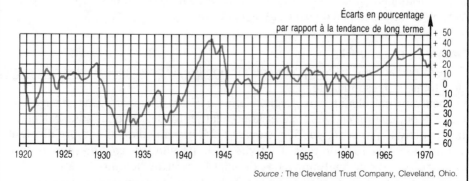

Source : The Cleveland Trust Company, Cleveland, Ohio.

MÉNAGES

ENTREPRISES

ADMINISTRATIONS

MONNAIE ET FINANCE

EXTÉRIEUR

PERFORMANCES

Population active, emploi, chômage, taux d'activité

Le chômage est la différence entre la population active et l'emploi. La comparaison de l'évolution de la population active et de l'emploi en France montre que le développement du chômage depuis le milieu des années 70 tient essentiellement à la faiblesse des créations d'emplois.

Définition

La population active est constituée par les gens qui ont un emploi (population active occupée) et ceux qui n'en ont pas et en cherchent un (les chômeurs).

☐ La population active occupée comprend toutes les personnes au travail (salariés, travailleurs à leur compte, personnes aidant un membre de la famille au travail) et les personnes pourvues d'un emploi mais temporairement absentes.

☐ Les chômeurs sont les personnes qui satisfont aux trois critères suivants :

— être « sans travail », c'est-à-dire ne pas avoir du tout travaillé pendant la semaine de référence et ne conserver aucun lien formel avec un emploi ;

— être disponible pour travailler ;

— être à la recherche d'un travail, c'est-à-dire avoir accompli les démarches spécifiques pour chercher un emploi au cours de la semaine de référence.

La croissance de la population active et du chômage

☐ La population active française, qui avait pratiquement stagné entre 1946 et 1962, croît rapidement à partir de cette date. Évaluée à 20,4 millions de personnes en 1968, elle atteint 25,1 millions en 1992.

☐ L'évolution de l'emploi est très défavorable. La croissance de l'emploi suit exactement celle de la population active sur la période 1968-74, s'en écarte sur la période 1974-80, devient négative entre 1980 et 1985, retrouve un rythme comparable entre 1985 et 1990, stagne en 91 et redevient négative en 1992.

☐ Le chômage résulte mécaniquement de la confrontation des deux courbes. On voit qu'il vient d'abord de la chute de l'emploi.

Le taux d'activité

☐ Le taux d'activité est le rapport entre le nombre de personnes actives et la population totale correspondante.

On peut ainsi calculer un taux d'activité brut en faisant le rapport, dans un pays donné, entre la population active totale et la population totale. On peut aussi calculer des taux d'activité par sexe, par âge, suivant l'état matrimonial, le nombre d'enfants...

☐ En France, en 1992, le taux d'activité de la population âgée de plus de 16 ans est de 63,6 % pour les hommes et de 46,4 % pour les femmes. Il atteint 95,7 % pour les hommes entre 25 et 49 ans et 76,1 % pour les femmes du même âge.

CHIFFRES ET COMPARAISONS

■ **Population active, population active occupée, chômage**

La croissance de la population active françaises a été soutenue, mais nettement moins qu'aux États-Unis, et moins qu'au Japon. La croissance du chômage pendant la crise vient de la faiblesse de l'emploi. Ces caractéristiques sont partagées par les principaux pays européens.

(en milliers)	Population active occupée	Chômeurs (B.I.T.)
1960	18 997,6	276,4
1970	20 611,3	529,7
1980	21 747,3	1 492,4
1990	22 396,5	2 204,9
1992	22 331,3	25 102,5

Source : Comptes Nationaux.

■ **Emploi, chômage et population active (en milliers de personnes)**

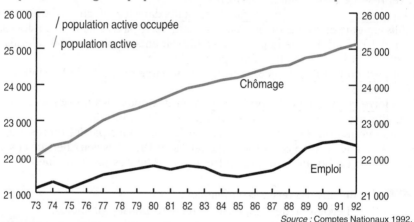

Source : Comptes Nationaux 1992.

■ **Les taux d'activité : France et CEE**

France (1992)

	Hommes	Femmes
De 15 à 19 ans	11,5	6,5
De 20 à 24 ans	61,3	52,2
De 25 à 39 ans	95,5	76,7
De 40 à 49 ans	96,2	75,3
De 50 à 54 ans	89,8	65,2
De 55 à 59 ans	68,7	45,8
De 60 à 64 ans	19,2	15,2
De 65 et plus	3,5	1,4
De 15 à 24 ans	37,3	30,6
De 15 à 24 ans hors contingent	32,0	30,6
De 25 à 49 ans	95,7	76,1
De 50 ans et plus	34,1	20,2
De 60 ans et plus	8,0	4,7
De 15 à 59 ans	79,0	62,0
De 20 à 60 ans	87,0	68,1
ENSEMBLE	**63,6**	**46,4**
ENSEMBLE hors contingent	62,4	46,4

Source : Comptes Nationaux, 1992.

Activité de la population dans la Communauté (1990)

	Taux d'activité %	Pop. active occupée Millions	Proportion de salariés %	Taux d'activité féminin %
Allemagne (ex-RFA)	57,4	29,0	89,0	44,9
Belgique	47,6	3,6	81,1	36,0
Danemark	67,4	2,7	88,6	60,8
Espagne	47,5	12,6	73,7	31,9
France	55,0	21,9	84,3	46,0
Grèce	49,1	3,7	52,3	34,9
Irlande	51,7	1,1	74,9	34,5
Italie	49,0	21,2	71,8	34,5
Luxembourg	50,1	0,2	89,0	33,6
Pays-Bas	56,1	6,2	88,1	43,3
Portugal	57,8	4,6	71,2	46,8
Royaume-Uni	62,1	26,8	86,6	51,7
CEE	**54,6**	**133,6**	**81,5**	**42,4**

Source : TEF, 1992.

MÉNAGES

ENTREPRISES

ADMINISTRATIONS

MONNAIE ET FINANCE

EXTÉRIEUR

PERFORMANCES

L'évolution de l'emploi

Salariat, tertiarisation, travail précaire, temps partiel : telles sont les caractéristiques de l'évolution à long terme des emplois en France.
Entre 1987 et 1990, l'économie française a créé environ 800 000 emplois. Mais depuis 1991, l'emploi a fortement diminué : environ 100 000 emplois ont été détruits en 1992.

Les tendances à long terme

Sur longue période, l'évolution de l'emploi en France se caractérise par :

☐ La croissance du salariat : représentant seulement 54 % des emplois en 1954, il en représente actuellement environ 85 %.

☐ La part croissante des petits établissements dans les effectifs salariés. La part des établissements de moins de 50 salariés passe de 43 % à 52 % de l'emploi total entre 1975 et 1988, tandis que la part des établissements de plus de 500 salariés diminue de 20,7 % à 13,8 % sur la même période.

☐ La part croissante du secteur tertiaire : il passe de 58 % de l'emploi total en 82 à 63 % en 88.

☐ La forte croissance du travail précaire et des nouvelles formes d'emploi : stages à finalité productive, contrats à durée déterminée, intérim.

☐ L'augmentation du travail à temps partiel : le temps partiel représente 12 % de l'emploi salarié en 1988 contre seulement 6 % en 1974. Les deux tiers de ces 2 166 000 salariés ont un horaire compris entre 15 et 29 heures par semaine.

Les fluctuations récentes de l'emploi

Depuis 1987, l'évolution de l'emploi a connu deux phases distinctes.

☐ La période 87-90 est une période de croissance de l'emploi : la population active occupée passe de 21,6 millions en 1987 à 22,4 millions en 1990. En 1988, elle avait retrouvé le niveau de 1980 (21,8 millions).

C'est pendant les années 88 et 89 que la croissance de l'emploi est la plus forte (+ 1 % par an). Durant ces deux années, l'agriculture continue à perdre des emplois, l'industrie maintient ses effectifs, le bâtiment recommence à embaucher et le tertiaire marchand (commerces, transports, télécom et surtout services marchands aux entreprises) est en forte croissance.

☐ Les années 91-92 marquent un retournement de la conjoncture. L'emploi est pratiquement stagnant en 1991 ; il diminue d'environ 100 000 personnes en 1992 (22,3 millions contre 22,4 en 91). L'industrie a supprimé en 1992 environ 110 000 emplois. Le bâtiment, les services aux entreprises, les transports, le commerce de gros, ont également supprimé des emplois. La baisse des effectifs s'accélère dans les postes et Télécom et les banques. Seuls, le commerce de détail, les cafés, restaurants et services aux particuliers recommencent à créer des emplois en 1992, ainsi que le tertiaire non marchand (État, collectivités locales, associations) grâce à la forte croissance des contrats emploi-solidarité (170 000 fin 90, 357 000 fin 92).

LES CHIFFRES DE L'EMPLOI

■ Le temps partiel (1991)

● **Définition**

Salarié à temps partiel. Dans le tableau, salarié qui, à l'embauche, est d'accord avec l'employeur pour travailler suivant un horaire inférieur à l'horaire normal de l'établissement.

● Proportion de salariés à temps partiel en 1991 (%).

	Hommes	Femmes	Ensemble
Ensemble des salariés	3,3	23,4	11,8
dont :			
Agriculture	6,7	28,6	14,5
Industrie	1,2	10,5	4,0
Bâtiment, Génie civil et			
agricole	1,0	32,2	3,6
Commerce	2,7	24,4	13,5
Transport et			
Télécommunications	2,7	23,3	8,1
Services marchands	5,3	22,9	14,7
Services non marchands	5,8	23,4	11,8

Source : INSEE.

■ L'emploi par catégorie socioprofessionnelle (1991)

1. Agriculteurs exploitants	5,0
2. Artisans, Commerçants et Chefs d'entreprise	7,9
3. Cadres et Professions intellectuelles supérieures	11,6
4. Professions intermédiaires	20,1
5. Employés	26,2
6. Ouvriers	28,2
Salariés : 87,7 %	100 %
Non-salariés : 12,3 %	(dt 1 % militaires du contingent)

Source : INSEE.

■ L'emploi par secteur institutionnel (1992)

1. Sociétés et quasi-sociétés (hors GEN)	48,3
2. Grandes entreprises nationales (GEN)	4,0
3. Institutions financières	2,0
4. Entreprises d'assurances	0,7
5. Administrations	25,4
6. Ménages (y compris Entrepreneurs individuels)	19,6
	100 %

■ L'emploi des étrangers

ÉTRANGERS ACTIFS EN MARS 1991

Catégorie socioprofessionnelle	Effectifs Milliers	Étrangers dans la CS %
Agriculteurs exploitants	10,1	0,9
Artisans, commerç. et chefs d'entreprise (10 salar. et +)	109,0	6,0
Cadres et professions intellec- tuelles supérieures	93,5	3,5
Professions intermédiaires	119,4	2,6
Employés	298,1	4,5
Ouvriers	826,7	11,7
Chômeurs n'ayant jamais tra- vaillé	51,1	17,4
Militaires du contingent	3,5	1,6
Total	**1 511,4**	**6,2**
dont : *salariés*	*1 156,0*	*6,1*

PROPORTION D'ÉTRANGERS PAR SECTEUR D'ACTIVITÉ DE 1980 À 1990

(%)

Secteur d'activité	1980	1990
Agriculture	2,9	3,0
Ind. manufacturière	8,4	8,0
Bâtiment, génie civil et agricole	17,4	16,1
Commerces	4,0	4,3
Transports et Télécom	2,2	3,2
Services marchands	5,4	6,4
Services non-marchands	3,8	3,3

Source : TEF 1992.

■ La politique de l'emploi

Nombre d'entrées dans les différents dispositifs d'aides à l'emploi (en milliers).

	1992	Variations 92/91
● Emploi marchand aidé	696,1	+ 16 %
dont :		
– Jeunes	(432,1)	
– Chômeurs longue durée	(113,4)	
● Emploi non-marchand aidé (contrats emploi-solidarité)	558,5	+ 38 %
– Jeunes	(258,2)	
– Chômeurs longue durée	(300,3)	
● Actions de formation	527,4	+ 15 %
dont :		
– Jeunes	(180,7)	
– Chômeurs longue durée	(268,1)	
● Accompagnement des restructurations	162,8	+ 47 %
● **Total**	**1 944,8**	**+ 23 %**

Source : Comptes Nationaux 1992.

MÉNAGES
ENTREPRISES
ADMINISTRATIONS
MONNAIE ET FINANCE
EXTÉRIEUR
PERFORMANCES

Le chômage en France

> Le chômage en France est inégalitaire :
> — Il frappe beaucoup plus les femmes que les hommes.
> — Il frappe beaucoup plus les jeunes que les personnes plus âgées.
> — Ceux qui sont touchés restent longtemps au chômage.
> — Les employés et les ouvriers chôment beaucoup plus que les autres catégories socioprofessionnelles.

Le calcul du taux de chômage

Le taux de chômage est égal au rapport, exprimé en pourcentage, entre le nombre de chômeurs et la population active. On constate alors que l'évolution du taux de chômage en France est proche de la moyenne de la CEE et qu'elle se caractérise par une forte croissance à partir de 1973, un maximum atteint en 1987 et un léger reflux ensuite.

Taux de chômage en France (%)	1970	73	75	79	81	83	85	87	88	90	91	92
	2,5	2,7	4,0	5,9	7,4	8,3	10,2	10,5	10,0	8,9	9,4	10,2

Le chômage des femmes

Le chômage en France se caractérise par un taux nettement plus élevé pour les femmes que pour les hommes (+ de 4,5 % d'écart). Dans la CEE, seule l'Italie est dans une situation comparable. L'opposition est nette avec le Royaume-Uni où cet écart n'existe pratiquement pas (mais la quasi-égalité cache des formes d'emplois différentes).

Les jeunes chômeurs

☐ Le chômage en France est aussi caractérisé par une très forte proportion de jeunes chômeurs (près de 20 % de chômeurs chez les moins de 25 ans). Dans la CEE, seule l'Italie a un taux de chômage des jeunes plus élevé. À comparer avec la RFA où la différence des taux de chômage entre les moins de 25 ans et les plus de 25 ans est quasi nulle.

Les fluctuations récentes du chômage (1987-1992)

☐ Durant la reprise économique de 1987-90, le taux de chômage diminue constamment. Dans la tranche d'âge 25-49 ans, c'est la progression de l'emploi qui fait reculer le chômage. Pour les personnes plus âgées, c'est plutôt le retrait du marché du travail qui fait baisser le chômage (phénomène du découragement). Quant au chômage des jeunes, il recule avec l'allongement de la durée de la scolarisation, le développement des emplois aidés par l'État et des stages de formation.

☐ Le chômage croît à nouveau brutalement en 1991 et 1992 ; cette tendance se prolonge en 1993. C'est essentiellement la chute de l'emploi qui en est responsable. À noter un phénomène nouveau : la très forte croissance des demandes d'emploi des cadres et professions intermédiaires (+ 25 % en 1992).

LE CHÔMAGE EN CHIFFRES

■ L'ancienneté du chômage

• Le chômage français a toujours comporté une **forte proportion de chômeurs de longue durée.** Cette proportion a augmenté significativement de 1980 à 1986 (32,6 % de chômeurs de plus d'un an en 1980, 47,8 % en 1986). Elle a diminué par la suite (35,2 % en 1992). Parmi les pays développés, seuls le Royaume-Uni et l'Italie ont des chiffres comparables. À opposer le cas des États-Unis où, en 1987, seulement 8 % des chômeurs l'étaient depuis au moins 1 an.

• La diminution récente du chômage de longue durée n'est pas la conséquence du développement de l'emploi, mais le résultat d'une politique volontariste de réinsertion (stages).

• Globalement, les plus âgés mettent plus de temps que les jeunes à retrouver un emploi et les femmes mettent plus de temps que les hommes. Ces données fondamentales n'ont pas varié depuis 1973.

• En 1992, l'ancienneté moyenne du chômage est de 13,7 mois.

■ Chômage et catégories socioprofessionnelles

• Les catégories les plus touchées sont les employés et les ouvriers. Pour ces salariés, les taux de chômage élevés sont associés au chômage de longue durée.

• Les cadres, les artisans, les commerçants, les professions intermédiaires sont de plus en plus touchés.

Mars 1992 (en %)

Catégories socioprofessionnelles	Hommes	Femmes	Total
Agriculteurs exploitants	0,3	0,4	0,4
Artisans, commerçants et chefs d'entreprise	2,9	4,2	3,4
Cadres et professions intellectuelles supérieures......................	3,0	4,2	3,4
Professions intermédiaires........................	4,2	6,1	5,1
Employés	11,0	14,0	13,3
Ouvriers....................................	11,0	19,9	12,9
Total	**7,9**	**12,8**	**10,1**

Source : Comptes Nationaux.

■ Chômeurs au sens du BIT, selon le sexe et l'âge, 1992 (moyenne annuelle)

	%
Hommes	
Moins de 25 ans	15,7
25 à 49 ans	7,0
50 ans et plus	7,2
Total	**8,1**
Femmes	
Moins de 25 ans	23,8
25 à 49 ans	11,6
50 ans et plus	8,9
Total	**12,8**
Ensemble	**10,2**

Source : Comptes Nationaux.

Taux de chômage et découragement

Le taux de chômage étant le rapport entre les chômeurs et la population active (emplois + chômeurs), tout chômeur qui passe, par découragement, de la population active à la population inactive fait diminuer le taux de chômage. Quand une femme renonce à travailler parce qu'elle sait qu'elle ne trouvera pas d'emploi, quand un chômeur de 55 ans se retire du marché, ou qu'un jeune se marginalise... le taux de chômage diminue !

Quand le découragement devient important, les statistiques du taux de chômage doivent être maniées avec prudence : un taux qui diminue peut signifier un découragement profond et, à l'inverse, la reprise de l'emploi, en diminuant le découragement peut conduire à faire croître le taux de chômage !

MÉNAGES

ENTREPRISES

ADMINISTRATIONS

MONNAIE ET FINANCE

EXTÉRIEUR

PERFORMANCES

Les causes du chômage

Le chômage peut résulter de causes économiques fort diverses : insuffisance de la demande globale, insuffisance des capacités de production, inadaptation des formations aux emplois, information et mobilité réduites sur le marché du travail.

Le chômage par insuffisance de la demande globale de biens et services

— Quand la demande globale est insuffisante, les entreprises ne produisent pas à pleine capacité et il existe alors à la fois de la main-d'œuvre inemployée et des machines sous-utilisées. A un taux de chômage élevé correspond donc un faible taux d'utilisation des capacités de production.

— Inversement, quand la demande globale est soutenue, le chômage est faible et le taux d'utilisation des capacités de production est élevé.

Il existe donc une relation inverse entre le taux de chômage et le taux d'utilisation des capacités de production connue sous le nom de « loi d'OKUN ». Le remède au chômage par l'insuffisance de la demande peut consister en une **politique de relance**.

Le chômage par insuffisance des capacités de production

☐ Quand le volume des équipements des entreprises est insuffisant, les postes de travail peuvent ne pas être assez nombreux. Même si la demande globale est élevée, l'emploi ne peut alors augmenter. La cause de ce type de chômage réside dans la faiblesse des investissements antérieurs.

☐ Pour appréhender ce phénomène, on peut mettre en relation l'évolution de la population active et l'évolution du stock de capital. Un ralentissement, ou une rupture, dans l'évolution de ce dernier, sans accroissement de sa productivité, constitue une présomption de ce genre de chômage.

Une fois identifié, ce type de chômage exige d'agir sur l'offre globale en développant l'investissement (rétablissement des profits, baisse des salaires, baisse des taux d'intérêt, réduction des impôts sur les bénéfices...).

Le chômage structurel

Lorsque existent des postes de travail vacants mais que les chômeurs n'ont pas les qualifications requises pour les occuper, on dit qu'il y a chômage structurel. Ce chômage résulte d'une mauvaise adaptation de la formation des salariés aux exigences des emplois et se rencontre dans les économies où les mutations technologiques rapides bouleversent la nature des emplois. Il faut alors une politique de formation.

Le chômage frictionnel

Il peut exister à la fois des postes vacants et des travailleurs qualifiés pour les occuper sans pour autant que l'offre et la demande se rencontrent. Cette situation se produira à chaque fois que l'information est imparfaite et que la mobilité des salariés est insuffisante. Le chômage qui en résulte est alors qualifié de frictionnel. Résorber ce type de chômage exige des mesures améliorant le fonctionnement du marché : diffusion des informations concernant la nature des emplois et les qualifications des chômeurs, primes à la mobilité...

■ **Taux de chômage et taux d'utilisation des capacités de production aux États-Unis**

Ensemble du secteur des entreprises

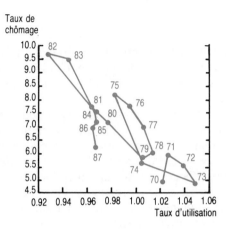

Les États-Unis fournissent un bon exemple de la liaison inverse entre le taux de chômage et le taux d'utilisation des capacités de production. Par exemple, on voit bien la progression du chômage et la chute du taux d'utilisation durant les périodes 73-75 et 79-80-81-82. Inversement, le reflux du chômage et la croissance du taux d'utilisation sont très marqués durant la forte expansion de 82-87.

■ **Taux de chômage et insuffisance des capacités de production en France**

Taux de croissance annuel (%)	63/69	69/73	73/79	79/83
Industrie manufacturière				
• Capacité de production	6,0	7,1	2,8	−0,1
• Volume du capital	6,1	7,0	4,4	3,0
Ensemble des branches (non agricoles et non financières)				
• Capacité de production	5,7	5,8	2,8	0,7
• Volume du capital	5,6	6,2	4,6	3,6

Source : D'après Claude Thélot, « La croissance du chômage depuis 20 ans : interprétation macro-économique », in *Économie et Statistiques*, 1985.

Les rythmes de croissance de la capacité de production et du volume du capital chutent brutalement à partir de 1973. Cette rupture d'accumulation coïncide avec la montée du chômage. La faiblesse des investissements depuis 1973 est certainement une des causes majeures du chômage en France.

Le chômage institutionnel

Certains dispositifs législatifs visant à protéger les travailleurs peuvent avoir des effets pervers sur l'emploi.
— Les entreprises n'embaucheront pas de travailleurs dont la productivité est inférieure au coût minimum du travail que la loi impose (SMIC + charges sociales). Dans ce cas, si l'on veut conserver la législation sur le salaire minimum sans pénaliser l'emploi des moins qualifiés, il faut diminuer les charges sociales.
— Des allocations-chômage trop élevées peuvent dissuader de chercher un nouvel emploi, en retarder la recherche, ou même provoquer des démissions.

MÉNAGES

ENTREPRISES

ADMINISTRATIONS

MONNAIE ET FINANCE

EXTÉRIEUR

PERFORMANCES

La productivité du travail

Quand la productivité croît, on produit plus avec autant de travailleurs. La croissance de la productivité du travail vient de l'accumulation du capital et de l'amélioration de la qualification des ressources humaines.

▆▆▆▆ La productivité du travail

□ Pour l'entreprise, la productivité du travail est le volume de la production que l'on peut obtenir avec une unité de travail dans une période donnée. L'unité de travail peut être un homme travaillant une heure (productivité horaire) ou une année (productivité annuelle).

□ Pour l'économie dans son ensemble, la productivité horaire du travail peut être calculée en divisant le Produit Intérieur Brut (net de la TVA) par une estimation du nombre d'heures de travail fournies par la population active occupée. On peut aussi calculer la productivité par travailleur en divisant le PIB (net de TVA) par l'emploi. La productivité croît quand le travail est plus efficace, c'est-à-dire quand la production par travailleur augmente. Or, la croissance de cette efficacité n'est pas due seulement à la main-d'œuvre elle-même. Pour souligner que d'autres facteurs que le travail permettent d'améliorer son efficacité, on préfère parfois parler de productivité « apparente » du travail.

▆▆▆▆ Les raisons de l'accroissement de la productivité du travail

□ Au fur et à mesure que le progrès technique se diffuse, les techniques se modifient. Il faut en général de plus en plus de capital. Progressivement, le capital se substitue au travail, rendant le travail plus efficace. L'accumulation du capital est la première raison de la croissance de la productivité du travail.

□ Utiliser des équipements plus sophistiqués exige en général des salariés mieux formés. L'amélioration de la qualification de la main-d'œuvre fait croître sa productivité.

□ L'organisation rationnelle de la production, et notamment la division du travail, accroît sa productivité.

□ Quand l'information circule bien, quand les salariés sont motivés, quand les conflits sont évités, quand des perspectives de carrière existent, quand des plans de formation sont proposés... la productivité du travail croît. Le niveau de productivité dépend donc de l'organisation de la gestion des ressources humaines.

LA RÉPARTITION DES GAINS DE PRODUCTIVITÉ

■ La croissance de la productivité du travail permet de dégager un surplus

Quand on calcule la différence entre la croissance économique et la croissance de la masse salariale due à la seule variation de l'emploi, on obtient un surplus de production distribuable entre les parties prenantes de l'activité économique.

taux de croissance du PIB
− croissance des salaires due à la croissance de l'emploi
= surplus de production distribuable (en %)

Ce surplus est uniquement dû à la croissance de la productivité du travail.

■ Utilisation du surplus

Ce surplus est distribué de la façon suivante :
— une partie peut servir à augmenter les salaires,
— une partie peut servir à augmenter les profits,
— une partie peut être affectée au consommateur sous forme de baisse des prix.

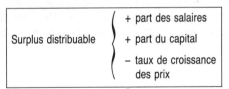

Surplus distribuable
+ part des salaires
+ part du capital
− taux de croissance des prix

■ Exemple

Un surplus de productivité de 5 % peut, par exemple, être affecté aux augmentations des salaires (+ 2 %), des profits (+ 2 %) et à la baisse des prix (− 1 %), de sorte que 5 % = 2 % + 2 % − (− 1 %).
Si, par contre, la part de l'augmentation des salaires était de 4 % et celle des profits de 3 %, une hausse des prix de 2 % serait nécessaire. De sorte que : 5 % = 4 % + 3 % − 2 %.
En France, sur la période 1973-89, le partage s'est effectué en faveur des salariés et au détriment du capital entre 1973 et 81, mais la tendance s'est inversée à partir de 82. Par ailleurs, la part des salaires et des profits a toujours dépassé le surplus distribuable et l'inflation a dû combler cet écart — très élevé entre 1973 et 81, de moins en moins élevé par la suite.

MÉNAGES

ENTREPRISES

ADMINISTRATIONS

MONNAIE ET FINANCE

EXTÉRIEUR

PERFORMANCES

La productivité et l'emploi

> **Il peut exister à court terme un conflit entre l'emploi et la productivité du travail, mais à long terme la croissance de la productivité apparaît plutôt comme un facteur de soutien de l'emploi.**

▰▰▰ Productivité du travail et emploi

☐ Accroître la productivité peut permettre de produire plus avec autant de travailleurs, mais aussi (hélas !) de produire autant, mais avec moins de travailleurs. C'est dire que les gains de productivité sont souvent ressentis comme une menace contre l'emploi, notamment quand ils résultent de la substitution du capital au travail.

☐ En fait, les gains de productivité peuvent être à l'origine de créations d'emplois. Pourquoi ?

— Pour remplacer les hommes par les machines, il faut produire les machines. La destruction d'emplois en aval suppose la création d'emplois en amont.

— Les gains de productivité, en abaissant les coûts de production peuvent permettre de diminuer les prix, de stimuler les ventes, et donc d'accroître la production, ce qui garantit l'emploi et constitue même un facteur d'embauche.

— La baisse des prix entraîne une croissance du pouvoir d'achat des consommateurs et une demande supplémentaire peut apparaître dans d'autres secteurs.

— Les gains de productivité peuvent aussi servir à augmenter les salaires et les profits. Ces augmentations de revenus peuvent alimenter un surplus de demande.

— Si les revenus augmentent, les impôts augmentent aussi. L'emploi dans le secteur public peut s'en trouver facilité.

Il se peut parfaitement qu'en définitive, le nombre d'emplois créés soit supérieur au nombre d'emplois détruits. Il en sera ainsi en particulier lorsque les gains de productivité permettent de créer des emplois dans les secteurs peu exigeants en capital (les commerces par exemple).

▰▰▰ Emploi, productivité et croissance

Le PIB d'un pays est égal au produit par travailleur multiplié par le nombre de travailleurs, c'est-à-dire à la productivité apparente du travail multipliée par l'emploi. Il en résulte que le taux de croissance du PIB (la croissance économique) est la somme du taux de croissance de la productivité et du taux de croissance de l'emploi.

Taux de croissance du PIB	=	taux de croissance de la productivité du travail	+	taux de croissance de l'emploi

On peut ainsi imaginer :

— une croissance reposant sur la productivité, au détriment de l'emploi ;

— une croissance reposant sur l'emploi, mais négligeant la productivité ;

— une croissance reposant à la fois sur l'emploi et la productivité.

EMPLOI, PRODUCTIVITÉ ET CROISSANCE

▪ En France, sur longue période

C'est dans la décennie où la croissance est la plus forte que la croissance de l'emploi et celle de la productivité sont les plus fortes.

C'est quand la croissance est la plus faible que emploi et productivité croissent le moins vite.

en %	50/60	60/65	65/70	70/75	75/88	88/92
Taux de croissance du PIB	4,6	5,8	5,4	4	2,1	2,2
Taux de croissance de l'emploi	0,2	0,5	0,7	0,4	0	− 0,1
Taux de croissance de la productivité	4,4	5,3	4,7	3,6	2,1	2,3

Conclusion : il n'y a pas à long terme de contradiction entre emplois et productivité. Ces deux variables suivent des évolutions parallèles et se conjuguent pour donner soit une croissance forte, soit une croissance faible.

▪ Comparaisons internationales (1974-1988)

Croissance de l'économie, emploi et productivité du travail par tête de 1974 à 1988.

Les dangers des gains de productivité

• Les emplois créés ne sont pas équivalents à ceux qui sont détruits.

• L'accroissement de demande peut se tourner vers l'étranger. Dans ce cas, les emplois sont créés dans un autre pays.

• Le remplacement des hommes par les machines peut supprimer beaucoup d'emplois mais n'accroître que faiblement la productivité. Dans ce cas, il y aura peu d'emplois créés en contrepartie.

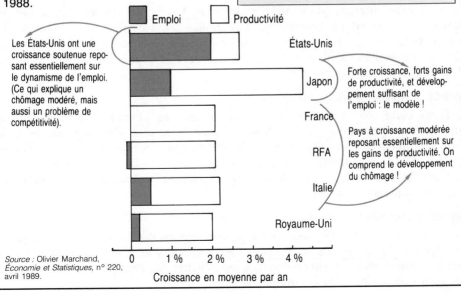

Les États-Unis ont une croissance soutenue reposant essentiellement sur le dynamisme de l'emploi. (Ce qui explique un chômage modéré, mais aussi un problème de compétitivité).

Forte croissance, forts gains de productivité, et développement suffisant de l'emploi : le modèle !

Pays à croissance modérée reposant essentiellement sur les gains de productivité. On comprend le développement du chômage !

■ Emploi □ Productivité

États-Unis
Japon
France
RFA
Italie
Royaume-Uni

0   1 %   2 %   3 %   4 %

Croissance en moyenne par an

Source : Olivier Marchand, *Économie et Statistiques*, n° 220, avril 1989.

143

MÉNAGES

ENTREPRISES

ADMINISTRATIONS

MONNAIE ET FINANCE

EXTÉRIEUR

PERFORMANCES

L'adaptation des marchés du travail

La contraction de l'emploi et la montée du chômage depuis le début des années 70 ont bouleversé le fonctionnement des marchés du travail. Partout sont nées des exigences de souplesse et de flexibilité qui peuvent correspondre à des réalités diverses.

Les exigences de flexibilité des marchés du travail à partir du milieu des années 70

□ L'appareil juridique contenu dans les conventions collectives est apparu aux employeurs comme un obstacle à l'ajustement des effectifs. Les contrats à durée indéterminée, les avancements automatiques, la rigidité des horaires, instruments de stabilisation des effectifs en période de forte croissance, se sont transformés en obstacle à l'adaptation de la main-d'œuvre aux fluctuations de l'activité.

□ Ainsi sont apparues des exigences de souplesse, de flexibilité, de déréglementation des marchés du travail. Exprimées initialement par les milieux patronaux, elles influencent maintenant significativement les salariés.

La flexibilité externe quantitative

□ Dans cette forme de flexibilité, l'entreprise laisse fluctuer ses effectifs en fonction de ses besoins à court terme, en licenciant et en embauchant librement, et en utilisant des contrats de travail de courte durée.

□ Ce type de flexibilité organise la précarisation de l'emploi.

La flexibilité interne quantitative

La flexibilité interne quantitative module le temps de travail fourni par les salariés présents dans l'entreprise. Elle utilise les variations des horaires, les modulations saisonnières à partir d'un contrat annuel, le temps partiel, le travail intermittent, les heures supplémentaires. Elle consacre le temps disponible à la formation ou à la maintenance.

La flexibilité par l'externalisation

□ Dans cette forme de flexibilité, les entreprises cherchent à déplacer sur une autre entreprise le lien contractuel avec le salarié. Dans ce cas, les relations d'employeur à employé font place aux relations commerciales entre l'entreprise et son sous-traitant, son fournisseur, ou la société de travail temporaire.

□ L'avantage économique réside dans le transfert et la répartition des risques liés aux fluctuations de l'activité.

La flexibilité fonctionnelle

Dans la flexibilité fonctionnelle, c'est la polyvalence des hommes et des équipes qui apporte la souplesse nécessaire. Les variations de l'activité sont amorties par les changements d'affectation des travailleurs. La flexibilité interne garantit l'emploi mais exige la mobilité interne.

QUELQUES TYPES NATIONAUX D'ADAPTATION DES MARCHÉS DU TRAVAIL

■ Le cas suédois

• **Flexibilité externe quantitative faible.** Depuis décembre 1938, la cogestion est le mode normal de gestion des entreprises, licenciements compris. Les procédures de licenciement sont très contraignantes. Les contrats à durée déterminée ne sont autorisés que dans des conditions restrictives. Le comportement spontané de l'employeur est de considérer que l'effectif n'est pas une variable d'ajustement, mais une donnée.

• **Flexibilité interne quantitative faible.** Les plages d'horaires sont flexibles, mais dans un cadre hebdomadaire rigide. Les syndicats doivent être consultés pour les heures supplémentaires mais n'y sont pas favorables. Le temps partiel est fréquent mais n'est pas un instrument de flexibilité : c'est la norme pour les mères de famille.

• **Très forte flexibilité fonctionnelle.** Effort permanent de prévision et de stratégie à long terme pour les entreprises. Actions de formation interne, de reconversion, d'adaptation. Polyvalence de la main-d'œuvre.

Résultat : les entreprises suédoises, contraintes par les rigidités externes, ont internalisé leur adaptation. Chômage faible.

■ Le cas anglais

• **Flexibilité externe quantitative forte.** Recours systématique aux licenciements, au chômage technique et aux contrats temporaires.

• **Flexibilité interne quantitative forte.** Utilisation du temps partiel, des heures supplémentaires, des variations des horaires.

• **Externalisation forte.** Utilisation de l'intérim, de la sous-traitance. Volonté de transformer les salariés en travailleurs indépendants dès que cela est possible.

• **Flexibilité fonctionnelle faible.** Les *trade unions,* encore corporatistes, organisés par métiers, pointilleux sur les spécialités professionnelles et peu intéressés par les problèmes de formation et de gestion ont sans doute gêné le développement de la flexibilité fonctionnelle interne.

Résultat : forte adaptation aux fluctuations de l'activité mais avec un coût social élevé. Le modèle cherché par l'entreprise est celui d'un « noyau dur » d'employés permanents entourés d'emplois périphériques instables.

■ Le cas allemand (RFA)

Cas relativement proche du cas suédois mais avec une évolution très nette vers plus de flexibilité quantitative, aussi bien externe qu'interne. Ainsi, en 1984, à la suite de la grève de la métallurgie, les syndicats ont accepté une certaine flexibilité du temps de travail contre une réduction de la durée hebdomadaire. Depuis 1986, la loi autorise les contrats à durée déterminée.

Résultat : à rapprocher du cas suédois.

■ Le cas français

• **Flexibilité externe assez forte.** Elle est marquée par des aspects inégalitaires : les jeunes, les femmes et les travailleurs les moins formés supportent l'essentiel de l'ajustement. Par ailleurs, un autre aspect inégalitaire tient à la présence d'un secteur public et nationalisé où la flexibilité externe ne peut être que faible.

• **Flexibilité interne encore assez faible,** mais qui se développe. Un syndicalisme éclaté et sans véritable responsabilité de gestion ne la favorise pas.

• **Externalisation** qui se développe.

• **Flexibilité fonctionnelle faible.**

Résultat : cas intermédiaire avec des caractéristiques propres. Chômage élevé et inégalitaire.

MÉNAGES

ENTREPRISES

ADMINISTRATIONS

MONNAIE ET FINANCE

EXTÉRIEUR

PERFORMANCES

L'inflation : définitions

L'inflation est la croissance générale et prolongée de l'ensemble des prix.
Elle peut revêtir des formes diverses (inflation rampante, galopante, hyperinflation, stagflation)
Elle a des conséquences importantes sur la distribution des revenus.

Hausse des prix et inflation

☐ Toute hausse des prix n'est pas inflationniste. La hausse du prix d'**un** bien (ou d'un groupe de biens) n'est en général pas inflationniste. C'est une modification des prix relatifs. Pour qu'une hausse particulière soit inflationniste, il faut que ce bien occupe une place essentielle dans l'économie (ex. : pétrole).

☐ La hausse des prix est qualifiée d'inflation quand elle est générale et durable.

Formes de l'inflation

☐ On peut d'abord caractériser l'inflation par son niveau :

— Inflation rampante : taux relativement faible, mais la hausse des prix est installée.

— Inflation galopante : taux élevé, mais encore maîtrisable.

— Hyperinflation : croissance exponentielle et incontrôlée des prix.

☐ L'inflation peut être caractérisée par son degré de régularité :

— Inflation d'équilibre : le taux de croissance des prix est constant. L'inflation est installée, mais sans risque d'accélération. Tous les agents économiques l'intègrent dans leurs calculs. L'inflation d'équilibre est égale à l'inflation anticipée.

— Inflation de déséquilibre : elle est caractérisée par sa volatilité.

☐ L'inflation peut être caractérisée par sa valeur relative : le différentiel d'inflation mesure l'écart des taux d'inflation entre les prix nationaux et les prix étangers.

☐ L'inflation peut être caractérisée par sa coexistence avec le chômage : on parlera alors de stagflation.

Les aspects redistributifs de l'inflation

Nous ne sommes pas égaux devant l'inflation.

☐ Les ajustements de salaires sont très différents suivant les professions. Les salariés défendus par des syndicats puissants, ceux qui occupent des positions stratégiques dans la production, ne seront jamais en retard, et même souvent en avance sur l'inflation. Les salaires s'ajustent par contre lentement dans les emplois publics par exemple. Ces inégalités auront des conséquences économiques à long terme : l'offre de travail baissera dans les secteurs où les salaires croissent lentement. Des situations de pénurie pourront éventuellement apparaître (enseignants...).

☐ De nombreux contrats sont conclus en termes monétaires. L'inflation modifie la valeur réelle de ces contrats, entraînant des spoliations qui seront d'autant plus importantes que les contrats sont conclus pour le long terme.

☐ L'inflation avantage les emprunteurs et spolie les prêteurs. Ainsi le risque d'inflation décourage les prêts à taux fixe et peut poser des problèmes de financement.

COMPARAISON INTERNATIONALE DES TAUX D'INFLATION

En % par rapport à l'année précédente

Années	Belgique	Espagne	France	Italie	Pays-Bas	R.F.A.	Royaume-Uni	Total CEE à 12	Canada	États-Unis	Jaon	Total OCDE
1960	0,3	1,5	3,5	2,3	5,0	1,4	1,0	///	1,0	1,6	3,6	1,8
1962	1,4	5,7	4,7	4,7	1,9	3,0	4,3	///	1,2	1,2	6,8	2,2
1964	4,2	7,0	3,3	5,9	5,5	2,3	3,3	///	1,8	1,3	3,9	2,3
1966	4,2	6,2	2,8	2,3	5,8	3,5	3,9	3,6	3,7	2,9	5,1	3,5
1968	2,7	4,9	4,4	1,4	3,7	2,9	4,7	3,7	4,0	4,2	5,3	4,0
1970	3,9	5,7	5,3	5,0	3,6	3,4	6,4	5,0	3,4	5,9	7,7	5,6
1972	5,4	8,1	6,2	5,9	7,8	5,4	7,4	6,5	4,8	3,4	4,5	4,9
1974	12,5	15,8	13,8	19,2	9,7	7,0	15,9	14,0	10,9	10,8	24,4	13,8
1976	9,1	17,4	9,7	16,5	8,8	4,4	16,6	12,1	7,3	5,7	9,2	9,0
1978	4,3	19,6	9,1	12,1	4,1	2,7	8,1	9,3	8,8	7,6	3,8	8,5
1980	6,5	15,6	13,5	20,9	6,5	5,4	18,0	13,8	10,2	13,4	8,0	14,1
1982	8,1	14,4	11,8	16,4	5,8	5,2	6,7	10,9	10,8	6,1	2,6	8,0
1984	6,3	11,2	7,4	10,7	3,2	2,5	5,0	7,2	4,3	4,3	2,2	5,7
1986	1,2	8,8	2,7	5,9	0,1	− 0,1	3,4	3,8	3,2	1,9	0,3	3,1
1988	1,1	4,8	2,7	5,0	0,7	1,2	4,9	3,6	4,0	4,0	0,4	4,8
1990	3,4	6,7	3,4	6,1	2,4	2,7	9,5	5,6	4,8	5,4	3,1	5,8
1992	2,4	5,9	2,4	5,3	3,7	4,0	3,7	5,4	1,5	3,0	1,7	4,0

Source : O.C.D.E., I.N.S.E.E.

■ Lecture du tableau

• L'inflation est un phénomène mondial. On trouve les mêmes grandes phases d'évolution dans tous les pays : sagesse relative jusqu'à la fin des années 60, montée progressive de l'inflation durant les années 70, sommet au début des années 80, diminution progressive de l'inflation jusqu'en 1987, légère reprise ensuite.
Ce n'est donc pas le profil de l'évolution de l'inflation qui distingue les pays les uns des autres.
Par contre, le niveau de l'inflation est très différent d'un pays à l'autre. A la fin des années 70, le différentiel d'inflation atteint 20 % entre l'Espagne et la RFA.
• Les pays les plus inflationnistes ont, sur une longue période, des variations très marquées des taux d'inflation. *Exemple :* le Royaume-Uni débute les années 60 avec une inflation négligeable, en 1975, l'inflation est de 24 % !

• Les chocs pétroliers sont très nettement perceptibles, surtout le choc de 1974. La répercussion sur les prix a été très souvent immédiate et brutale (Japon).

L'économie a-t-elle besoin d'inflation ?

On peut en juger par les dangers de la baisse des prix (déflation) :

• Quand les prix baissent, les consommateurs ont intérêt à différer leurs achats. La consommation diminue.

• Les entreprises ont intérêt à différer l'achat de biens de production et la reconstitution de leurs stocks. Les investissements diminuent.

• La baisse des prix alourdit les charges réelles des dettes. Les ménages endettés doivent diminuer leur consommation pour rembourser. Les entreprises se désendettent au lieu d'investir. La baisse des prix peut donc être un facteur de crise.

MÉNAGES

ENTREPRISES

ADMINISTRATIONS

MONNAIE ET FINANCE

EXTÉRIEUR

PERFORMANCES

L'indice des prix

> En France, le principal indice de mesure de la hausse des prix est l'indice des prix à la consommation.
> L'indice des prix à la consommation peut être interprété de deux façons : comme le prix d'un panier de biens constant ou comme une moyenne pondérée d'indices partiels.

L'indice des prix à la consommation : le prix d'un panier de biens constant

Supposons que la consommation soit réduite à 3 produits : pain, viande et vin. La période de base est l'année 1980, la période courante est 1986. L'indice cherche à mesurer la hausse des prix entre 1980 et 1986. Il se construit en trois étapes :
1. Le choix du « panier de biens » (ou « volume »), qui sera le même en 86 qu'en 1980, soit : 1/2 pain, 200 gr de viande, 20 cl de vin.
2. L'observation des prix : on dispose des prix moyens pour l'année 1980 et 1986.
3. Le calcul des dépenses : l'indice sera le rapport des dépenses multiplié par 100.

Produit	Quantité	Prix 1980	Prix 1986	Coût 1980	Coût juin 86	Indice 86 (base 100 : 1980)
Pain	0,5	3,5 F le pain	5 F le pain	$3,5 \times 0,5 = 1,75$	$5 \times 0,5 = 2,5$	$I = \dfrac{27,5}{19,75} \times 100 = 139,2$
Viande	250 gr	60 F le kg	80 frs le kg	$60 \times 0,25 = 15$	$80 \times 0,25 = 20$	
Vin	20 cl	15 F le l	25 frs le l.	$15 \times 0,2 = 3$	$25 \times 0,2 = 5$	Les prix ont augmenté de 39,2 % depuis 1980
				Total = 19,75	Total = 27,5	

L'indice des prix à la consommation : une moyenne pondérée d'indices partiels

Dans la pratique, on utilise une autre méthode, mathématiquement équivalente.

Produit	Indice 86/80 partiel	Coefficient budgétaire : part du produit dans le panier (1980)	Multiplication des deux colonnes	Indice (base 1980)
Pain	$\dfrac{5}{3,5} \times 100 = 142,9$	$\dfrac{1,75}{19,75} = 8,9\,\%$	12,7	12,7
Viande	$\dfrac{80}{60} \times 100 = 133,3$	$\dfrac{15}{19,75} = 75,9\,\%$	101,2	+ 101,2
Vin	$\dfrac{25}{15} \times 100 = 166,6$	$\dfrac{3}{19,75} = 15,2\,\%$	25,3	+ 25,3
				= 139,2

1. L'indice mensuel des prix à la consommation des ménages urbains dont le chef est employé ou ouvrier (296 postes). Il sert de base légale à la revalorisation périodique du SMIC.
2. L'indice des prix «tous ménages» (266 postes). Il sert désormais de référence pour l'information, les comparaisons internationales et les calculs scientifiques.

QUELQUES ÉVOLUTIONS

■ **L'évolution de la pondération
de l'indice des prix à la consommation**

L'indice des prix à la consommation est composé de trois grandes catégories de produits : l'alimentation, les produits manufacturés et les services.
La pondération de chaque poste est proportionnelle à la part prise par ce poste dans les dépenses de consommation (« coefficient budgétaire »). L'évolution de la pondération est donc le reflet de l'évolution de la structure de la consommation. Parce que les pondérations sont revues chaque année, on dit qu'il s'agit d'un <u>indice-chaîne</u>.

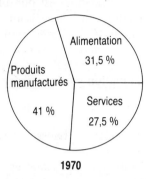

1970

1991

■ **Quelques évolutions de prix sur très longue période**

Entre 1925 et 1987, on estime que les prix ont été multipliés par 370 (en tenant compte du passage des francs anciens aux francs nouveaux).

	Prix 1925 (ramenés en francs nouveaux)	Prix 1987	Coefficient de variation
Salaire horaire du manœuvre	0,0212	39,69	1 872
Or (Napoléon)	0,80	529,76	662
Place de cinéma	0,03	35,00	1 167
Coupe de cheveux	0,0275	74,88	2 723
Bifteck (1 kg)	0,1847	82,57	447
Oeufs (dz)	0,0837	11,94	143
Blé (quintal)	1,16	142,90	123
kWh	0,01	0,64	64
Récepteur de radio	27	199	7

Source : INSEE.

L'évolution des prix relatifs (les prix les uns par rapport aux autres) est tout à fait caractéristique : baisse considérable des prix des biens industriels, baisse moins importante des prix agricoles, croissance considérable des prix des services. Cette évolution traduit la place de la productivité du travail dans les produits.

MÉNAGES

ENTREPRISES

ADMINISTRATIONS

MONNAIE ET FINANCE

EXTÉRIEUR

PERFORMANCES

Les causes de l'inflation

L'inflation peut être due à une demande de biens et services trop élevée par rapport à l'offre : c'est l'inflation par la demande. Elle peut être due à la hausse des coûts de production : c'est l'inflation par les coûts. Elle peut venir des relations extérieures : c'est l'inflation importée. Elle peut être due à un excédent de monnaie : c'est l'inflation monétaire.

▬▬ L'inflation par la demande

☐ Elle se produit quand la demande globale de biens et services est durablement supérieure à l'offre et que les capacités de production sont insuffisantes pour combler cet écart. Les prix augmentent quand les quantités n'augmentent pas.

☐ En cas d'inflation par la demande, on a l'habitude de mettre l'accent sur un seul pôle du marché : la demande. Mais la demande n'est excessive qu'au regard d'une offre trop faible. On pourrait tout aussi bien parler d'inflation par insuffisance de la production.

▬▬ L'inflation par les coûts

Les entreprises fixent leurs prix en fonction de leurs coûts. La hausse entretenue des coûts constitue donc un facteur d'inflation.

☐ La hausse des coûts est dominée par la hausse du coût du travail (salaires + charges sociales). Toute hausse du coût du travail supérieure aux gains de productivité sera répercutée sur les prix. Par la suite, l'augmentation des prix servira de support aux revendications salariales. Une spirale prix-salaires se met ainsi en place.

☐ La hausse des coûts peut venir des entreprises elles-mêmes : les entreprises doivent autofinancer l'essentiel de leurs investissements (investissements nets + amortissements). Des achats importants d'équipements neufs et la nécessité de les amortir constituent des coûts qu'il faut couvrir par un profit élevé et donc par un prix élevé.

☐ La hausse des coûts peut venir des banques : un taux d'intérêt élevé fait croître les charges financières qui seront répercutées sur les prix.

▬▬ L'inflation importée

☐ La hausse des prix des biens importés en est l'un des facteurs. Quand il s'agit d'un bien qui joue un rôle fondamental dans la production et la consommation et dont on peut difficilement éviter l'importation à court terme, l'impact inflationniste peut être très sensible (les deux « chocs pétroliers » de 1973 et 1979).

☐ La dépréciation de la monnaie nationale sur les marchés des changes fait croître le prix des biens importés exprimé en monnaie nationale.

▬▬ L'inflation par la quantité de monnaie

☐ Quand les banques accordent des crédits, elles créent de la monnaie. Cet argent est dépensé, circule de compte à compte, engendrant une vague de dépenses supplémentaires qui peuvent être cause d'inflation si la production ne suit pas.

☐ De tels dérapages monétaires revêtent parfois des aspects tragiques. Ce sont les situations d'hyperinflation (ex. : l'Allemagne en 1922-23).

L'INFLATION, PHÉNOMÈNE GLOBAL

Les distinctions entre inflation par les coûts, inflation par la demande, inflation importée et inflation monétaire, mettent l'accent sur tel ou tel aspect de l'inflation. En fait, l'inflation est un phénomène global dans lequel les différentes causes se nourrissent les unes les autres.

On peut schématiser ces interactions de la façon suivante :

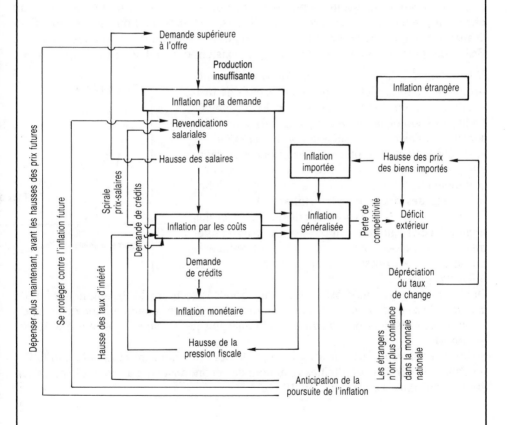

MÉNAGES

ENTREPRISES

ADMINISTRATIONS

MONNAIE ET FINANCE

EXTÉRIEUR

PERFORMANCES

Chômage et inflation

A court terme, il existe sans doute un conflit entre l'inflation et le chômage : vouloir réduire l'un, c'est augmenter l'autre. Une inflation faible et un chômage faible sont donc des objectifs incompatibles : la politique économique doit choisir.

La courbe de Phillips : relation entre taux de chômage et taux d'inflation

□ Supposons une <u>récession</u> économique sévère. Les demandes sont inférieures aux offres sur presque tous les marchés. Le chômage est important puisque le taux d'utilisation des capacités de production est faible. Les prix auront tendance à baisser. Baisse des prix et taux de chômage élevé coexistent donc (phase 1 sur le graphique).

□ Puis vient la <u>reprise</u> économique. La demande progresse, le taux d'utilisation des capacités de production augmente et le chômage recule nettement. La progression de la demande est inégale suivant les secteurs ; dans certains secteurs où la demande est particulièrement soutenue, des insuffisances de capacité commencent à apparaître et donc certains prix commencent à croître. Recul du chômage et début de hausse des prix coïncident (phase 2).

□ Durant la phase d'<u>expansion</u>, des pénuries et des goulots d'étranglement apparaissent progressivement. La hausse des prix se généralise. La réduction du chômage est possible, mais au prix d'une forte inflation (phase 3).

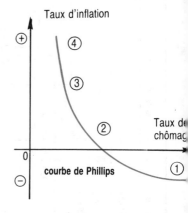

Quand la <u>pleine capacité</u> est atteinte dans tous les secteurs, toute augmentation de la demande se traduira par une augmentation des prix sans augmentation de l'emploi. Le chômage résiduel ne pourra être éliminé puisque le capital est utilisé à 100 % (phase 4).

Si l'on fait correspondre sur un graphique le taux de chômage et le taux d'inflation on obtient la « courbe de Phillips » (du nom de l'économiste qui a produit la première étude empirique sur le sujet, en 1958).

Le conflit de politique économique entre l'inflation et le chômage

La courbe de Phillips fait apparaître <u>un conflit entre l'inflation et la réduction du taux de chômage</u> : à taux de chômage faible, taux d'inflation élevé, et inversement. Inflation modérée et plein-emploi (ou chômage minimum) apparaissent comme des objectifs inconciliables : si l'État veut diminuer le chômage en relançant la demande, il devra accepter un taux d'inflation plus élevé.

■ D'autres conflits de politique économique

Les conflits d'objectifs que doit affronter la politique économique sont nombreux. La politique économique est toujours un compromis.

Quelques exemples :
1. Conflit entre inflation et balance des paiements.
Si l'État choisit un haut niveau d'emploi en acceptant un taux d'inflation relativement élevé par rapport à l'extérieur, ce choix va dégrader la balance des paiements. La conséquence est la dépréciation de la monnaie.

2. Conflit entre chômage et balance des paiements en changes fixes.
Si la balance des paiements est déficitaire en situation de plein-emploi, une diminution des dépenses publiques réduira les importations, mais au prix d'un accroissement du chômage.

3. Conflit entre croissance et balance des paiements.
• Si l'État cherche à stimuler l'investissement par la baisse des taux d'intérêt, des capitaux attirés par des taux étrangers plus intéressants peuvent aller se placer ailleurs, détériorant la balance des paiements.
• Une croissance forte nécessite en général la croissance de certaines importations.

4. Conflit entre croissance et chômage.
Dans une économie en croissance, des secteurs en déclin suppriment des emplois, des secteurs en expansion créent des emplois. Ces derniers n'ont pas les mêmes caractéristiques que les premiers. Le risque d'accroissement du chômage structurel est important.

■ Les courbes de Phillips pour les années 80-92

La relation inverse inflation-chômage est très marquée entre 1980 et 1983 : les gouvernements ont mené de vigoureuses politiques anti-inflationnistes qui ont augmenté le chômage. Ce qui a permis, dans les années suivantes, de diminuer le chômage sans relancer l'inflation.

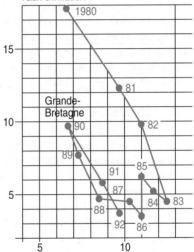

La relation est aussi très marquée pour la période 88-92 :
88-90 : diminution du chômage et montée de l'inflation ;
90-92 : croissance du chômage et baisse de l'inflation.

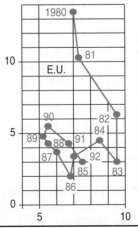

MÉNAGES
ENTREPRISES
ADMINISTRATIONS
MONNAIE ET FINANCE
EXTÉRIEUR
PERFORMANCES

Les politiques anti-inflationnistes

Pour lutter contre l'inflation, l'État peut bloquer les prix et les salaires, stimuler la concurrence, diminuer ses dépenses, augmenter les impôts, limiter la progression du crédit et de la monnaie, mener une politique des revenus.

Politiques de contrôle des prix et de blocage des salaires

☐ L'État contrôle directement ou est capable d'influencer certains prix du secteur public. Il tente donc parfois de peser sur l'inflation en limitant leur croissance. Mais cette politique conduit tôt ou tard à des difficultés de gestion.

☐ Le contrôle des traitements de la fonction publique est un élément essentiel de la lutte contre l'inflation à cause du poids de la fonction publique dans l'emploi.

☐ Le gouvernement peut aussi agir de façon globale en bloquant les prix et les salaires ou en organisant leur progression (ex. : Barre, 1976 et Mauroy, 1982).

Politique budgétaire

☐ Quand l'inflation trouve sa source principale dans un excédent de demande, diminuer les dépenses publiques ou augmenter les impôts peut être efficace. L'État mène alors une politique qui est le contraire d'une politique de relance. Les effets multiplicateurs diminuent la demande globale d'un montant bien supérieur à la diminution initiale des dépenses.

☐ Quand le déficit budgétaire diminue, l'État emprunte moins sur les marchés financiers, ce qui conduit à la baisse des taux d'intérêt. Les charges financières des entreprises diminuent, ce qui peut atténuer l'inflation par les coûts.

Politique monétaire

☐ La politique monétaire de lutte contre l'inflation concerne d'abord le crédit. En limitant sa progression certaines dépenses ne seront pas réalisées, ce qui diminue l'inflation par la demande.

☐ Cette politique concerne aussi la quantité de moyens de paiements dont l'économie dispose. En évitant le surplus de monnaie par rapport aux besoins, on évite des dépenses qui alimentent elles aussi l'inflation par la demande.

Politique des revenus

La politique des revenus part de l'idée que la fixation des prix et des salaires résulte beaucoup plus de rapports sociaux que de purs mécanismes économiques. A rapports sociaux de cogestion correspond la modération des revendications salariales et des hausses de prix. A rapports sociaux conflictuels correspond la spirale prix-salaires. L'État peut tenter de rapprocher patronat et salariés, faciliter les négociations, ou essayer de fixer les règles du partage salaires-profits. Dans les faits, il ne peut cependant pas se substituer aux partenaires sociaux.

LUTTER CONTRE L'INFLATION

■ **La conception monétariste de l'inflation et la politique monétariste**

L'économiste américain Milton Friedman (prix Nobel) pense que l'inflation est un phénomène purement monétaire.

Pourquoi ?

• Quand la richesse produite augmente, il faut une proportion donnée de monnaie supplémentaire dans l'économie parce qu'il y a plus de paiements à faire. Par exemple, quand il y a 3 % de biens et de services en plus, il faut 3 % de monnaie en plus.

• Mais que se passe-t-il s'il y a 10 % de monnaie en plus ? Les gens voudront dépenser l'argent qu'ils ont en trop et les prix vont monter.

De combien ? Puisqu'il y a 3 % de richesses en plus et 10 % de monnaie en plus, les prix vont monter de 7 %.

C'est logique ! Avec 7 % d'inflation, il y aura tout juste assez de monnaie pour répondre à l'augmentation des paiements à effectuer.

• En somme, ce que dit Friedman est simple :

Taux de croissance de la masse monétaire = Taux de croissance de l'économie + Taux d'inflation.

• La conclusion de politique économique est évidente : si l'on veut contrôler son taux d'inflation, il faut d'abord commencer par contrôler l'évolution de la masse monétaire.

• La simplicité de cette relation permet un rapide coup d'œil aux données.

Ainsi, en France, entre 1981 et 1989, la hausse totale des prix a été de 77,8 %, la croissance du PIB de 21,8 %, soit un total de 99,6 %. La masse monéraire M3 a, elle, augmenté de 89 %. Les deux chiffres ne sont pas égaux, mais ils ne sont pas très éloignés non plus...

• Des politiques d'inspiration monétariste ont été appliquées dans tous les pays développés depuis la fin des années 70 et notamment en Grande-Bretagne et aux États-Unis.

■ **La politique de concurrence**

Stimuler la concurrence est certainement une arme anti-inflationniste.

Pratiquement, tous les États se sont donné des armes juridiques pour lutter contre les atteintes à la concurrence.

Les États-Unis ont ouvert la voie dès 1890 avec le Sherman Act qui donnait au gouvernement fédéral les moyens de lutter contres les ententes et les trusts.

Actuellement, le moyen le plus sûr de développer la concurrence est certainement l'ouverture des frontières. La réalisation du Marché unique de 1993 va évidemment dans ce sens.

Les politiques de concurrence ont évidemment leur coût :

— coût social parce que les entreprises les plus fragiles font faillite ;

— coût macro-économique parce que l'ouverture des frontières risque de dégrader la balance commerciale.

■ **La politique des revenus**

L'idée est aujourd'hui reprise par l'économiste américain L. Weitzman qui la transpose au niveau de l'entreprise. L'objectif est de maintenir les profits et de sauvegarder l'emploi. Si les ventes diminuent, les salaires baisseront. Si les ventes augmentent, les salaires augmenteront. L'ajustement du coût salarial permet ainsi d'éviter les ajustements de prix et les licenciements. Cette solution n'est pas utopique. Que l'on songe à l'économie japonaise : dans les grandes entreprises, environ le tiers des rémunérations sont versées sous forme de primes qui disparaissent quand le chiffre d'affaires diminue.

INDEX

Edition : Valérie d'Anglejan, Patrice Rouget
Coordination artistique : Emmanuelle Bril
Maquette : Jean-Pierre Delarue
Schémas : Xavier Hüe
Illustration de couverture : Pascal Pinet

N° d'Editeur : 10020308 - (III) - 20 - OSB-80°
SEDAG - Dépôt légal : octobre 1994
Imprimerie Jean-Lamour, 54320 Maxéville
N° 94090002

PRAISE FOR JOHN McFETRIDGE

The Eddie Dougherty Mystery series

BLACK ROCK

"Canadian author/screenwriter McFetridge has earned critical praise for *Everybody Knows This Is Nowhere* (2008) and other previous works, but is still looking for a 'breakout book.' With its well-etched family drama and dynamic historical background, *Black Rock* might finally be the one." — *Kirkus Reviews*

"[An] excellent historical procedure . . . Well done history and a really good plot line." — *Globe and Mail*

"[McFetridge]'s prose remains stripped back and forceful, the action propelled by laconic dialogue and the likeable Eddie Dougherty's refusal to allow politics to interfere with his personal pursuit of justice . . . It's a fascinating backdrop, too." — *The Irish Times*

A LITTLE MORE FREE

"Brilliant . . . As a police procedural, *A Little More Free* is superb. As a sociopolitical human drama, it's even better — remember to breathe during those final few pages." — *Winnipeg Free Press*

"This terrific continuation of the narrative McFetridge began in *Black Rock* opens with a bang . . . Working with a deceptively simple style that echoes Joseph Wambaugh, McFetridge has delivered an unpredictable mystery, a fine character study and a vivid snapshot of 1972 Montreal." — *Publishers Weekly*

ONE OR THE OTHER

"Eddie Dougherty is the kind of guy who grows on you, and now, in John McFetridge's third Dougherty novel, Eddie is in full bloom as a solid character and an intuitively smart cop . . . A McFetridge book at his excellent best." — *Toronto Star*

"Dougherty is a believable, complicated, and yearning character in another fine McFetridge achievement." — *London Free Press*

"Dougherty is once again a basically decent working-class bilingual cop — who, it must be pointed out, sometimes beats information out of lowlifes — who serves as our window on our unknown or forgotten socio-political history, educating us slowly while awakening to the real world around him and solving crimes in another superb McFetridge whodunit." — *Winnipeg Free Press*

"Several things can be said about *One or the Other*. It's a crime story, it's a historical novel, it's charming — and above all it's utterly, extremely Montrealish. The cover copy calls *One or the Other* a mystery and in fact Dougherty spends a lot of time investigating a killing. But the book reads more like a sweet love letter to the Montreal of four decades ago." — *National Post*

"McFetridge seamlessly weaves these period details into a fast-paced narrative . . . This is an enjoyable read brimming with colourful characters that immerses readers in a tumultuous period in Canadian history."
— *Publishers Weekly*

The Toronto series

DIRTY SWEET

"McFetridge is an author to watch. He has a great eye for detail, and Toronto has never looked seedier."
— *Globe and Mail*

"McFetridge combines a tough and gritty story populated by engagingly seedy characters . . . with an effective use of a setting, Toronto." — *Booklist*

"If more people wrote the kind of clean-as-a-whistle, no-fat prose McFetridge does, this reviewer would finish a lot more of their books." — *National Post*

EVERYBODY KNOWS THIS IS NOWHERE

"Sex. Dope. Immigration. Gang war. Filmmaking. In McFetridge's hands, Toronto might as well be the new L.A. of crime fiction." — *Booklist*

"Amid the busy plot, McFetridge does a good job depicting a crime-ridden Toronto (a.k.a. the Big Smoke) that resembles the wide-open Chicago of Prohibition days with corrupt cops, gang warfare, and flourishing prostitution." — *Publishers Weekly*

SWAP

"[*Swap*] grabs you by the throat and squeezes until you agree to read just one page, just one more page."
— *Quill & Quire*

"In just three novels . . . McFetridge has demonstrated gifts that put him in Elmore Leonard territory as a writer, and make Toronto as gritty and fascinating as Leonard's Detroit. [McFetridge] is a class act, and he's creating fictional classics — maybe even that great urban literature of Toronto the critics now and then long for." — *London Free Press*

TUMBLIN' DICE

"Dialogue that sizzles and sparks through the pages, providing its own music, naturally of the hard-rocking kind." — *Toronto Sun*

"John McFetridge is — or should be — a star in the world of crime fiction." — *London Free Press*

"Like [Elmore] Leonard, McFetridge is able to convincingly portray flawed flgures on both sides of the law." — *Publishers Weekly*

EVERY CITY IS EVERY OTHER CITY

JOHN McFETRIDGE

EVERY CITY IS EVERY OTHER CITY

A GORDON STEWART MYSTERY

ECW

Published by ECW Press
665 Gerrard Street East
Toronto, Ontario, Canada M4M 1Y2
416-694-3348 / info@ecwpress.com

Cover design: Ingrid Paulson

Cover photo: ©Robsonphoto / Shutterstock

Get the eBook free!*
proof of purchase required

Purchase the print edition and receive the eBook free. For details, go to ecwpress.com/eBook.

LIBRARY AND ARCHIVES CANADA CATALOGUING IN PUBLICATION

Title: Every city is every other city : a Gordon Stewart mystery / John McFetridge.

Names: McFetridge, John, 1959- author.
Identifiers: Canadiana (print) 2020040346X
Canadiana (ebook) 20200403516

ISBN 978-1-77041-541-6 (softcover)
ISBN 978-1-77305-675-3 (EPUB)
ISBN 978-1-77305-676-0 (PDF)
ISBN 978-1-77305-677-7 (Kindle)

Classification: LCC PS8575.F48 E94 2021 | DDC C813/.6—dc23

The publication of *Every City Is Every Other City* has been funded in part by the Government of Canada. *Ce livre est financé en partie par le gouvernement du Canada.* We acknowledge the support of the Canada Council for the Arts. *Nous remercions le Conseil des arts du Canada de son soutien.* We acknowledge the support of the Ontario Arts Council (OAC), an agency of the Government of Ontario, which last year funded 1,965 individual artists and 1,152 organizations in 197 communities across Ontario for a total of $51.9 million. We also acknowledge the support of the Government of Ontario through the Ontario Book Publishing Tax Credit, and through Ontario Creates.

ONTARIO CREATES

**ONTARIO ARTS COUNCIL
CONSEIL DES ARTS DE L'ONTARIO**
an Ontario government agency
un organisme du gouvernement de l'Ontario

Canada Council for the Arts   Conseil des arts du Canada

Canadä

PRINTED AND BOUND IN CANADA   PRINTING: MARQUIS   5   4   3   2   1

MIX
Paper from responsible sources
FSC
www.fsc.org   **FSC® C103567**

For Laurie, always.

CHAPTER
ONE

New York City: the blue USPS mailbox, the bodega with English and Spanish signs in the window, and the guy selling pretzels out of a cart.

Move back five more feet and it's a movie set in Toronto: the C-stands holding reflector boards, the lights, and a dozen crew members waiting to pounce on the "cut!"

Every city is every other city these days. The same fast-food franchises, the same big box stores, the same cars on the roads heading to the same houses in the suburbs.

That's not really true. You scratch the surface and they're all different, they all have their own histories and their own secrets. But this is a Hollywood movie, so it's not going to scratch the surface. No one wants that.

The location looks good and that makes me happy because I'm the location scout who found it — a boarded-up house in a row of boarded-up houses getting ready to be torn down for condos that the crew turned into a New York bodega.

Not much street parking, though, so the walk from set to craft services was a couple of blocks and when I got there the line-up for lattes was at least six people deep.

"Hey Gordie, can I talk to you?" The production manager, Lana, was walking towards me.

"Sure, looks like this could take a minute."

"You don't need to be on set, do you? MoGib can handle everything, can't he?"

She was talking about my boss, the location manager, Morris Gibson, and she was right. I said, "Did we lose a location?"

"No, it's something else." She pulled me aside, around the corner of the craft truck and said, "You're a private eye, aren't you?"

"It's not like the movies," I said. "I have a license and when there's nothing shooting I do some freelance. It's mostly just background checks."

"But technically you're a private eye?"

I wanted to say, I'm the kind of private eye you're thinking about the way that boarded-up building is a New York City bodega, but I just said, "Sure."

"OK, well, I wonder if you could talk to my aunt?"

"Is she writing a script?"

Lana looked horrified. "Don't even joke about that,

you know how many scripts I get handed? No, she needs someone to do an investigation."

"There are real private eyes, it's a real thing, you know. I could give you some names."

"Could you just talk to her?"

"All right, give me her number."

"Actually, she's in my office." Lana led the way along the row of trailers, past the ones being used as dressing rooms to the ones farthest from the set. "Come on."

I waited on the sidewalk for a couple of minutes and then Lana came out of the trailer with an older woman, looked to be in her fifties, dressed in jeans, a T-shirt, and a blue Columbia jacket. She looked a little nervous and unsure of herself, which, even more than her age, made her look out of place among the crew.

Lana said, "Gordon Stewart, this is my Aunt Barb. Mercer."

Aunt Barb said, "I think Gordon Stewart is the most Canadian name I've ever heard."

"It works as Stewart Gordon, too," I said.

She smiled for a second and then was back to frowning.

Lana said, "You guys can use my office," and walked away as though she had somewhere to be.

I held the door and Barb walked back up the couple of metal steps she'd just come down.

The office was small, of course, the walls covered with schedules, pictures of locations, call sheets, and cartoons. The desk was also covered with paperwork. Barb sat down and I sat at Lana's desk. Our knees touched. I said, "So, how can I help you?"

"My husband is missing."

Just like that. I said, "Whoa, this is way out of my league, this isn't what I do."

"Lana said you find things."

"Yes, I find things. Places. Buildings, alleys, parks. Not people."

"But you could."

"No, I can't."

She nodded, looked like she was working up the nerve to say something and then she said, "Do you know that suicide rates for middle-aged men are way up?"

Which was not what I expected. "No, I didn't know that."

"Single, middle-aged, white men without a college degree have the highest suicide rate of any group."

"I didn't know that." I was glad my father, who fit the rest of the description perfectly, was past middle age. Sixty may be the new thirty but seventy is definitely not middle-aged. I have a degree from Humber College so that kept me out of the group, too, which might have been the first time the degree ever did me any good.

She said, "Married, middle-aged, white males without a college degree are number two. It turns out baby boomers have always had high suicide rates and now that they — we — are getting into middle age, it's going up even more."

"For men?"

"Women have three times higher rates of suicide attempts," she said, kind of matter-of-factly, "but men have a higher success rate."

"So, we're good at something."

She ignored my nervous joke and said, "The researchers seem to think men feel there's a stigma attached to a failed suicide. Also they use guns more and women use pills."

It was quiet in Lana's office, just the air conditioning humming though not doing much good — it was hot.

I said, "You know a lot about this."

She said, "I looked it up after Kevin . . ." She shrugged a little and then said, "Men have all kinds of stigmas, that's part of the problem. 'Women seek help, men die,' that's what one of the articles said."

"They don't try to get any help?"

"Not much. Not enough. They get isolated. Like Kevin, they lose their jobs, they stop going out, stop seeing their friends, they get isolated, and then . . ."

"When did he . . . when was the last time you saw him?"

"April 9th. He was home when I left for work. It was just like a regular day. When I got home he wasn't there. That wasn't unusual." She was starting to choke up. "I tried to call but his phone was turned off. I didn't think he was missing."

"How did you find out he was?"

"Three days later the police called. They found his truck up north, past Sudbury." She looked up at me. "They asked me if I knew where he was." She looked back at her hands wrapped around a coffee mug. "They asked why I hadn't reported him missing."

I was wondering that, too, but I said, "Six weeks ago." That was when this movie had started shooting. We only had a few more days to go.

Barb said, "When I looked I realized he'd packed up his hunting gear and drove up north, past Sudbury."

"That's a long drive."

"He used to do it every year, him and his friends, spend a week in the woods and come back with a deer. He hadn't done it for years."

"I don't know much about hunting," I said, "but April isn't deer season, is it?"

She shook her head. "No. He left his truck beside the road, what they called Old Highway 806. The police think he walked into the woods and did it there."

I didn't want to say anything, but it did sound like the most likely thing, so I just nodded.

"Dense woods, you know." She was looking right at me. "They say his body will probably turn up someday, some other hunters will find him."

"That's possible, isn't it?"

"But," she said, "I also read that a lot of middle-aged men just drop out, they just leave everything and start up a new life somewhere else."

"Really?"

"Look on the internet, it happens all the time."

"I believe you. But I don't think I can help you."

"Why not? Lana said you could. She said you do this all the time."

"Again, places, not people."

"Person," she said. "I only need you to find one."

She looked like she really needed it, too. I wanted to help her but I had to be honest. I said, "What I mean is, you'd need a hunter, a tracker, someone who could look in the woods."

"If he did go into the woods."

"Why do you say that? You think he didn't?"

"Well, wouldn't it be perfect? He takes his hunting

stuff, his rifle, he leaves his car by the edge of the woods and he takes off."

"Where does he go?"

"That's what I want you to find out."

"This sounds like it's a little above my pay grade."

She looked pissed off then and said, "I called a couple of private investigation companies, they really exist, you know."

"I know."

"They do background checks for big companies, they work for insurance companies looking for frauds."

"I know," I said. "That's what I do in the winter when there's not much filming here."

"They charge hundreds and hundreds of dollars a day. And what are they going to do, look at credit card records? Is that what you do?"

I thought, yeah, pretty much, but I said, "They have a lot of resources."

"I'm sure they do, but they don't have fifty-percent-off sales." She drank some coffee and said, "I get it that rich people have everything they want, but can't the rest of us have something?"

Neither of us said anything for a minute, and I was trying to come up with a way to get out of there when she said, "I've got nothing left. I'm going to lose our house in another month. I'm going to have to have him declared legally dead."

"I thought you had to wait seven years?"

"Everybody thinks that," she said. "But it changed. After 9/11, actually. So now in Ontario there's a new Declarations of Death Act. If someone disappears in

7

what they call 'circumstances of peril,' then you can apply to have them declared dead."

"And they're calling the truck by the woods a circumstance of peril?" And I was thinking it sounded so government, so cold and formal. Shit.

"Yes. The police say they've looked into it as much as they can. As much as they will. But the thing is, if I do it, if I have him declared dead, then he might as well be."

"Shouldn't you save your money?"

"It doesn't matter now, there's so little left and nothing coming in. The first time Kevin got laid off, from Plascom, a plastic moulding company that moved production to Mexico — brand new machines there, not like they couldn't have put in new technology here — I was still working and a few months later he got another job. Then I was off for about a year when I went through the breast cancer treatments, and he missed a lot of work and got put on a backshift, and when I was ready to go back they'd downsized and I didn't have a job to go back to. Then, where Kevin was working cut the backshift and then closed down completely. He worked a few jobs under the table, he's an electrician, and he got some jobs but never enough."

"So you think Kevin ran away from his problems?"

She stared at me and said, "You see, that's the main problem, the man attitude. Right away you think he was a coward and he ran away."

"No," I said, "you think he ran away."

"That's right, everybody else thinks he killed himself." She picked up the coffee cup Lana must have given her earlier and I saw how much her hands were shaking, she had to hold them together to get the cup to her lips and then she didn't really drink any, she was taking a breath. "I just want to try everything, I just want to know, if he's not . . . if he's still alive I want to talk to him."

"What do you want to say?"

"I want to tell him I'm going to kill him." She shook her head a little and said, "But then I want to tell him, even after everything, after everything we've been through, I just want to tell him that what's coming up, whatever it is, I'd rather go through it with him than without him."

Now her hands were steady as she put the coffee cup down and looked me in the eyes.

She said, "Can you help me?"

And I said I'd try.

CHAPTER
TWO

We went into overtime on the set but only for an hour and the wrap out was quick. I was home just after eleven with a full six hours before I had to be back.

My father was in the basement watching TV. I got a beer out of the fridge and went downstairs.

"What's this?"

"*Gunsmoke.*"

"You're not serious?"

He was sitting in his recliner a few feet back from the sixty-inch flat screen. The TV was the only thing in the basement made in the twenty-first century. The rest of the furniture, the shag carpeting, the wall panelling, and, I guess, me and Dad, were all from another era.

"New one."

"Is this on Netflix?"

"One of those, not sure which one."

"Is it dark and edgy?"

I sat down on the couch and put my feet up on the coffee table. The episode was just ending and the little box came up in the corner saying the next one would be starting in a few seconds.

"He's no Marshall Dillon," my dad said. "But it's OK. It's darker, yeah."

The next episode started and I said, "Are you binge-watching this?"

"What does that mean?"

"Are you watching a lot of episodes?"

"Not a lot," he said. "I think this is the third."

The credits rolled and I thought I recognized some of the locations, probably in Alberta. I might have remembered something from the DGC, the Directors' Guild of Canada, notices about filming there last year. Then I remembered people talking about it, someone saying a *Gunsmoke* reboot was scraping the bottom of the barrel, but a young PA said it was a surprise it had taken this long. I'll probably be working for that PA someday soon when he's a producer.

After a few minutes I said, "Did you ever know anyone who committed suicide?"

"Maybe."

"What do you mean, 'maybe'? Either they did or they didn't."

"Can't be sure," my dad said. "Did you ever meet Lloyd Murphy? I worked with him at the Hearn."

"No, I don't think so."

"Anyway, he died in a car accident."

"That's not a suicide."

"Single car accident," my dad said, "up on Highway 6, near Owen Sound, slammed into an overpass."

"Why do you think it was suicide?"

"I don't know, I just wondered."

"Did it seem like something he'd do?"

My dad finished his beer and put the empty on the floor beside a couple of other empty bottles and said, "Not before, not at all. But after the accident, I don't know, I started to think, yeah, maybe. The cop said there weren't any skid marks or anything, never hit the brakes."

"Maybe he fell asleep."

"That's what they said. But back then, you know, his wife would've lost a lot of insurance if it was suicide, so the cops said it was an accident."

"What about the coroner's report?"

"What am I, *Law & Order*?" He motioned at the TV. "I don't know, they probably would've called it an accident, too, nobody likes insurance companies."

"Yeah, I see what you mean."

"Probably happened a lot," my dad said. "Suicides called accidents. Why? You're not having any crazy ideas are you?"

"Me? Why would you say that?"

"I don't know, because, your life is so crappy."

"My life isn't crappy."

He shrugged and looked away.

I said, "Are you going watch many more episodes?"

"I don't know, maybe."

"OK, well, try not to fall asleep down here."

I got up and started for the stairs and my dad said, "I guess you're right, the fun never ends with you."

When I was in bed I couldn't get to sleep so I Googled "middle-aged male suicide" and found out what Barb Mercer said was pretty much true. The articles I read had headlines like "Why Suicide Rates Are Rising for Middle-aged Men" and "Suicide Rates Are Highest for Men in their 50s" and "Middle-aged Male Suicide Rates Rise by 40% Since 2008."

Then I tried to tell myself at thirty-eight I had at least twelve years before I had to worry, but for some reason it still took me a while to fall asleep, and when my alarm went off I had to drag my ass out of bed.

The sun was just beginning to rise when I drove along Danforth Avenue's deserted storefronts at dawn and passed a row of orange cones three blocks long. At the end of the row was a Ford Focus. I tapped on the fogged driver's side window and woke up Harriet Cheung, a location PA who'd been there all night.

The window slid down and she said, "Hey Gord," and yawned.

I handed her a coffee and said, "Everything OK?"

She was in her mid-twenties, still a little excited to be working on a real movie but reaching the point of not showing it. A lot of the older guys on the crew have no time for the kids — usually called Humber Kids because they often graduated from the film program at Humber College — but I've seen enough of them move through the ranks to become production managers and line producers who hire me to at least be polite.

Harriet took the coffee and then opened the door

and stepped out of the car and said, "Yeah, everything's good. Craft services here yet?"

"Just setting up."

I looked down the long row of orange cones and imagined the dissolve to later in the day when there was a line of trucks and Winnebagos and big lights set up in front of the bar and about a hundred people very busy working.

Then that dissolve seemed to happen and it was lunch.

I found Lana in her trailer office eating a bowl of butternut squash ravioli and staring at the screen of her laptop. She didn't look at me when she said, "My aunt is very happy that you're going to help her."

"I hope she's not expecting much in the way of results."

"A little closure would be nice." She turned a little towards me and said, "And don't ever tell any of these writers that there's no such thing as closure or they'll lose the only way they can figure to motivate any of these so-called characters."

"You read these whole scripts?"

"I can't just scan the loglines for locations."

"Movie Magic pulls them all out for me," I said. "Gives me a list. But still, there's no reason to read the dialogue."

Lana said, "So, what's up?"

"I just wanted to let you know I'm taking off for a couple of hours. Everything's covered here."

"Where are you going?"

I felt silly as I said it, but I said, "I'm working on your aunt's case."

"He was a good uncle," Lana said. "Thanks."

———

As I was driving across town I was thinking how Lana had said he was a good uncle, not he *is* a good uncle.

If I was scouting for a bland building in a bland industrial park near an airport, this one would be perfect. And yet, still hard to find a place to park.

But I found one and walked into the office of OBC Security Inc., which sounds as innocuous as the building it's in until you find out the inside joke — OBC stands for Old Boys Club and the two men who run it are retired cops with very good connections. Which maybe sounds good if they were ever on the side of the underdog, but they never are. Say you're the millionaire owners of a nightclub and your steroid-head bouncer threw someone out onto the sidewalk and broke their back and now they're in a wheelchair and you don't want to pay a cent to help out with renovations in their bathroom or a ramp in their house or anything at all, OBC are the guys you call. They'll find something wrong with the arrest report or something in the victim's background that makes them a lot less sympathetic.

I sometimes did freelance work for them, background checks, surveillance, that kind of thing.

As I was heading through the parking lot to the front door I saw one of the OBC partners, Chris Simpson, coming out the front door and heading to his black Dodge Charger, and he saw me.

"Hey Gordo, what're you doing here — now you can't find movie work in the summer, too?"

"It's P.I. work."

Simpson said, "So you're not scouting a location here?"

"No."

He started to walk away but then he stopped and looked back and said, "That's not a bad idea, though, a location scout P.I. series, that could work."

"No," I said, "Lana already pitched it, no one wanted a show set in the industry." Even Simpson knew I meant the movie industry.

He said, "Yeah, but what if the P.I. wasn't you, what if he was good-looking? And a guy people liked."

"Like Rockford," I said. "But also a location scout."

Simpson smiled and said, "Yeah," like he'd just thought of it.

"I think that was Lana's pitch exactly."

"Well, you should keep working on that, might be something there."

I said, OK, will do, and opened the front door of the office.

If this was a movie, the OBC tech would be a woman in her twenties, wearing horn-rimmed glasses, who knew everything about comic books or vampires. Probably, but not necessarily, Asian.

The actual tech was another ex-cop, a white guy in his forties, who if he had an outside interest, I was scared to ask what it was.

I knocked on the top of the wall divider on his cubicle and said, "Hey Teddy."

"Gordon R. Stewart, look at you in the summer."

"It's only May, it could still snow."

"Don't even joke about it." He stood up and we shook hands and he said, "You want a coffee, I'm buying."

I followed him through the maze of empty cubicles to the break room. He said, "What kind you want?"

"Didn't you like it better when you just got black coffee?"

"Sitting in a Crown Vic all night doing surveillance, pissing in a cup? No, I have to say, I like this better. You want chocolate coconut? Salted caramel? French Vanilla?"

"What's the closest to just plain coffee?"

Teddy thought about it for a second and then looked over the rack of single-serve pods and said, "Got one here called Doughnut Shop."

"That sounds like it."

He popped it in and the machine jumped to life, gurgling and hissing away.

"So, what brings you in?"

"I'm on a . . . case."

"You can just say it, you know — you're working a case." He handed me my cup and started out of the room.

"You're not having one?"

"Eight is my limit. At least till coffee break this afternoon."

As we walked back to Teddy's cubicle, I said, "My boss asked me to help her aunt. Her husband is missing."

Teddy grabbed a chair from an empty cubicle and wheeled it the rest of the way to his desk. "Your boss's husband is missing?"

"Boss's aunt's husband."

"So her uncle?"

Sitting down I said, "Yeah, that's it, my boss's uncle."

Up until then I'd been thinking about him as Lana's aunt's husband. I guess that made him seem less connected in some way.

Teddy was already typing on his keyboard and looking at the monitor on his desk. "OK, name, DOB, SIN, the usual."

"Kevin Mercer. Middle name William. Born October 10, 1963. Here's his social insurance number." I held up my notebook for Teddy.

"So he's fifty-seven."

"Is he? OK, and here are some bank statements."

Teddy looked at the paperwork and said, "Joint account?"

"Yeah. But he had a couple of credit cards in his own name — Home Depot, Costco, that kind of thing."

"And there's been no activity?"

"Nothing." I drank a little coffee and had to admit it was better than most doughnut shops I'd ever been in. Maybe it was just hotter. "All signs point to suicide but the wife wants to be sure."

"Well," Teddy said, still pounding on the keys, "he does fit the profile."

How come everyone knew this profile except for me?

I said, "Yeah, so I've heard, but if there's anything you can find, I'd really appreciate it."

"Is this pro bono?"

"What makes you say that?"

"I'm looking at the bank statements, these are working people. I mean, they're doing OK, they've mostly paid the mortgage on the house and they own the truck outright, they're not living hand to mouth, but there's not a lot here."

"There's a little for your time."

Teddy waved it away. "Don't worry about it, this place could stand to do a little pro bono."

"Well, thanks," I said, "I appreciate it."

And then a male voice said, "You better appreciate it, you should appreciate any scrap that falls your way."

I turned towards the voice and said, "Hey Mick."

"What happened, you make eye contact with the movie star and they fired your ass?"

"I can avert my eyes like nobody's business," I said.

Mick was smiling, in a good mood. He was about my age and one of the few guys at OBC who wasn't a retired cop; he'd left the force because he could make a lot more money in what he always called "the private sector." There were rumours that maybe he got out before he was pushed, but there are always rumours.

He said, "You here for the Emery case, welcome aboard, man."

Teddy said, "No, he's not."

I didn't really want to talk about it but it was clear Mick did. He said, "You heard of it, right?"

"Yeah, of course." It was all over the news for a couple of days before the spin doctors got hold of it and it pretty much disappeared. "Big-time tech billionaire. Mr. Start-up, gets charged with rape, it's a big deal."

Teddy said, "I don't think he's a billionaire, just a millionaire."

Mick said, "Multi."

I shouldn't have, but I said, "Yeah, I heard it was multiple rapes."

Mick looked at me for a moment and I thought he was going to tell me how sorry he felt for me, but he just said, "Multi-millionaire. He can pay his bills."

I said, "There's going to be a lot of them," and that got Mick smiling again.

"You know it. This thing is huge, we're going to be working on it day and night, billable hours like crazy. Simpson is already looking at cottages in Muskoka."

"Good for him."

"Could be good for you, there's going to be more work than we can handle, we'll be bringing in a lot of freelancers."

"He's not just going to pull a Weinstein and resign? Spend a little time at some super-expensive rehab centre?" I didn't make air quotes but I was tempted.

Mick said, "No, that trend is over, that giving-in bullshit, that's done. Now you make these accusations you better have some real proof."

"That's where you come in." I knew he wouldn't get my dig about what he'd be doing to keep any real evidence out of court, and he didn't.

He said, "That's where we come in, yeah." He motioned a little to Teddy and then to me. "There's three girls so far."

At first I thought he meant three women freelancers but then I got it and said, "I heard it was two victims?"

20   "Victims," like it was a dirty word. "Accusers. Three so far, that's what we're working now but it looks like there'll be more coming out of the woodwork. And we're really working them, we're going back through their lives like you wouldn't believe."

I didn't tell him I'd believe it, I wouldn't even be a little bit surprised.

"These chicks ever skipped a day of grade school, we know about it. Every guy they ever fucked, we got him." He leaned a little then, like we were sharing a secret and said, "One of them also sleeps with chicks. Not even hiding it. Don't know why she even bothered getting in on this."

If it was a movie and I was the hero I would've said, "Because she got raped," and if my part was played by Matt Damon or Jason Statham or someone like that and he kept at it I'd have punched Mick, but we were standing in a nice office in the middle of the day and I reasoned that I needed the information these guys were going to get for me, so I said, "Well, maybe the guy did it and he'll go to jail," and Mick laughed, thinking I was joking around with him, and said, "You know it," and started walking away.

When he was gone Teddy said, "There are going to be a lot of hours billed if you need the work. Someone's going to do it."

I said, "Yeah, I bet. Thanks. And if anything comes up?" I pointed at the computer monitor.

"You'll be the first to know," Teddy said. "Well, you'll be the only one to know."

———

Driving back to set I figured with the information Teddy would give me — which would be nothing — and a couple of talks with cops in Sudbury and maybe a couple of interviews with friends of Kevin Mercer, it might be enough to be an investigation and then Barb Mercer could put it to rest and move on.

As soon as I thought that I caught myself. Lana was right, of course — there wouldn't be any closure or any real moving on, Barb would live the rest of her days in the same way whether she believed her husband killed himself or that he just left.

Or maybe not, maybe if I tried hard enough I could convince myself that the rest of Barb's life would be different if she knew one way or the other; it would be better somehow.

Why not, I spend my life finding things that people believe are something else; a bar in Toronto is in New York, the front of a house propped up on an empty lot in Oshawa is a haunted house in Maine in 1955, half of downtown is the Suicide Squad's Midway City.

As I was pulling into a spot on a side street we were using for crew parking, my phone rang. It was Teddy.

He said, "I've got a question."

"What is it?"

"Where was the last place this guy was seen?"

"I'm not sure, he drove up to about a hundred clicks north of Sudbury and walked into the woods."

"That's where they found his truck?"

"Right."

"But when was the last time someone identified him?"

I wasn't sure exactly what he meant. "His wife saw him on the morning of the 8th and the police found his truck on the side of the road two days later."

"And his credit card was used on the road, he stopped for gas and lunch on the way, right?"

"You've got the statements," I said.

"Yeah, I was just wondering," Teddy said, "the last time he used the card was at a gas station in Sudbury?"

"If you say so."

"Then he drove about a hundred kilometres north, it's just woods up there, it's not even a highway, it's an old mining road."

I said, "That's right."

"And he stopped in the middle of nowhere and walked into the woods, that's the theory?"

"Yeah, that's it. It all fits," I said, feeling bad again, realizing that Barb would never get anything more because she already had everything and just didn't want to believe it.

"He also used the card at an Esso station about a hundred clicks south of Sudbury, spent a hundred and eighty bucks."

"Sounds like he filled it up," I said.

"That's what I thought," Teddy said. "I imagine that's what the cops thought, too. How far could he get with a full tank?"

"I don't know," I said, "five or six hundred kilometres."

"So two or three times as far as he drove?"

"That's right."

And then Teddy said, "And he spent a hundred and ninety at a station in Parry Sound. So tell me, why do you think he spent another hundred and seventy-five dollars at a gas station in Sudbury?"

"I don't know, he just wanted to be sure," I said.

Teddy said, "That sound likely to you?"

And I had to admit, it did not.

CHAPTER
THREE

There was no one in line at the craft services truck when I got there and Diego said, "Hey Gordo, you want a latte?"

I was going to say, no, I'd had enough coffee for the day, but it smelled so good, so I said, "Yeah, please."

"Pastry?"

"Sure." Sometimes I really liked working on set.

A grip came into the truck and said, "Looks like lots of overtime tonight, you got any more doughnuts?"

Diego said, "You bet," and I wondered if he ever got pissed off.

I took my latte and delicious pastry outside and walked around back of the craft truck looking for a quiet place away from what would no doubt become an angrier and angrier crew as the day got pushed later and later, and I heard someone crying.

It was soft but steady, as if they were listening to someone take way too long giving way too many details of some very bad news.

Before I could turn around and walk away, which I was definitely going to do, I saw her.

And she saw me.

I started to say, "Ah, hi, um . . ." and she said, "Are you OK?"

"Yeah, are you?"

She had curly red hair that made me think of the redhead from *Dazed and Confused* and she looked like she was dressed for a date in the '80s, bright yellow jacket with shoulder pads, sleeves rolled up, and a shiny green blouse. She said, "I'm just running lines."

An actor.

I said, "Oh, sorry, didn't mean to interrupt."

"Just sounded like crying, right? Babbling?"

"It sounded like someone was breaking up with you," I said. "And they were taking too long."

She smiled. "Yeah, that's it exactly." She glanced at the script in her hand and then back to me and said, "I'm just background, really, I don't have any lines but I'm trying to time my sobs around Ryan's lines. How fast does he talk, do you know?"

"Sorry, no idea."

"Probably pretty slow, probably *ee-nun-ci-ates*."

"I wouldn't know."

She squinted at me and said, "You look familiar."

"I have a familiar look. Bland white guy."

"That's true," she said, "but it's not just that. I had a couple days on *Star Trek*, did you work on that?"

"No, it's mostly green screen, not much location scouting for strange new worlds at the far end of the universe."

"Not even way out in Scarborough?"

"No."

She said, "The original show used New City Hall. Just a still, though, so I guess there was no location scouting. You're a location scout?"

"Yes."

"I'm pretty sure we worked on something together."

I said, "I'm sure it's possible."

She held out her hand and said, "I'm Ethel."

I shook her hand and said, "Gord," and she smiled and said, "Of course it is."

An assistant director, a young woman wearing a headset and carrying a clipboard walked by the craft truck yelling, "Five minutes, we're up in five minutes."

Ethel said, "My big moment." She stopped as she passed me and leaned in close and said, "Nice to meet you, Gord," and I was hit with the smell of Herbal Essences shampoo and taken directly back to Thomson Collegiate.

I turned and watched her walk away and saw Lana coming towards me.

"Do I have to have the talk with you again?"

"She started it."

"Never talk to the talent. Don't even look at them."

"I know, I know." But I watched Ethel walk along the row of Winnebagos and trucks and turn into the bar. I said, "She looks familiar."

"From the commercial, she's the quirky friend."

"I don't know that one."

"She's always the quirky friend," Lana said. "Anyway, how's it going, did you find out anything?"

"Maybe."

"What do you mean, maybe?"

"It's probably nothing."

"I didn't really think there'd be anything."

"It's probably not anything."

"But it might be something."

"No, I don't think it's something. It's just not nothing."

"What is this," Lana said, "*Seinfeld*? Just tell me what it is!"

I finished off my latte and looked around for a garbage can. Putting out the garbage cans and emptying them was Locations' job and it looked like my own department was slacking off. "I checked your uncle's credit card receipts and it looks like on his drive up to Sudbury he bought more gas than would fit in his truck."

"Maybe he bought something else, maybe he bought lunch."

"No, it was more than that and at a few different gas stations."

Lana said, "How much more?"

"Like, a couple hundred bucks more. At four gas stations. But like I said, it's probably nothing."

"It does sound like it could be something."

I agreed, it could be something. "I'm checking more credit card receipts, he didn't go over his limit and the charges were all pretty normal-looking at first glance, each one on their own, it only started to look like something when you added them up." I didn't think Teddy would mind me taking the credit for this.

Lana said, "What do you think it was?"

"Probably nothing."

"But maybe something."

"Yeah," I said, "maybe something. I'll check it out."

Lana gave me an odd look and I realized she was pleased.

I said, "What?"

She shrugged and said, "Good work."

"It's probably nothing."

"But it might be something."

I walked back to my car but took the long way and stopped by the set, or as close as I could get to it with the big crowd of crew members on the sidewalk.

The location manager, my department head, MoGib, stepped up beside me and said, "What's up?" He looked worried.

I said, "Nothing, I'm just checking in."

"Nothing's wrong?"

"No."

"I don't think I've ever seen you so close to set."

Through the crowd and the big lights on the sidewalk aimed into the bar I could see the actors, the two stars, sitting at a table in the window. They were both looking at their phones.

I said, "Overtime for sure?"

"We already called it, didn't you hear?"

I was really just making conversation, trying to see Ethel in the background and as soon as I realized that I caught myself. What was I doing?

I said, "OK, cool. I may have to leave again, I'm still working on this thing for Lana."

"Take it easy on her," MoGib said, "I don't think she expected it to take eighteen hours to shoot two pages of dialogue on a closed set."

"How much is left?"

"Page and seven-eighths."

The 1st AD started calling people into place and the two movie stars put down their phones. In the background I saw Ethel sitting on a stool across a small table from another woman. They were both leaning in and whispering and laughing a little and then when the call came from the AD, they both sat back and looked deadly serious. I was watching Ethel and the other woman so closely as they took each other's hands and Ethel started to cry and shake her head and the big, curly red ponytail shook and I didn't even notice the movie star stand up and walk away from the table until the AD yelled, "Cut!" and everyone relaxed.

MoGib said, "We're not going to get this today, we'll be back here tomorrow. Looks like we're moving all the locations a day."

I said, "We're ready."

But I could feel the tension on the set, one of the many reasons I usually never went near it, and I walked away.

———

In my car I looked up the number for the Esso station on Highway 69 and gave it a call.

A woman answered, "Bill's."

I said, "Hi, I'm doing a little research and I was wondering, do you do cash advances?"

"Yeah, of course."

"Do you have a limit?"

"Five hundred bucks. What's this for?"

"I'll have to call you back."

Pretty much what I expected. I got out my iPad and looked at the credit card statements Barb Mercer had forwarded to me. The same ones I'd given to Teddy without noticing anything. Looking more closely now I saw quite a few purchases that seemed to have a hundred or two hundred dollars added.

Kevin Mercer had probably gotten cash advances for days or even weeks before he left, spread them out over many purchases so they'd blend in on his statements and wouldn't be noticed.

He was saving cash for something and it likely wasn't to walk into the woods and shoot himself.

CHAPTER
FOUR

The passenger door opened and the woman said, "What a day."

She was sitting down and pulling the seatbelt over her lap before I could say anything. She looked at me and said, "I've got lines now. Yeah, I know, amazing."

I said, "What are you doing?"

"They said we'd get a drive home because we went so late."

"That would be the Transport department. I'm Locations, remember?"

She wasn't wearing the '80s jacket with the shoulder pads, but her red hair was still a big afro, so I guessed it wasn't a wig.

"Don't say it's not your department," Ethel said.

"Well, it's not."

"So now part of the scene will be me, a close-up, delivering lines."

I slid my thumb along the screen of my phone and said, "I'll call Transport, get you a ride."

She said, "Really?" and I said, "What?"

"Well, that just seems so lame, 'not my department.'"

"Strict ordering of departments is how we're so efficient on set."

She laughed.

Then she said, "It's not even that far."

"It's not Liberty Village?"

"Do I look like an app developer?"

"I don't really know what that is," I said, "so maybe you do."

"Yeah, you're right, maybe I do, I don't know what they look like, either, but I don't look like I live in Liberty Village, do I? Don't answer that. It's in the Beaches."

"You don't look like you live in the Beaches, either." I started the car and put it in drive, pulled away from the curb, and said, "What street?"

Ethel said, "Kenilworth. I used to say the street with the Lick's hamburger joint on the corner, but now it's got a condo building and a Starbucks and I can't really say the corner with the condo and the Starbucks, because that would be all of them, wouldn't it? Anyway, I can look Beaches — I put on my yoga pants, you give me a dog and a baby stroller."

"I don't know about that."

"Shows what you know, that's exactly what I look like in the Bell commercial." She was so happy she was babbling. "It's not my best look, that's true. It was a bit of a shock when my agent started sending me for mom parts, you know? She told me it was good, I could play older, give me more range, but of course she'd say that."

I said, "Of course."

"So this is great, I'm back to quirky friend, that's really my wheelhouse, but now I have lines."

"You had lines on *Murdoch Mysteries*."

"Oh yeah, that was fun, but in that costume and that accent." She turned sideways and looked at me and said, "You recognized me?"

"I looked you up."

"Well, isn't that something."

"You're on the call sheet," I said. "It wasn't exactly detective work."

I turned off Woodbine onto Queen East, condo buildings on three corners and a Pizza Pizza on the fourth, what could be more Toronto, and she said, "My lines will probably get cut in editing."

I said, "Probably. But there's always next time."

"Yeah, at least now I believe there will be a next time. How many shows were you on before you were confident there'd be another one?"

"I always think this will be my last one," I said. "Or at least that's the dream."

"You don't like it?" Before I could say anything, and for a moment I thought I was going to let the truth spill and admit I actually did like it, she said, "Everyone pretends they hate it. Everyone pretends they're not star-struck at all. Like you're not going to go home to your wife and say, 'Oh, sorry I'm late, that jerk Ryan Reynolds couldn't deliver a single line.'"

33

"I'm not married."

She was looking at me sideways and she smiled a little and said, "Isn't that interesting."

"Are you north of Queen?"

She was still smiling a little, letting it drag out, and then she said, "Yeah, just north, right-hand side."

The street was lined with parked cars, of course, the houses that weird mix of old, solid brick single-family and duplexes that had been divided into even more units. I followed her directions and stopped in front of a driveway that served a house on each side and said, "Nice place."

"I've got the basement, so not that nice, but almost affordable."

"Well, now that you've got the range to be the quirky friend and the Beaches mom."

She said, "And who knows what's next, crazy aunt all the way to grandma."

"Sounds like a career plan," I said.

"Could you let my mother know I finally have a plan." She started to open the door and said, "See you tomorrow. And maybe the day after if that jerk Ryan Reynolds doesn't start getting his lines right."

"Yeah, see you." I watched her until she'd unlocked the side door of the old brick house and looked back at me. She tilted her head to one side and for a second I thought she was going to invite me in, and I would have gone but then she pushed the door open and went inside.

I drove back to the set convincing myself that it was better that she didn't invite me in. She was so excited about getting lines in the movie, that's all she'd really be thinking about and it would have been a one-night stand. This way, there might really be something between us that had a chance.

The movie business is built on the suspension of disbelief.

On Danforth the wrap-out was winding down. The above-the-line — the director, producer, and movie stars — had left the minute the final "cut" of the day was called and the grips and gaffers had been quietly packing up for hours, knowing they'd be right back in the same place tomorrow so the street was pretty quiet. I made sure the location was locked down and the rest of the department was finished up and had their call sheets for tomorrow. Another early start and probably another late finish. A lot of the crew would appreciate the overtime, though they'd never admit that.

When I got home the house was dark and my father was asleep. I got a beer out of the fridge and sat at the kitchen table and went over the notes on my iPad. I read the emails from Barb Mercer again and copied and pasted the list of Kevin's friends she'd sent into the notes app.

Three names. That was it, that was all she could think of as his friends and she wasn't sure when the last time he'd seen any of them had been. She'd found email addresses for each of them and I wrote asking about the possibility of getting together to talk about Kevin and sent it to each one.

Then I sat at the table and finished the beer, thinking back to when I'd first started working on set and there'd be beers waiting for us at the end of a long day while we wrapped out. My first professional movie shoot was *Mean Girls*, and I remember how good the beer was. I still haven't seen the movie. And I don't know if some crew member actually got in a car accident on the way home late one night or what happened, but now there's a rule against any alcohol on set, some kind of health and safety thing.

Still, I liked a beer at the end of the day. Even one of my father's Labatt 50s.

When I finished I put the empty bottle in the case under the sink and before I went to bed I checked my email and was surprised to see a response from one of Kevin's friends, Michael Cernak. He was up late.

His email said he'd be happy to talk to me.

———

There's a Mike Myers Drive in Toronto, in the suburb of Scarborough, which when Mike was growing up there in the '70s and '80s was its own city before amalgamation. *Wayne's World* may have been set in the suburb of Aurora, Illinois, and filmed in Covina, California, but in Toronto we knew it was all really happening in Scarborough.

The scenes in Stan Mikita's Donuts were filmed in a place called the Crab Pit on North La Brea Avenue in Inglewood, but, come on, it's Tim Hortons, there's one on every corner in every Canadian suburb. In the movie, the club, the Gasworks, was on Industrial Avenue in L.A., but in Toronto in the '80s, the Gasworks was a legendary club on Yonge Street. Probably a condo building now, I haven't scouted Yonge since *Suicide Squad*.

But Mike Myers Drive isn't typical of Scarborough in the '70s and doesn't look like the street lined with

36

bungalows where Wayne and Garth were playing road hockey. Mike Myers Drive is a new street built on land that was once a big factory — an auto plant, maybe, or appliances or something — before all the manufacturing moved away and it became residential. The houses on the street are shoulder to shoulder, with no front lawns, just driveways and basketball nets over garage doors. There's even a sign that says, "No ball or hockey playing on the street," which seems like something Wayne and Garth would have knocked off the pole with their sticks.

I found the address I was looking for and a parking spot right in front. The street was quiet.

The front door opened before I'd even knocked and the guy said, "You Gord Stewart?"

"I am. Are you Michael Cernak?"

He held out his hand. "Mike. Come on in."

He led the way into the living room, which was small and neat and looked like no one ever used it.

"You want a coffee?"

"Sure, if it's no trouble." I didn't really want any but I figured if he was busy doing something familiar, he wouldn't be nervous and the conversation would be easier.

"No trouble at all, what kind you want?"

We'd walked through to the kitchen at the back of the house, looking out over the tiny backyard, and Mike was motioning to one of those single-cup coffee makers.

37

I said, "Have you got Doughnut Shop?"

"I've got Tim's."

I sat down on one of the stools on the dining room side of the counter and said, "Perfect."

"So," Mike said, "Barb still doesn't believe it?"

"Do you?"

It seemed to take him by surprise. "Why not?"

"Did it seem like something Kevin would do?"

"Are you kidding?"

The way he said it, I wasn't sure. I shrugged a little.

"Maybe if he'd parked in the garage and left the engine running it would have been easier on everyone."

That seemed like an odd thing to say. I said, "Why do you think he didn't do that?"

Mike put a mug of coffee down on the counter and slid it towards me and said, "Maybe he didn't want to clean out the garage enough to be able to get the truck into it?"

I said, "What?" before I realized he was making a joke.

"Honestly," Mike said, "I think he didn't want Barb or the kids to find him."

"You think he was worried about that?"

"It's what stops me."

He was staring at the coffee maker, waiting for the single cup to brew. The kitchen was quiet. The little backyard was quiet.

I said, "Do you think about it a lot?"

"Tell the truth," he said, still staring at the coffee maker, "not so much since Kevin did it."

38   "Did you guys talk about it?"

"It came up." His coffee was done and he pulled the mug out from the machine and turned to look at me. "Not often, you know, wasn't a big topic of conversation, but we knew each other a long time, so . . ."

I waited while he took a drink of coffee and stared out the window over the sink into the backyard.

He said, "They'd be better off without me."

He nodded a little after he'd said it, like he'd just come to a decision he knew was right. Then he turned and looked at me and said, "That's the one."

"The what?"

"The argument we can't talk ourselves out of." He drank some more coffee.

I said, "Did Kevin say that?"

"Sure. We all do." He turned from the window and looked at me. "I don't mean we get together and bitch about it, but the — that's part of the problem, isn't it?"

"I heard that, yeah," I said.

"Once you start to feel useless, especially when the world thinks you're this all-powerful thing, you're a man, you're in charge, what you say goes, you get what you want when you want it."

"You do?"

For a second it looked like my joke made him really mad but then he pursed his lips a little and said, "Did you know that around seventy-five percent of suicides are men? Over fifty a week in Canada."

"I saw that," I said, "in one of the articles I read. Someone called it the silent epidemic of male suicide."

Mike nodded. "Professor Dan Bilsker of Simon Fraser University." He walked to the little dining table and picked up a tablet. "I read this a while ago, but when I got your email last night I looked it up again." He read from the screen, "'Sadly, when men and women attempt to organize discussions about issues affecting men's mental health, they are sometimes met with hostility. This seems to be based on a misguided notion that men are already privileged in society and thus unworthy of attention.'" He looked up at me. "Do you feel privileged?"

"Honestly?" I said. "Yeah, I do. I mean, things don't always go my way, but when they don't it's because of me personally, not what I am."

"You know what you are?"

I said, "Yeah, I do."

"You're disposable. You're a front-line grunt. You're labour, you're a tool."

I tried to lighten the moment with a smile and said, "I've been called a tool, that's for sure," but he wasn't taking it.

"You're nothing more than a hammer or a saw. You break or you're not needed anymore and you get tossed out with the trash."

"That's everybody," I said.

He looked at the tablet and read, "'This creates a paradoxical situation. Research indicates that silence is detrimental to men's mental health. But attempts to discuss men's issues face obstruction.'"

I wanted to say, yeah, of course there's obstruction, because those men's rights guys are such assholes, but I just nodded and said, "So you think that's what Kevin did?"

"Like forty-nine other guys that week."

I drank some of the coffee to buy a little time and then said, "OK, all that may be true."

"It is."

"But let's suppose there might be a reason to think Kevin isn't one of those guys."

"He is."

"But he might not be. I've got some places to look."

"You're disgusting."

It took me by surprise and I said, "What?"

"Taking Barb's money, giving her false hope." He put his coffee mug down so hard some spilled over the rim. "I hope you haven't talked to the kids."

"No, I haven't. And I'm not taking her money."

"You're doing this for free? What kind of private eye are you, this some kind of sick thrill?"

"I'm still on the clock on a movie production. I'm a private eye but I'm also a location scout. I work on movie sets, that's how I know Barb's niece, Lana."

Mike did seem to soften a little then, but just a little. "You're not taking any money?"

"She offered me his truck, but I don't need it."

Mike shook his head. "She having trouble with the insurance?"

"I don't really know the details, it's none of my business. I was just wondering, did he ever talk about living somewhere else?"

"No."

I drank a little coffee, Mike drank a little coffee. I said, "He ever mention someplace he wanted to go? Someplace maybe he wanted to go when he was younger and never made it?"

Mike said, "No." But then he thought about it for a moment and said, "He went out west right after high school. It was the thing to do, I guess, go work in Alberta."

"On an oil rig?"

"That might have been his plan," Mike said. "Or a logging camp in B.C., something like that."

"How long was he there?"

"I'm not sure, couple of years."

"But he talked about it?"

"He had a few stories, you know, but it's not like he ever talked about going back."

I said, "Never talked about that?"

"No." Mike walked back to the kitchen sink and looked out into the backyard. He said, "Look, I'm sorry I'm an asshole about this. I thought you were trying to get money out of Barb."

"Hey, don't worry about it."

"And, you know, I've been going through it, too. Like I said, I've thought about it."

"Well, I hope you don't do it."

He turned a little and looked at me. "It does feel different now that Kevin did it."

"And people aren't better off without him."

Mike shrugged. He wasn't completely sold on the idea, but I hoped there was enough doubt there to keep him thinking and not doing. I said, "All right, well, thanks for your time."

Walking me to the door, he said, "One of Kevin's stories was about seeing a guy get killed."

"Murdered?"

"No, it was an accident on a job site. Construction site, an apartment building, I think. The guy fell off the tenth floor."

"That's something to see," I said.

"Yeah, Kevin was right beside the guy. When he told the story he said it could have been him, you know, they were both just kids who didn't know what they were doing, both only on the job a few days."

"Yeah," I said, "he was lucky."

"Until he wasn't."

We shook hands and I walked out to my car.

I needed to make a call but I wanted to get away from the house. I don't know why exactly, but I just felt like I needed to be moving, like I needed to see the road passing under my wheels.

As I was driving away I thought it was a little odd that Mike Cernak was living in a house less than ten years old, and there was probably a story there, but I didn't need to know it. I discovered early on when I was scouting locations that people liked to tell you the history of things they knew — old buildings, restaurants, neighbourhoods — and it was a good idea to let them talk a little and ask them some questions before offering a rental fee. Most places have never rented to a film location and have no idea how much to charge. Sometimes I felt bad knowing the five grand a day we gave them might not even cover the damage the grips and gaffers would do to the place. I've seen guys cut two-foot holes in walls to set up lights.

Sometimes people told me so much I didn't feel bad at all. There are a lot of weird people out there.

I pulled into a strip mall parking lot and called Teddy at OBC.

He said, "Gordon Stewart, I was just thinking about you."

"I doubt that."

"No, seriously, we could use some help on this Emery thing."

"I'm not interested."

Teddy said, "It's easy money, man. They're throwing it around here. Mostly background stuff, but there is some talking to people, you know, like a friend — you're good at that."

And I was thinking, yeah, and none of your ex-cop bullies are, but I said, "I'll think about it."

"You do that. So what do you want? You're not asking for a favour, are you?"

"Well, I was, but not now." I listened for a laugh but didn't get any sense of it, not even slight amusement. I started to think maybe things were a little more tense at OBC than Teddy was letting on. "I was just wondering if you had any contacts out west."

"Yeah, sure."

It was quiet when I didn't say anything and when it started to drag on too much and I was about to say something, Teddy said, "We use Wakeland & Chen in Vancouver and Chinook Security in Calgary."

"Great, thanks."

"It might help you to use our name," Teddy said, and I got the strong feeling he'd want something in return.

"That would be good," I said, "thanks. I'm just wrapping up this movie, three more days, maybe I'll come out to the office and talk about the job."

"That would be a good idea," Teddy said.

I doubted that, but now I felt like I had to.

CHAPTER
FIVE

MoGib was sitting at his desk in the production office eating pad thai when I walked in and said, "How do you go about getting an assumed identity?"

"Depends on how much identity you need." He put the plastic takeout container on the desk and leaned back in his chair. "If you need the whole thing, a passport, credit cards, SIN number, driver's license, taxes going back a few years, that'll cost you."

I said, "I wasn't expecting an answer."

"Then why'd you ask the question?"

"I don't know, just making conversation."

"That's a weird conversation."

"It is. So, what if you don't need that much identity?"

"Just a Russian troll account? Like a bot?"

"Maybe a little more than that."

He waved the chopsticks around and said, "Like a name and address, that kind of thing?"

"Yeah."

"There's a website called Fake Name Generator, try that."

"How do you know that?"

"I know lots of things."

I said, "Aren't you going to ask me why I want to know?"

"I figured you're writing a screenplay."

"If I ever say I'm going to write a screenplay, would you please hit me in the face with a shovel?"

He smiled. "Be glad to," and went back to his pad thai.

I found a desk and opened up my laptop and typed "fake name generator" into Google. There were dozens of them: fakenamegenerator.com, fakename.com, datafakegenerator.com, namefake.com, Fake Identity ID Name Generator — which for some reason had the URL .elfqrin.com/fakeid.php — and lots more.

The one I clicked on first was an article headlined, "The Mormon Who Creates Billions of Fake Identities Every Month." I didn't think it could help me find Kevin Mercer, but come on.

"Suspicious NSA and FBI agents have contacted Jacob Allred about his websites, and Social Security Administration investigators, waving badges, have showed up at his door."

The article went on to say it was "a site that creates all aspects of a credible digital person: a name, date of birth, address, email, Social Security number, mother's maiden name, even a credible-looking credit card number with expiry date and security code. The identities may look real, but are entirely inventions, so are legal, a programmed figment of computer imagination."

I read it and couldn't help but think, yeah, but why? And what was this about a Mormon?

> In 2006, after finishing two years as a missionary for the Church of Jesus Christ of Latter-Day Saints, Allred was looking for something to do with his software engineering skills. Inspired by a rudimentary random address program he had used years before, he started fakename-generator.com. "I thought it'd be neat to do one that was more realistic," he says (and yes, he peppers his clean-cut conversation with words like "neat").

Sure, neat, but again, why?

> The names come from U.S. Census data of common first and last names. Allred also scraped dozens of foreign data sources and websites for a wide variety of nationalities, including Tunisian, Danish, Russian and Italian. He collects lists of city streets and ZIP codes and aligns them with real telephone area codes and the first six digits of phone numbers to make everything sync up realistically. For Social Security numbers, he follows past patterns to link numbers to state and date of issue, so that there is no obvious discrepancy with

what a real American might possess. Credit card numbers come from banks that do not exist or have gone out of business (but they do not work).

Then, finally, an actual reason to generate fake names and information:

Allred says some large batches are used by software engineers to test database systems, such as for new hospital administration software.

Though it did sound kind of lame.

So I tried it.

The website has easy to use drop-down menus. I chose "Gender: Male," "Name Set: American." It didn't have Canada as a choice there, but it did in the next drop-down, so I chose, "Country: Canada."

And instantly there was an identity.

Paul T. Deane
4769 40th Street, Calgary, AB, T2E 7T6

Mother's maiden name: Jennings
SIN: 727 402 505
Phone: 403-250-6034
Country code: 1
Birthday: May 6, 1994
Age: 23 years old
Tropical zodiac: Taurus
Email Address: PaulTDeane@teleworm.us
This is a real email address. Click here to activate it!

Username: Ableatifes
Password: reeg4Zei
Website: GunGroup.ca
Browser user agent: Mozilla/5.0 (Windows NT 10.0; WOW64) AppleWebKit/537.36 (KHTML, like Gecko) Chrome/56.0.2924.87 Safari/537.36 OPR/43.0.2442.1144

Finance

Visa: 4539 5203 8578 8061
Expires: 9/2021
CVV2: 407

Employment

Company: Handy City
Occupation: Dredge, excavating, and loading machine operator

Physical Characteristics

Height: 5'6" (167 centimeters)
Weight: 134.2 pounds (61.0 kilograms)
Blood type: O+

Tracking Numbers

UPS tracking number: 1Z F16 732 74 1634 130 9
Western Union MTCN: 0273907715
MoneyGram MTCN: 58412613

Other

Favorite color: Blue
Vehicle: 2010 Mercedes-Benz GL
GUID: 57ab077c-4a7f-4c03-bd7e-7f28024104d5

I said wow out loud.

The only thing I noticed that was a bit off was that addresses in Calgary have a quadrant in them: NW, NE, SW, and SE. I thought maybe this one didn't need one, but when I copied and pasted it into Google Maps, I was offered 40th Avenue NE and 40th Avenue NW.

I tried generating another identity using the same choices and I got Leonard L. Joseph, 3057 Bloor Street, Vermilion, AB, T0B 4M0. The address looked suspicious and Google Maps told me it didn't exist. 3057 Bloor Street West existed in Toronto, or technically Etobicoke, so I figured the addresses were real; they just didn't match the city. Random generator and all that.

But a little tinkering and in a few minutes you'd have something that looked like a good identity. And depending who Kevin Mercer was trying to fool, it might be plenty. He could probably pay cash at a cheap rooming house, get an under-the-table job; he was what my father would call "handy" and could probably do carpentry, plumbing, wiring, or roofing well enough to get by on a building site that didn't want to ask too many questions.

I opened up Word and started listing things I would put in a report for Barb Mercer. I put a 1 and a closed bracket and typed, "Probable cash advances from credit card purchases," and then I looked at the statements from Kevin and Barb's MasterCard and Visa, and from Kevin's Home Depot and Canadian Tire cards, and added up purchases that might have had a cash advance added to them in the last month.

It came to a little over thirty-five hundred bucks.

Not a huge amount but if he was frugal it would certainly be enough for a bus ticket to Calgary or Edmonton or Vancouver and a few weeks in a cheap rooming house until he got on with an under-the-table renovation or construction crew, which I guessed were just as common out west as they were in Toronto.

I wrote a couple sentences about my talk with Mike Cernak and how Kevin might be in western Canada and then I added a little about how easy it would be to get another identity and put in a link to fakenamegenerator.com.

Then I looked up the phone numbers for Chinook Security in Calgary and Wakeland & Chen in Vancouver and added those.

It was about a page. If I was actually working for OBC at this point I'd take out the numbers for the other detective agencies, pad the report out to about five pages, probably make quick phone calls to the other two guys Barb had mentioned as Kevin's friends and maybe, if the client was rich enough, actually get on a flight to Sudbury and interview the cop who found Kevin's truck and the gas station attendant who made the cash advance. Maybe there would even be CCTV of Kevin getting on a bus at the Sudbury depot.

Then someone from OBC, much more slick-talking than me, would convince the client to put up more money — thousands of dollars — and I'd fly out to Calgary or Vancouver and spend a few days in a nice hotel and then come back empty-handed. This might happen three or four more times, each trip making a tidy profit for OBC. But I wasn't going to do any of that.

I emailed the document to myself, so I'd have it on my iPad, and drove to the set. I'm sure there's another way to transfer or access the file from every device but whatever, emailing it worked.

———

Lana said, "This is what you're going to give to my Aunt Barb?"

"That's what I want to talk to you about."

We were standing on the sidewalk beside Lana's office trailer. There were crew members clogging up the sidewalk and sitting on the hoods of cars and the stairways up to other trailers eating subs, the evening food break called "substantials" in the contract that tonight I think were actual subs.

"Do you think these guys out west could find him?"

"Maybe, but it wouldn't be cheap."

"But they could do it?"

I said, "I don't know, I think so, but there's something else here besides the money."

"What?"

"Well," I said, "he doesn't want to be found."

A woman's voice said, "Who doesn't want to be found? Ryan? How long are we going to be here?"

I said, "Lana, this is Ethel," and I figured I'd have to say something about this being personal and I'll see you later, Ethel, and then I'd never see her again, but then Lana said, "My uncle went missing and Gord's been looking for him."

"Aren't you in Locations?" She was still in wardrobe,

the yellow jacket with the sleeves pushed up and the shoulder pads and black leather pants.

"That's what I keep telling people."

Lana said, "He's also a private eye. Has a license and everything."

"Really?" Ethel looked at me and said, "I had no idea."

"Yeah," Lana said, "and my uncle disappeared and Gord may have a lead on him."

Ethel looked at me and said, "Did you really say 'a lead'?"

"No, I didn't," I said. "And I don't really have one."

Lana held up my iPad I'd handed her earlier to read my report and said, "The police called it suicide because his pickup was at the side of a road up north and they think he walked into the woods and shot himself, but Gord found some evidence that maybe he didn't. Maybe he went out west."

I said, "Evidence is a pretty strong word," and Ethel said, "You think he pulled a Flitcraft?"

I said, "He might have, but I have no idea what that is."

She said, "Really?"

"Really."

"*The Maltese Falcon?*"

I said, "Of course, something from a movie."

"It's not in the movie," Ethel said, "just the book. The Flitcraft parable."

Lana said, "What is it?"

Ethel said, "Sam Spade," and looked at me and said, "a real private eye," and then looked back to Lana and said, "told the story about a guy named Flitcraft, who walked out of his office for lunch one day and never came back."

I said, "Not much of a parable."

"Years later, Sam Spade found him," Ethel said, "in Spokane. He'd just started up another life pretty much exactly like the one he left."

Lana said, "So that's what Uncle Kevin did?"

"Sure," Ethel said. "People do it all the time."

I said, "I don't know that they do it all the time. But that's not really the issue here."

Ethel said, "What's the issue?"

I glanced at Lana, not sure she'd want to discuss family business so openly, but she didn't seem to mind at all, so I said, "Well, what do we tell your aunt Barb?"

"What do you mean, we tell her this."

"But your uncle didn't just go out for lunch one day and not come back." I made a point of looking at Ethel who seemed to be amused and then I looked back at Lana and said, "He wanted people to think he killed himself."

Ethel said, "Why would he do that?"

"I guess so people wouldn't look for him."

Lana drank coffee and then said, "You really think that's what happened?"

"I don't know," I said. "Ninety percent?"

"So that's what you're going to tell Aunt Barb?"

I waited while a UPS truck went by and then said,
54 "If you want me to."

"It's what you think happened?"

"Yeah, it is."

"Well then that's what you should tell her."

"Are you sure? What if she wants me to keep looking? Or what if she hires a real detective?" I motioned to Ethel and said, "Detective agency, like the ones in my report. They really know how to keep a fish on the line."

Lana nodded and said, "I see what you mean."

It was quiet for a minute and then Ethel said, "She has the right to know what you found out, for sure. It won't give her closure because there's no such thing, but it will help her decide what to do next."

Lana said, "That makes sense." Then she looked at me and said, "Why didn't you think of that?"

"Maybe I was getting to it and I was just about to say it."

"All right, that's what you do."

"No," I said, "that's what we do. You have to come with me."

Lana said, "You're right, I should be there. We're going late again tonight, we're going to be sitting here for another six hours, we can go right now. Give me two minutes."

"We'll take my car," I said. "I'm parked on Strathmore."

Lana said, "OK, I'll find you." She turned around and walked up the three steps to her trailer office and went inside.

Ethel said, "The toughest part of the job."

"I don't usually deal with the clients," I said. "I usually just hand in a report."

Neither of us were moving and I wanted to ask her about meeting up later but I didn't want to sound creepy or pushy, and then before I could come up with anything, Ethel said, "Well, I better get to makeup, I guess we'll be going again soon."

I said, "Yeah. Is Ryan Gosling any better with his lines?"

"You mean Ryan Reynolds."

"I thought that was the character's name."

"You thought Ryan Gosling was playing a character named Ryan Reynolds in this movie?"

"Yeah."

"You know they're two different people, right?"

At that moment I wasn't sure, but I said, "Have you ever see them in the same room together?"

"Yes," Ethel said, "at the Academy Awards, everybody in the world saw them together."

"Oh, that's right."

"You really didn't know."

"Of course I did."

"Oh, I get it," Ethel said, "a joke."

I shrugged.

She said, "You keep working on it," and gave my shoulder a squeeze as she passed me and headed towards the makeup trailer.

I thought that was good advice.

CHAPTER
SIX

Now that she had lines, she wasn't just listed on the call sheet as one of the "background x 6" but as "Ethel Mack — Woman Crying." I figured if she got a couple more lines or Ryan Reynolds ad-libbed something about her that the director liked she might get a character name.

I was sitting in my car on Strathmore, the street that had been reserved for crew parking on the block north of Danforth, a street lined with old brick duplexes. Some of them still had Greek flags flying on the front porch even though the neighbourhood was more diverse now.

Like most actors trying to catch a break, Ethel Mack was all over social media: Twitter, Instagram,

Facebook, Snapchat, and I'm sure lots more I didn't know anything about. She was a feature performer at Second City, most recently in something called "Come What Mayhem," and also had a few posts ("Just letting you know there are still spots available in my teen improv workshop") that made me think she taught.

The door opened and Lana got in, saying, "Are you stalking her now?"

"I'm not stalking anyone, I'm not a grip."

"You know you can't date the talent."

I put the car in gear and pulled away from the curb. "Don't worry about it."

She smirked at me and said, "OK," and then, "You can take Victoria Park to the 401."

"What do you think I do all day?"

"I have no idea."

"When I scout locations, do you think I drive aimlessly around the city?"

"I think you use Google Maps."

"I've been doing this since before Google Maps was born, kid. There's still a Perly's in the glove compartment." Then I said, "Don't open it, I think there's a sandwich been in there since the last time I used the map. But I know the way."

I did take Vic Park and then Eglinton to York Mills and in twenty minutes we were pulling up in front of a nice suburban house on a quiet street in what used to be North York and was now part of Toronto, a little bit north of Don Mills, where all the original bungalows were being replaced by monster houses because the lots were so big and the city always sided with developers when people complained about the trees being cut down.

Lana said, "You do all the talking," and I was going to tell her it would be better coming from her, but Aunt Barb met us at the door, saying, "I knew it, he's not dead, is he?" and Lana said, "Doesn't look like it," and they really got into it for a while. Lana told her everything I'd found and everything I speculated and when they'd gone over it about five times, Lana said, "So what do you want to do?" and Barb said, "I want you to find him."

I said, "Are you sure?"

"Yes."

"Why?"

"So I can kick his ass."

I said, "Really?"

"You say this was planned?"

"I think so."

"And now he's living out west somewhere?"

"Most likely."

"I told you this is what happened, didn't I? I told you men just walk away from their lives."

"You did."

"You didn't believe me."

"I'm sorry."

She looked away and said, "Don't worry about it, no one did. Well, what do you think he's doing? Do you think he's got a job?"

I shrugged and said, "Like Lana said, he's probably working, picking up days when he can, under the table. He's not using his social insurance number."

"Why would he go out west to do that? Why wouldn't he do it here?"

"I don't know. There are theories, you saw them, you looked it up, it's got to do with feelings of shame and embarrassment, he feels like he's letting you down."

"Oh for Christ's sake, that's so stupid."

Lana said, "And there's no guarantee Gord can find anything more."

"Maybe if you give this information, the stuff about the cash advances and all that, to the police," I said. "They can look."

Barb said, "Do you really think they'll look?"

"They might."

We were sitting at her kitchen table, drinking the tea she had insisted on making for us and eating cookies. My guess was she watched a lot of British cop shows — they were always making tea and eating biscuits.

"No, they won't," she said. "They were positive he's in the woods."

I said, "And he might be."

"You know he's not," Barb said.

Lana said to me, "What do you think it would take for the police to look for him?"

I didn't think there was really anything that would get them to spend time looking for a fifty-five-year-old man who hadn't committed any crimes, but I said, "I guess if someone saw him."

"I put it on Facebook," Barb said. "People shared it all over but no one's seen him."

Lana said, "It doesn't take much for people to look

nothing like an old picture — get a haircut, grow a beard, start wearing glasses."

And, though I didn't say it, I was thinking guys like Kevin really were invisible if they didn't draw attention to themselves. There are millions of them in Canada so no one of them stands out.

"But someone saw him," Barb said. "Someone is seeing him every day right now. You said it, he's going to work."

"He might be."

"So you might be able to find him."

"I doubt it."

"But someone could."

She was talking herself into it. You didn't need to be a real detective to see where this was going, even I could see it, she was going to start paying people money so she didn't have to go on a wild goose chase. And I'd given her their numbers.

I said, "It's possible someone saw him in Sudbury. He had to go back into town after dropping off the truck and he had to buy a bus ticket. He might have spent a night in a hotel."

"And that would be enough to get the police to look for him?"

At best I thought it might get the police to open a missing persons file, but that might be enough to keep Barb from selling her house and giving all the money to OBC and Chinook Security, so I said, "It might be, yeah."

"Will you go to Sudbury and find someone who saw Kevin?"

Sudbury was a four-hour drive, due north. "I'm still working on this movie."

"That's OK," Lana said. "I can manage that."

I said to her, "And the expenses to Sudbury, it could take a few days."

"Yeah," Lana said, "I can work that out."

Barb took Lana's hand and said, "Thank you."

As Barb was showing us to the door, she and Lana got a little sidetracked looking at family pictures that were on the wall of the hallway leading to the bedrooms, so I walked outside and waited by the car.

It was a sunny, warm day, early May that felt like it might really be spring but the old-timers wouldn't plant anything in a garden until the long weekend on the 24th, May Two-Four, as we called it. Until then it could still snow. The street was quiet. I figured Barb and Kevin had lived in the house for years, twenty or thirty anyway, raised some kids. They probably thought it was a nice, quiet neighbourhood when they moved in and it probably still was. It was the kind of place I'd look for if the script described it as, "Working-class but very well-kept."

Lana came out of the house and as we were getting into the car, she said, "Don't worry, Ethel will still be there when you get back."

"I'm just worried about your aunt."

"So am I. This will help."

"It'll just drag it out."

"No," Lana said, "it'll help. You might get lucky and actually find him, but it's really just important that someone's doing something."

What no one was doing, I thought, was dealing

with the bigger issue here, the fact that if Kevin Mercer was alive, he didn't want to be found. He walked away because he didn't want to be here. It seemed to me that was the thing all this something we were doing was trying to avoid.

Then Lana said, "Sudbury will be a scouting trip."

"What for?"

"I'll send you the script. It's not terrible, it's called *Penn's River*. I'll take it out of that budget."

"I've scouted Sudbury a few times," I said, "wouldn't need to actually go there now."

"Hey, these American producers don't know that. Besides, it's a period piece, 1968. Well they travel to '68, it's an *11.22.63* rip-off."

"We shot that in Cambridge," I said.

"Which was supposed to be Maine. And Texas. This one is a mill town in Pennsylvania."

"Sudbury is a mining town."

"Industrial heartland," Lana said, "scout with that in mind."

Which I could have done with my existing files and photos. I said, "It's a bit of a risk, isn't it?"

"What, hiding a three-day trip to Sudbury in a twenty-million-dollar budget? I think I can handle that."

And that settled it.

CHAPTER
SEVEN

I'd spent a month in Sudbury last year. Actually, I was there for six weeks managing Locations on a Hallmark Christmas movie and each day felt like a month. No, it's a fine town, there's nothing wrong with Sudbury, I just don't like to be away from home.

There's a lot more filming in places like Sudbury now, and articles in the local papers always talk about how great the local crews are and the unique look of the place and that's all true but, of course, the real reason the filming is going on there is about money. The low Canadian dollar and the labour tax credits bring the productions to Canada and then regional incentives get them to places like Sudbury. The local crews are mostly trades — carpenters, electricians, and a lot of production assistants. In a small city, one movie shoot can make a difference to things like unemployment numbers, so politicians love it.

But we always tell the locals that the movie is filming in their town because it's a special place, it's unique. Even if we're going to dress it up and call it another town.

So, Sudbury, Ontario, will become Penn's River, Pennsylvania.

One thing I really did like about Sudbury was the one-hour direct flight from the Island airport in downtown Toronto.

On the plane, a comfortable, nearly new Bombardier Q400 with, as the safety brochure pointed out, the quietest turboprops flying today and the revolutionary Noise and Vibration Suppression (NVS) System, I read the script for *Penn's River*.

A married couple, just retired, head out on a road trip in a 1968 Mustang convertible. Half the first page was descriptions of the car and the open road. A real geezer-pleaser opening.

At a rest stop, which the script made clear was in upstate New York, the couple meet up with a young, single mother and help her out. There was a little comedy with the kids, but when the couple get back in the car — and we get more descriptions of curving highways and forests and the Adirondack Mountains; I think the poor screenwriter thought it would actually be filmed in upstate New York — the husband says something about regret and lack of fulfillment and I slowed down and read the dialogue. It was stilted, of course, but with good actors and a little trimming it could be all right. Both the husband and wife felt that their lives had passed by too quickly and they didn't really accomplish as much as they could have.

I figured the geezers in geezer-pleasers are aging baby boomers and they had such big expectations when they were young, how they were going to change the world and all that, and then we ended up here, so this was pretty familiar territory. I expected at some point I'd come across a line about how they were so busy worrying about dying, they forgot how to live. It could have been a sequel to *The Big Chill*.

Page 4 they get to the world's longest covered bridge, which I was pretty sure was actually the Hartland Bridge in New Brunswick, but in this script it was moved, Hollywood-style to New York State and renamed the McConnell's Mill Bridge, which for all I knew was a real bridge. The wife gets out her iPhone (which will really be whatever product placement the producers are able to get) and looks it up on Wikipedia and reads out loud, "The McConnell's Mill Bridge is 1,283 feet long and the framework consists of seven small Howe Truss bridges joined together on six piers," which I figured the lazy screenwriter actually got from the Wikipedia page on the Hartland Bridge. Then she says something about legends and reads, "When the bridge was mostly used by horse and wagon, couples would stop halfway across to share a kiss. It is thought by some locals to be good luck to hold one's breath the entire way across while driving." They joke about not being able to hold their breath that long, even with 335 horses pulling them, but they do stop halfway for a kiss.

When they come out the other end of the covered bridge, they're in 1968. Oh, they don't realize it right away, there's some more lame comedy and then they figure it's because the car is a 1968, and then I saw what Lana meant about it being an *11.22.63* rip-off, when they decide to go to Memphis and stop the assassination of Martin Luther King.

But then they seemed to get stuck in the fictitious — as the script pointed out — town of Penn's River, Pennsylvania, a steel mill town. The screenwriter probably pictured *The Deer Hunter*. Sudbury, really a mining town, would do fine, Lana was right about that.

I flipped to the end to see if we'd need to fake up the Lorraine Motel in Memphis, but the action seemed to still be in Penn's River, so I went back to where I'd left off and read the whole thing.

It wasn't terrible.

The town of Penn's River is a pretty pleasant place in 1968 and we meet a lot of locals and have a lot of laughs mostly based on the time-travel stuff and on our heroes trying to get out of town. There was even a nice joke about the movie *The Out of Towners* and the local person not knowing what it was and the husband, whose name was Greg in the script, saying, "Wait a couple years, you'll get it."

There is tension bubbling just below the surface, though, even in Penn's River. Anti-war protests are starting to really pick up and the civil rights stuff was getting really tense. Our heroes make friends with a lot of people, including characters the script always describes as "African-American," and help diffuse what might have become violent situations.

I was getting anxious as the assassination was coming up and they were still in Pennsylvania, and I realized it was the first time I was actually engaged with a script in a long time. Even the dialogue was pretty good.

When Greg and Karen — that was the wife's name — realized they weren't going to be able to get out of Penn's River and make it to Memphis in time, they go to the grocery store and buy a ton of picnic supplies. There are some jokes about hippies and communes and I had no idea what was going on, why were they just giving up? The tension was mounting.

The script pointed out that Dr. King was shot at 6:01 p.m. and rushed to the hospital, where he was pronounced dead at 7:05 p.m. As word spreads on the radio, people in Penn's River come out of their houses in shock and are drawn to the park in the middle of town where Greg and Karen have set up a huge picnic.

"There are hundreds of candles and strings of Christmas lights illuminating the park." I thought, well, we'll see about the candles, but I could picture it.

The people stay all night. They get out guitars and have singalongs — well, it was the '60s, after all — and they share their shock and their grief and their fear. People cry and hug and are just together. There's even a moment where a few people think of something and rush off and come back a few minutes later, pushing old people in wheelchairs so they can be part of it, too.

I got a little choked up.

It wasn't till I finished reading the whole scene that I

wondered if there was a park we could use in Sudbury, or if that scene would have to be shot somewhere else.

There were still a few pages left and I was surprised when the next scene was the next morning, and Greg pointed out they could still make it to California to stop the assassination of Robert Kennedy. They had two months to make it. For a minute I was shocked to read that, thinking what a crazy time it must have been, those assassinations so close together, but then Karen had a monologue. She talked about what was coming, how there were going to be riots in Washington and Chicago and Detroit and Newark and a whole lot of other cities, and the protests at the Democratic convention were going to get violent, and then there was going to be all the campus violence and then the Kent State shootings and Jackson State shootings and the Hard Hat riots and so much more all over the country. All over the world.

I figured either there'd be a lot of cutaways or the camera would be in constant motion panning in a big circle or something because this monologue was going on for pages. Then Greg said, "I know, I was there, you were there," and then Karen was talking about what was going to happen in Penn's River once the '60s were over, how the mill was going to close and inflation was going to take off and the oil crisis would hit and the people were going to struggle for decades and they didn't even know it.

Greg said, "Then we better get to the Ambassador Hotel."

"No," Karen said. "We should stay here."

"Are you crazy, you just said what's coming, we have to do something."

"It's too big," Karen said. "It's not just one assassination or two, you know that. What's happening is so much bigger than one person, or one event, it's going to happen no matter what we do."

"So we just stay here and do nothing?"

"We stay here and we do something," Karen said. "We stay here and we help these people who have become our family."

"How? What can we do?"

"We can't change the whole world, but we can make this little piece of it better. We can talk to people and listen to them and help them get through the hard times. We can just be here with them."

OK, so the dialogue wasn't great, but I figured Meryl Streep or Sally Field or Glenn Close would make it work. If the director didn't get in the way.

As I was walking through the mostly empty terminal with the other fifty or so passengers from my flight, I wondered if Kevin Mercer had flown out of Sudbury. I had just figured that he didn't have much money and didn't have a credit card in a new name because he was still using his own, but that might just have been part of his plan to make the suicide look real. But if he had money and a new ID, then he could have flown anywhere. Anywhere in the world, really.

But then he wouldn't have gotten the cash advances. If he really did that.

By the time I'd picked up my rental car, a Hyundai Accent — Lana was billing it to the movie but she wasn't going crazy — and drove to my hotel I'd convinced myself I was way over my head and had no idea what I was doing.

Just another day at work.

———

Kevin Mercer's truck had been found on Moose Mountain Road, what the locals called Old Highway 806, and I'm pretty sure even older locals called something else. The police report that Barb Mercer showed me gave the exact location as "22.5 kilometres north of the Welcome to Capreol sign," which seemed like an odd way to put it to me, but when I looked at Google Maps there was something called the "Welcome to Capreol sign" and I could drop a pin at exactly 22.5 kilometres. Street View even showed me what was there — nothing. Trees and rocks.

Taking that road back to Sudbury, there was a fork where both sides led into town but one, Old Highway 69, looked like the more obvious choice as it became Notre Dame Avenue. By then the road had a lot of houses and businesses on it, so a guy walking by himself probably wasn't all that unusual and he could have gotten into LaSalle Boulevard and all the way into town without anyone really noticing him.

At that point I figured there was only so much I could get from Google Maps and I'd have to actually scout the location.

It was early afternoon and I hadn't eaten since my Tim Hortons breakfast sandwich on the way to the Island airport that morning, so I drove over to LaSalle Boulevard looking for lunch. I passed three Tim Hortons on the way and almost stopped at one, but I decided to try something called the Apollo Restaurant.

A woman who looked old enough to be my mother showed me to a table and asked me if I'd like anything to drink to start. She had a Greek accent.

"Have you got any Stack?"

"Yes, we have the Black Rock IPA and the L'Enfer." She glanced over at the bar and said, "Oh, and the light lager, the Nickel City."

"I'll take the Nickel City, thanks."

She nodded and walked over to the bar. The restaurant was old school, very '70s in decor, dark wood and brass. Fairly crowded for lunch on a weekday.

The Apollo was a nice double-meaning name. It was Greek, of course, but also some Apollo astronauts had done some training in Sudbury. I wasn't sure what it was — the joke was always that the strip-mined landscape was the perfect place to try out the moon buggy — but I think it actually had something to do with geology, because they were going to look at meteor impacts on the moon and Lake Wanapitae, just outside Sudbury, is an impact crater. My father was ten when Sputnik launched and spent a lot of the next decade building rocket models and following the space program, and we had an attempt at bonding when I was about ten and he brought home a model for me to build. I liked building it, but I never built another one. I must have read some of the books he gave me because I remember the part about Sudbury.

A waiter brought me my beer and took my order, chicken souvlaki and a Greek salad. There was a house specialty Santorini sandwich and something called

Limnos Steak Salad, but I figure every Greek restaurant makes at least a passable souvlaki.

The Apollo made an excellent souvlaki.

When I finished, I passed on the coffee and paid the bill. It didn't seem like the kind of restaurant a guy who'd walked into town would stop at, but it was exactly what a guy on a movie budget expense account would pick for lunch.

I drove to the Tim Hortons at the corner of Notre Dame and LaSalle, the first you'd come across coming into town from the north. I ordered the new dark roast, the chain's second try at a dark coffee, and had to tell the nice woman behind the cash that I didn't want anything in it. No cream, no sugar, not even one of each, never mind a double double. I think Tim Hortons is always surprised that someone might actually like the taste of coffee.

As she was handing me my cup, and shrugging in confusion, I held my iPad and asked her if she'd ever seen this man.

"Every day, about a hundred times."

I said, "What?"

She motioned to the tables and said, "Look around."

I saw what she meant. There were probably a dozen people in the place and half of them were white men in their fifties who looked like they'd just walked off construction sites or out of warehouses.

I said, "Thanks."

Next stop was the Ontario Northland Bus Terminal, across the street from a Ford dealership and next to a strip mall that had two car rental agencies and a Speedy Glass repair. It was small but fairly new and well-kept, not what I'd show a director if a script said steel mill town's bus station. Especially not if the script took place in 1968.

And the three young people sitting in the waiting area watching movies on their phones would certainly be out of place in 1968.

I walked up to the only open ticket window and a guy about my own age said, "What can I do for you?"

"I've got two jobs," I said. "One of them is location scout for movie shoots. Is there an older bus station in town?"

"Greyhound Terminal on Notre Dame is still there," he said. "But it's not being used anymore, all the buses come here now."

That sounded like it might fit the movie better, but truth was the bus station would probably be a set built on a soundstage or even in a warehouse.

Then he said, "And there's Sudbury Transit Centre for city buses, but it's even newer than this place."

"OK, thanks."

"So, where's the movie supposed to be?"

"How do you know it's not Sudbury?"

He said, "It's never Sudbury. *A Perfect Christmas* was supposed to be New Jersey, I think. *For Love and Honor* was definitely supposed to be an American military school and *Edge of Winter* didn't say where it was, but it sure didn't want you to think it was Sudbury."

74

"This one is Pennsylvania," I said.

"Figures." Then he said, "So, what's your other job?"

"What?"

"You said you had two jobs."

I said, "Private detective." I wasn't sure which of

my two jobs would seem the most odd, but for this guy they both seemed to be perfectly normal.

He said, "You looking for someone?"

"How did you know?"

"Why else would a private detective come to the bus station?"

I got out my iPad and held it up. "I'm looking for this guy."

"Why?"

"Because he's missing."

He took a closer look and shook his head. "Nope, sorry, haven't seen him."

"It would have been a couple of weeks ago," I said. "How many people work here?"

"Six of us at the ticket booth."

"Can I leave you this picture?" I'd printed up a bunch of pictures of Kevin Mercer and put my phone number and email on the back. "And could you show the others?"

He took the picture reluctantly and said, "OK, I'll show them."

I said, "Thanks."

Outside the bus station I stood beside my rental car and looked around. It wasn't exactly downtown Sudbury but it was on a main street. If it was a script, Kevin Mercer would have come into town and gotten on a bus right away so no one would see him. There might've even been a scene of him figuring out the time he'd need to drop his truck and the time he'd need to be at the bus station.

But it might not have worked out that well and maybe he'd needed to spend a night in town. He would've rented a room somewhere. I got out my phone and "searched nearby" for hotels. There were more than I expected. They ranged from the TownePlace Suites by Marriott at $136 a night to the Nickel City Inn, which had three good reviews but didn't list a price. The one that I would scout first for this scene if it was a movie would've been the Canadiana Motel, which was exactly what directors liked, because it looked like something from the 1960s — two stories, although this didn't have a balcony on the second floor, which every director would want to use, and a parking lot. It seemed a little too far away at seven kilometres, and I didn't think Kevin would have taken a cab but I was just guessing. So I figured I might as well scout it, even though there were no motel scenes in Penn's River — there might be by the time the rewrites started coming in.

On the drive over, I passed the Nickel City Inn and stopped. It was what I'd call real Canadian-looking, so unlikely to ever be used in a movie, a two-storey concrete block built to keep the cold outside and the drinking inside and out of sight. Not many windows, one of the doors probably still said "Ladies and Escorts" if you looked closely enough and just a small sign that said, "Nickel City Inn."

I tapped on the bell at the reception desk and a long minute later an older guy came out of a back office and said, "You looking for a room?"

"No, I'm looking for this guy."

He didn't even look at my iPad, just said, "Haven't seen him."

I said, "Most people tell me he looks like a hundred guys they've seen."

This guy just shrugged.

I was starting to wonder who'd reviewed the Nickel City Inn, but I guess they were really just talking about the bar, not so much the inn. It was starting to feel like exactly the kind of place Kevin Mercer would have picked to spend an anonymous night.

I said, "Would you be able to tell me if a guy stayed here the night of April 8th or 9th?"

"Nope."

There was an antique computer monitor on the desk so I pointed at it and said, "You don't keep those records?"

"Question was could I tell you and the answer is no."

"I'm not a cop."

"Cop wouldn't have asked so nice."

"Lot of good it did me."

Another shrug.

I got out my wallet and put a twenty on the desk. "The man's name is Kevin Mercer, could you just have a look?"

He picked up the bill and for a second I thought he was just going to pocket it and walk away, but he typed a little on the keyboard and scowled.

I said, "He might not have used that name," and stopped myself before saying something about this place not looking like it required any ID on a cash transaction.

"No singles that whole week," the guy said.

"All right, well, thanks." I almost added, "that wasn't so hard," but managed to keep my mouth shut.

Pretty much the same thing at the Canadiana, but

the guy took a ten. Same result, no single men rented any rooms that whole week.

I walked out into the parking lot just as a pickup was pulling in beside my car. It had two dirt bikes in the bed, held down by some elaborate-looking strapping and I thought that was a possibility, too — Kevin Mercer could have picked up a dirt bike, loaded it onto his truck, dropped the truck in the middle of nowhere and ridden the bike back into town.

Then, I guess, he could've kept going, driven the bike all the way to Vancouver.

As I was getting into the rental car, I figured that's the kind of thing OBC would put into a report for Barb Mercer to keep the money flowing.

They'd also interview the local cops and get one of them to say there was something suspicious about the way they found the truck or something — just enough to keep the hope alive.

The Sudbury OPP division is on Highway 69, just south of the city, and looks exactly like a regional police station would in a Lifetime mystery movie: one-storey red brick building, rectangular, parking lot full of late-model American sedans, a little bit of lawn neatly trimmed.

There was a motel on the other side of the highway, a little run down, called the Pioneer Inn, which looked like the kind of place that would take cash from a guy like Kevin Mercer and not ask him any questions, but it seemed too easy for him to have stayed there. Still, I figured I'd ask on my way out.

The inside of the police station was again exactly as you'd expect in a cable mystery movie, except it wasn't busy. There were only three people I could see from the reception counter, and they were all sitting at desks looking at computer monitors.

After a moment, one of the desk-bound cops stood up and walked to the counter and said, "Can I help you?" She was around thirty and I guessed the lowest-ranking cop in the place, which is why she had to deal with the public.

"I'd like to talk to someone about a possible suicide from a couple of weeks ago. A pickup truck was left by the highway a little north of here."

"Who are you?"

"Gord Stewart." I got out my ID, an actual Province of Ontario Private Security and Investigative Services license, for which this very same police force had to do a background check and give me clearance. It looks just like my driver's license, with just as bad a picture, and says I'm licensed as a "Security Guard and Private Investigator." Cost me eighty bucks.

She said, "Who are you working for?"

"It's more like a favour," I said. "The guy's wife doesn't want to believe he killed himself, so I came up here to ask around."

"Who's paying you?"

"Let's say a family member."

She was very serious. She looked like she didn't want to help me but she had to. I guess because the mission statement in a frame on the wall said, "Committed to public safety, delivering proactive and innovative policing in partnership with our communities," and I'm a member of the community. She said, "Do you have a name and date?"

"His name is Kevin Mercer and his truck was found on Old Highway 806," and I quoted the police report, "22.5 kilometres north of the Welcome to Capreol sign on April tenth."

She nodded. "A white GMC."

"You found it?"

"Yes." She had a name tag above the breast pocket on her white shirt that said "Constable Jokinen."

"Did someone call it in?"

She smirked a little and said, "No, no one called it in. I saw it when I was passing."

"Do you have any idea how long it was there before you saw it?"

This time she thought for a moment and said, "No I don't."

"I guess there's not much traffic on that road."

"Not this time of year. Deer season, it's pretty busy." Then she said, "Not Toronto busy, of course."

I said, "Of course."

"There's a camp farther up the road, McKee's, they get business in hunting and fishing season."

"Is that where you were going?"

"When?"

"When you found the truck."

"Oh, no," she said, and then she leaned in a little. "I was just on patrol." The way she said it gave me the impression there was a story there, or at least something among the cops. Probably a job no one wanted to do but it had to be done.

I said, "So it's possible if you hadn't driven by, the truck could have sat there for a long time before anyone saw it?"

"Or before anyone reported it," she said. "It was just a truck."

"So why did you stop?"

"I ran the plate and when the owner came up as being Toronto, that was odd. If it had been a local I might have kept going."

"Wouldn't you want to know what they were doing in the woods?"

She glanced around the station. "Not really." Then she said, "Depends whose truck it was, I guess."

"So it was just lucky you saw it."

"I guess."

"And you think the guy who left it there walked into the woods and killed himself?"

She said, "That's what the commander said."

"Who's that?" I wasn't taking notes but I started to wonder if I should.

"The detachment commander. Acting commander, I guess, Sergeant DiPietro, he filed the report."

"But it's possible Kevin Mercer didn't walk into the woods?"

"No, not really."

One of the other cops stood up from his desk and walked back through the office towards what I figured was the break room. Constable Jokinen seemed to notice but she didn't react.

I said, "Why not?"

"Well, why?"

"If he wanted people to think that's what he did."

"It's dense woods," she said, "but people do use it. There'll be hunters, his body will turn up. They always do."

"This has happened before?"

"Not exactly this, but guys have gotten lost in the woods and their bodies turn up. It just takes a while sometimes."

"How many bodies are missing in the woods?"

She said, "Look, he left his truck in the middle of nowhere. There was nowhere else to go but the woods."

"He couldn't have walked back into town?"

She turned from the counter and motioned for me to follow her, so I did.

There was a big map on the wall and most of it looked blank. At the very bottom were the streets of Sudbury, and in the bottom left corner was Georgian Bay and Manitoulin Island, but the rest of the map, the huge expanse to the north of the city, was nothing but hundreds of lakes and rivers.

"It would probably take a day to walk from where I found the truck," she said, tapping a spot on the map.

"If he didn't get eaten by a bear along the way."

I'd said it as a joke but Constable Jokinen said, "We would've found some remains, they don't eat everything. He was probably wearing boots, right?"

I said, "Yeah, probably."

It was quiet in the detachment and the cop who'd gone to the break room came back into the main room and said, "I'm going out for a bit," and left before Constable Jokinen or the other cop sitting at his desk could say anything. Though I got the impression they weren't going to.

This place didn't seem like a great work environment.

I said, "Have there been other suicides in these woods?"

"A couple."

"You must have the records," I said. "You must know exactly how many."

"We don't like to publicize it," she said. "You know, it's like when someone jumps in front of the subway in Toronto, they don't like it to be in the news, because there are usually copycats."

I'd heard that but I wasn't sure if it was still true. There'd been a lot of suicide awareness programs and a couple of PSAs were filmed, I remembered when they were looking for locations, but I never saw them.

"All right, well I appreciate you talking to me." I walked back around the counter and said, "If you think of anything else, could you give me a call?" I held out one of my business cards and she took it reluctantly.

"There's nothing else."

"All right, well, thanks."

I walked out to the parking lot thinking everything about that place was odd and wondering how a director would get that across in the movie version of this scene. I figured they'd probably cut away to the cop working at his desk, he'd look up at Constable Jokinen and make some kind of face, the one who walked out would glance back over his shoulder — for all I know he did that — and maybe if the director considered himself an artist, there'd be some odd-angle shots.

I was convincing myself the weird scene had some-thing to do with Kevin Mercer when my phone rang. I didn't recognize the number but it had a 705 area code, so it was a local call. "Hello."

A woman's voice said, "Are you the guy looking for Kevin Mercer?"

"I am," I said, "have you seen him?"

"Couple of weeks ago. I sold him a bus ticket."

"You sure it was him?"

"Ninety-nine percent."

"I'd like to come by now and talk to you if that's OK?"

"Just started my shift," she said, "six till two."

CHAPTER
EIGHT

The woman at the bus depot was younger than I thought from talking to her on the phone, probably not yet thirty, but she was positive, looking at some other pictures of Kevin Mercer on my iPad, saying, "Definitely him, no doubt."

We were standing just outside the back door of the bus station. She'd taken a smoke break when I'd got there.

I said, "And you're sure of the date?"

"Yeah, and I double-checked when Gary showed me the picture. April 10."

I was glad to hear Gary had actually showed the other ticket sellers the picture I'd left. "And he bought a ticket to Calgary?"

"That's right." She took a drag on her smoke. She had short black hair, almost a crew-cut, and her skin was dark with a lot of tattoos. Even in her bus company-issue shirt I could see that both arms were full sleeves and there was ink on her neck. A lot of Native symbols, which made sense because she was Native.

I said, "What name did he use, do you know?"

"No name, he paid cash. They usually do."

"Who are they?"

"The old guys. They're usually heading out west to look for work."

"They don't go south," I said, "to Toronto?"

"Too expensive to live there." She looked at me sideways and said, "And they usually say there are too many immigrants."

"That's funny?"

"It is to me."

She took a last drag and blew smoke at the sky, then tossed her butt.

I said, "Just because I have to talk to his wife, how certain are you it was him? Eighty percent? Ninety?"

"A hundred. OK, that's impossible, I know, so, like, ninety-nine. Ninety-eight?"

"How low can you go?"

She said, "Most of the guys who buy tickets for out west are locals, they've been through every job they can get here. This guy wasn't local, so it was weird he was buying a ticket here."

"How do you know he wasn't local?"

She smirked at me a little. "He was from Toronto, you can tell."

"How?"

"Accent, attitude, way he carried himself. You can tell."

"Maybe you can."

She said, "You know I'm right."

"So he must have said more than just, 'Ticket to Calgary.' What did you talk about?"

"How long he had till the bus left. Tell you the truth, he wasn't really prepared, you know?"

I said, "Not really."

"He didn't know what time the bus left, didn't know how long it would take to get to Calgary, didn't know how much the ticket was, but that's not so unusual."

"How long did he have?"

"I was working days, he came in here after lunch and the bus didn't leave till seven-thirty."

"So when would he get to Calgary?"

"Two days later." She thought for a moment and said, "And I don't think he had any luggage."

"What makes you say that?"

"I didn't see any. He had a few hours before his bus, so he left but I saw him later just sitting there. He had a grocery bag, but that was all I saw."

"All right, well, I gotta say, I appreciate this."

"No problem."

I was starting to walk away, but I stopped and said, "How come you didn't say anything before?"

"No reason to."

"The cops didn't ask about him?"

"No. I didn't know the guy was a missing person until Gary showed me the picture you left. I thought he was just a guy who took a bus."

"All right, well, thanks."

She was getting out her smokes and lighting another one and she said, "Good luck, man."

On the drive back to the hotel I was thinking it would take a huge amount of luck to find Kevin Mercer, but whether anyone kept looking would depend on how I told this to his wife.

He was definitely alive, I was sure of that. At least, I was sure he didn't walk into the woods and shoot himself in northern Ontario. He got on a bus to Calgary. Maybe he got off along the way and killed himself. Maybe he got to Calgary and killed himself.

The cash advances had made me think he'd planned an escape, but now it was looking more like second thoughts. He hadn't really prepared beyond Sudbury. And then he just walked into the bus station and bought a ticket. So, it was likely that he left evidence of himself around Calgary, too.

Back to square one. What to tell Barb Mercer.

CHAPTER
NINE

Almost everyone who got off my flight from Sudbury joined people from other flights waiting for the elevator down to the underground moving sidewalk that joined Island airport to the mainland, but I waited for the ferry. I could tell myself it was because I didn't want to be another zombie plodding through a tunnel or I didn't like to be in an enclosed space with so many other people or I wasn't in a hurry or something like that, but the truth was I liked to stand on the deck of the ferry and look at the skyline of Toronto. I know I'm supposed to complain about all the ugly condo buildings going up so fast and how expensive they are and how quickly it's all changing, but I like it. I usually keep that to myself.

Liking Toronto is not cool. Hating Toronto is cool.

I don't know anything about architecture styles or design, so maybe the new buildings are ugly and I only like them because I never liked the old stone buildings with big steps and columns and unwelcoming doors, as if they're in ancient Greece or some Victorian British bank building that was designed to make people like me feel insignificant.

It's possible I started to see these condos a little differently when I scouted some for locations and met the people who lived in them and I started to see them not as shiny new buildings but as people's homes.

Or, maybe I just like being a contrarian and disagreeing with the cool kids, whatever, I waited ten minutes for the ferry, and then stood on the deck for the world's shortest trip across barely the length of a football field and looked at the balconies on all the new condos.

And I realized that it's probably very easy for someone to just disappear if they wanted to, just blend in with the background and go about their day.

Fifteen minutes later, sitting in the back of a cab stuck in traffic on the Gardiner Expressway, the charm was starting to wear off, but a half hour after that, out in the burbs of Scarborough, I was feeling better again.

Walking into the house, I smelled my dad's beef stew and everything was well with the world again.

I said, "That been cooking all day?"

He was sitting at the kitchen table reading the newspaper. "Since just after breakfast. How was your flight?"

Retired almost ten years, he still got up early and

managed to look busy all day, a couple of things I didn't inherit from him.

"Good," I said. "Uneventful." I saw his single bowl and spoon in the drying rack beside the sink as I was getting my own bowl from the cupboard.

"What about the rest of your trip?"

The bread was still on the table.

"A little more eventful."

"Is that good or bad?"

"I'm not sure."

"Never a straight answer with you," he said.

"Sometimes that's the way it is."

The stew was delicious, slow-cooked all day. I didn't even mind that he put parsnips in it.

"So, did you find the guy?"

"No."

"So what happened?"

"I found out that he probably didn't walk into the woods and shoot himself."

"I thought that's what you thought before you went?"

"I was ninety percent sure."

"And now?"

"Ninety-five."

My father dropped his newspaper on the table and stood up. "How much did you charge this woman to be another five percent sure?"

"Nothing, Lana billed it to a movie."

He was at the fridge then, getting out a beer, and he said, "You want one?"

"Yes."

"So some Hollywood movie producer thinks you were doing a location scout in Sudbury?"

"I *was* doing a location scout. I read the script and everything."

"And the guy was there?"

"He bought a bus ticket," I said. I wiped some buttered bread over the gravy left in my bowl.

"So now the cops will look for him?"

"What do you think?"

He was standing by the stairs to the basement. "But they'll list him as missing, right? They won't say presumed suicide?"

"I don't know. They might not believe the woman who sold him the ticket. He paid cash, he didn't show ID or anything." I thought of the odd scene in the OPP detachment and couldn't make a guess either way what they'd do.

He waited a moment and then said, "I got a couple of episodes of *Gunsmoke* left, you want to watch?"

"Are they going to kill off Marshall Dillon?"

"They better not."

"That would make it really edgy."

"That would make it stupid," he said. "Worse than that stupid ending to *The Sopranos*."

"You liked that after I explained it to you, it was the only way to be true to Tony's story. He said it in the very first episode, the only way out for him was a cell or in a box."

"I know, I know, closure is bullshit and he spends the rest of his life looking over his shoulder."

"Whether that's five seconds or twenty-five years. I

mean, they even had every character literally looking over their shoulder. Even Meadow parking the car."

"OK," my dad said. "I told you I get it now, I still don't like it. You coming?"

"No, I better go see Lana, tell her what I found. I don't want to put it in an email, she might get the wrong idea."

"What would that be?"

I wasn't actually sure. I washed my bowl and spoon and finished off the beer and drove to the set.

———

We'd used up all the cover sets early on when the weather was bad so now we were picking up all the exteriors. Tonight it was on College Street in front of Café Diplomatico, another date scene, breaking up or making up or something, there were about ten of them in this movie. I followed the handwritten signs on pieces of Bristol board to crew parking on a side street about five blocks from set and was just pulling in beside a hydrant when my phone rang. I expected it to be Lana, but when I looked at the screen it wasn't.

It was Teddy from OBC. I hesitated, but then picked up and said, "Hey man, what's up?"

"Gord, I've got a bit of an emergency, I hope you can help me out. It's not tough, just a little surveillance."

"I'm still on this movie," I said. "When is it?"

"Right now. Are you downtown?"

"Little Italy."

"Even better. Someone is leaving a condo at King

and Bathurst in about half an hour and we need to know where she goes."

"You want me to do a one-man surveillance with thirty minutes' notice?"

"Might be thirty minutes, might be a little sooner or a little later, I'm not exactly sure, I just know she's leaving."

"How do you know that?"

Teddy said, "I just sent you her photo and the address of the building."

"Well, I'm sorry, Teddy, but this is crazy." I had a rolling feeling low in my gut, but it wasn't the effects of my dad's stew.

"Double time and a half," Teddy said, "just like when the movies go into overtime."

I wanted to tell him it wasn't about the money, but it did look like easy money. I said, "You pay me for four hours, even if I lose her."

He said, "Deal," right away, so I figured he'd screwed something up himself to be in this position.

"OK."

"Do you have the picture?"

"Let me hang up and I'll check my mail. I'll call you back if there's a problem, otherwise, I'm on it."

It sounded like an actual sigh of relief from his end of the phone.

The woman in the picture looked to be in her late twenties, dark-skinned, dark hair not quite to her shoulders, glasses — a lazy screenwriter would say something like "the Mindy Kaling type."

Fifteen minutes later, I was parked and looking at a UPS store and a Tim Hortons directly across the street from the condo building. I thought about the woman behind the counter at the UPS store, if she had any coffee, but I went into the Tims and bought my favourite, an old-fashioned plain doughnut.

It was just after nine. The movie shoot would likely go another few hours and I was pretty sure this job would be done before that.

Just as I sat down at one of the tables bolted to the concrete in front of the Tims and was getting out my phone to text Lana, the woman I was waiting for came out of the condo building. Her name was Niraj Singhal and she looked exactly like she did in the picture Teddy had sent. She was wearing the same clothes, yoga pants, running shoes, and a black hoodie. The picture was probably taken and sent to Teddy just before he sent it to me.

She walked east on King and looked over her shoulder quite a bit. So, she was expecting to be followed, but she was still going to do whatever it was she had to do. She wasn't good at picking up surveillance, but I was so obvious across the street that I didn't think the chance of success was very good.

At Spadina, she dodged traffic, crossing on a red light to get to the streetcar just as it was pulling away. I thought I'd lost her, but when the intersection cleared I saw her still standing there, waiting.

I stood kitty-corner to where Niraj was waiting for the streetcar for a few minutes, just long enough for about six guys to ask me if I had any spare change, and when I saw another streetcar coming up Spadina I crossed the street and joined the other people waiting at the stop.

This time, Niraj got on the streetcar. She got on through the rear door, tapping her Presto card to pay the fare, and I did the same at the middle door.

We rode up Spadina, passing a lot of Chinese restaurants and gift stores and banks with familiar logos and colours but Chinese writing on the signs. Niraj looked nervous, kept checking her phone and looking to see if someone was following her. She didn't notice me.

I took a few selfies, making sure she was in the frame behind me. I was thinking that from his desk at OBC Teddy could easily track me. I'd used an app to pay for street parking a block off King and the Presto card for the streetcar, both of which were connected to my credit card. There were cameras on the streetcar and on pretty much every building I'd passed along the way. Teddy could probably even turn on my phone's microphone and listen in or turn on the camera and see what I was doing.

And he could do all that to Niraj Singal, too.

But what he couldn't do was use that information in court. If he didn't have a warrant, nothing he found out could be used officially. But my surveillance could be.

And it could all be used in negotiated-in-private, behind-closed-doors, covered-by-non-disclosure agreement deals. Most of what OBC worked on never made it into court — that was their specialty.

The streetcar pulled into the Spadina subway station at Bloor and everyone got off. Most people walked to the stairs and headed down to the tracks, Niraj among them, and I followed.

We waited on the eastbound platform but when the train pulled in and the doors opened Niraj didn't get on. For a moment I wasn't sure what to do. If it was a proper surveillance I would've gotten on the train and another person hanging back upstairs in the station would've taken over. I started up the stairs, looking at my phone and tapping my pockets, trying to give off the vibe of someone who'd just remembered something and was rushing to deal with it, and I was thinking I'd wasted all my justifications and lost Niraj anyway, when a white guy came down the stairs and passed me waving at her.

Niraj pretended she didn't see him and walked further along the platform, and neither one of them noticed me as I came back down the stairs and joined the new crowd starting to form waiting for the next train.

The white guy was also about thirty, clean-cut, young professional-looking. He had that weird short hairstyle with the flip in the front held in place by some kid of gel, I think, and he was wearing a suit and tie. My guess was lawyer coming home from work.

I took a couple more selfies with Niraj and the young guy in the picture. No one noticed. I noticed that, of course, in the subway I had no service on my phone. So, at least they'd picked a good place to meet. Too bad they couldn't spot a tail as obvious as I was.

This time when the train came, they both got on, and so did I.

The train filled up as we headed towards the centre of town and at the Yonge Station a lot of people got off and a lot more got on. People like to say that Toronto is the most diverse city in the world, but you wouldn't notice that in a lot of neighbourhoods. You would notice it in the subway, though. This was a place where a guy like me — a mid-, OK, *late*-thirties, average-looking white guy — was one of only two or three others, but everyone on the train was one of only two or three others like themselves, so we all blended in.

Niraj and the guy she was with were in a serious conversation. She looked worried and he looked understanding, but by the time we got to Donlands he was starting to look a little impatient, and at Victoria Park he became insistent.

At the last stop, Kennedy, Niraj pulled a manila envelope out of her bag and handed it to the guy and so many people had phones out for music or games or selfies that neither one of them noticed me taking pictures of the exchange.

The guy got on the Scarborough LRT and Niraj crossed the station and got back on the westbound subway, heading back the way we'd come. She didn't notice me doing the same thing and we rode the same train to Lansdowne, where she got off and walked a couple blocks to an old apartment building and I took a picture of her unlocking the front door.

I walked a block to Bloor and hailed a cab to take me back to my car. From the back seat of the cab I sent Teddy an email and a bunch of pictures.

A few seconds later I got an email back saying, "Great, thanks."

I knew Teddy was never going to tell me what it was all about, but I had a pretty good idea. And to make myself feel a little less guilty about it, I went looking for Lana to tell her I wanted to keep looking for her uncle.

CHAPTER
TEN

Lana said, "This sounds pretty certain."

"Like I said, ninety-five percent."

"Sounds like it might be ninety-nine."

"OK."

We were standing beside craft services in the middle of the night, although there were enough crew members coming and going that we had to move around to the side of the truck to find a quiet place to talk.

"Is that enough to get the police to change it from missing presumed dead to just missing?"

"I'm not sure. I think the thing is, from what I know about cops, that they like the idea of a closed file and changing that would mean opening it up again."

"And you don't think they'll do that?"

"They might, it's certainly worth asking, especially if that would help your aunt."

"But you still want to keep looking?"

I said, "Yeah, I do."

"Because this woman at the bus station said she sold my uncle a ticket?"

I didn't want to go into the whole thing about OBC and what I thought I was doing for them and how I felt like I needed something to counterbalance that, so I just said, "Yes."

Lana wasn't convinced, that was easy to see, but she was thinking about it, probably trying to justify it to herself. She said, "I know some producers in Calgary, they're doing *Fargo* now."

"I could work a location for a couple of days," I said, "if you need something for the paperwork."

"I don't know, it seems like a long shot, real needle in a haystack."

"But real," I said.

Lana said, "I don't know, I'll think about it, OK," and walked away. Then I saw Ethel standing there and I was happy to see her until she said, "Why didn't you tell her everything," and I said, "What?"

"Come on, I've done a million hours of improv, I can see the wheels turning." She tapped me on the side of the head with her finger. "There's something you thought about but didn't say."

"It doesn't have anything to do with this."

"Look, if you don't want to tell me that's fine."

"I don't want to tell you."

"Too bad, we were getting along so well." She turned and walked away.

I said, "Shit."

This was the last day of principal photography of the show and we were back on the Danforth shooting in front of the bar we'd been shooting in the last time. It should have been an easy day, or night, really — we were shooting overnight, the two leads bumping into each other and talking awkwardly and then going inside for a drink. I hadn't read the script beyond the scene heading, "EXT. SIDEWALK — NIGHT," and enough to know it was the sidewalk in front of the bar. It could have been any sidewalk, really, and they could have just said, "You want to get a drink?" and cut to inside a bar, but the director insisted it be the actual sidewalk outside the actual bar and not, "Some cheesy set like the sidewalk outside the Central Perk." Which even I knew was from the TV show *Friends*.

So we had to block off a lane of the Danforth for an entire night and set up a full location for a couple of lines.

I saw the garbage can at the bottom of the stairs to the craft truck was full and I thought about looking for one of the Locations PAs to empty it, but I decided to do it myself and then I ended up emptying a half dozen more and piling the green plastic bags along the side of the craft truck.

Working on movies is very glamorous.

Then I walked towards the set and stood behind the big lights that were set up on the sidewalk facing the front door of the bar.

A young AD held out her arm in front of me and said, "We're about to go."

I almost said, "I can see that," but caught myself. It was amazing how instantly the entire set got quiet and still when the First AD yelled, "Quiet, we're going." Twenty-five people froze in place.

"Rolling."

"Background."

People started walking on the sidewalk.

"Action." I still found it funny they actually said, "Action," but what else could they say?

A couple of grips pushed the camera dolly slowly along the tracks.

Then I was surprised to see Ethel on the sidewalk, walking beside the camera as it moved, talking to the woman walking beside her.

She had lines.

I wasn't totally surprised, because she was very good and this movie was a mess, with lines being ad-libbed all over the place and scenes being cut and added every day, but mostly I was just happy for her.

Ethel and the other woman stopped a bit before they got to the door of the bar and Ethel was talking and waving her hands and making a face that was quite endearing and I thought the scene looked very good.

I watched all sixteen takes and Ethel was really good in every one of them. Even the DOP on this movie could easily capture her energy and charm. I couldn't hear the dialogue from where I was standing, but I could tell she was delivering it really well, really convincing. In a just world she'd be a star.

When the director was satisfied, or really, when the first AD was able to convince him that was all the time we had, wrap was announced. Someone actually said,

"That's a wrap." Usually when an actor had been on set for only a couple of days, the way Ethel and the other woman had been, the AD announcing the wrap would say something about it being the last day, and there'd be a little applause. But this shoot had fooled the AD one too many times and she didn't say anything about it being a final wrap for Ethel.

She was coming towards me and I said, "Hey, that was great."

"It was, wasn't it."

We walked away from the activity around the set, the crew already taking down the lights and reflectors and all the rest of it, and headed towards the wardrobe and makeup trailers.

I said, "Too bad you don't get to keep the wardrobe."

"It's my own hair, though."

"So, you were right."

She said, "Of course I was right." She stopped in front of wardrobe. "What was I right about?"

"There is something else going on I didn't want to tell Lana."

"Why not?"

"Because it isn't about her uncle."

"But it's the reason you want to keep looking for him."

"Sort of, maybe."

Ethel said, "OK, let me get changed and we'll talk about it."

I said, "I don't think I want to do that," and she said, "Sure you do," and squeezed my arm and then turned and went up the stairs into the trailer.

For a second I thought I would walk away and finish my job for the night and go home and never talk to her again. But she was right, I did want to talk to someone about it, and I realized as I was standing there I didn't have anyone else. Or, maybe what I realized was that Ethel wasn't involved, she wasn't connected to any of it in any way, and I could talk to her and then never see her again.

Whatever. Before I could convince myself to walk away she was out of the trailer and asking me where I'd parked.

"Crew parking, it's just a block up."

We made our way through the crowd of people working. That's one of the things I like about a film set, everyone knows their job and they just do it. And they complain about it, but they do it.

"So," Ethel said, "what is it?"

"It's complicated."

"Really? Usually when people say that it isn't all that complicated, they just don't want to talk about it."

We were at my car then, and I pushed the little button on the fob and unlocked the doors.

Ethel was standing beside the passenger door, looking over the roof of the car at me.

She said, "So, what is it?"

"I guess it's guilt."

She smiled. "There you go, that was easy." She opened the door and got into the car.

I got in behind the wheel and said, "It's easy to say it, it's not easy to deal with."

"No, of course not, that's why people live in denial. So, what are you guilty about, taking the money?"

"What money?" I pulled away from the curb and drove along the quiet residential street. "Oh, the money Lana is spending. No, it's such a tiny drop in the bucket of a big-budget movie, no one will notice."

"So, what is it? The time you're using?"

"It doesn't have anything to do with the movie, not this one or the next one that Lana is billing this stuff to."

"It doesn't have anything to do with a movie," Ethel said. "What else is there in the world?"

I said, "Ha ha." Everyone I knew did treat movies like they were the most important thing in the world. "I have another job."

"And they intersect, it's about intersectionality."

"No, they don't intersect."

"But there's a connection."

"Yeah, there's a connection. Me."

"And this has to do with your motivation. Do you want to run a little improv to get it out in the open?" She peered at me from the passenger seat.

I said, "No, that's OK. Look, you were right. It's not complicated. Sometimes I work for a big corporate agency, and I did a job for them and it made me feel like shit."

"So now you want to do something good for Lana and her aunt so you can feel better about yourself. It's true, that's not complicated."

I turned off Woodbine onto Queen. The sun was starting to come up and reflected off the streetcar tracks in the street.

I turned onto Kenilworth and stopped in front of Ethel's house.

She said, "Do you feel a little better now?" and I said, "Actually yeah, I do."

"Well, that's good. So do you want to come in?"

"With you?"

She had her seatbelt off and she leaned towards me and put her hand on my shoulder, pulled me closer and kissed me. "Yeah, I'm going in, too."

I said, "Oh."

She pulled away and said, "OK, if you don't want to, fine," and I said, "No, that's not it, of course I want to," and she said, "So what is it?"

Took me a second to speak and when I did I said, "Well, it's just I've read all the advice on the dating apps — we're not supposed to have sex until the third date."

"This is the third date."

"You're counting a drive home and a sandwich behind the craft services truck as two dates? And this as the third?"

"I'm an artist, math isn't my strong point."

"I just want to be sure, because . . ."

She said, "Because why? Because you're worried later I'm going to say you held your position of location scout over me and I was pressured into it?"

"No, it's not that."

She put her finger on my lips and said, "If you say it's complicated, I will get out of this car, go inside by myself, and lock the door."

I said, "Can I park in the driveway?"

CHAPTER
ELEVEN

On the Google map of Calgary there was something called the Hobo Fortress about a block from the Greyhound terminal. It seemed too on the nose, as they say, but I had to check it out. Turns out it was a parking lot and with a little more digging I figured it was some kind of glitch with Google, or a joke because I found a website that explained, "The Hobo Fortress is a type of housing that is located at your Campground, a step up from the Gingerbread House, and provides a base gain of 84–85 HP and 85 MP at rollover or when resting at your campsite. Resting in the fortress also yields an effect: You stare up at the vaulted ceiling of your hobo fortress, inspired. You acquire an effect: Hobonic (duration: 10 Adventures).

Upon ascension, your Hobo Fortress is lost and must be re-obtained in your next incarnation."

I had no idea what any of that meant, it seemed to be on a website about something called Kingdom of Loathing and I thought maybe it was some kind of role-playing game where you used actual maps of cities instead of a Dungeons & Dragons–style map you made yourself, but that was just a guess.

I was as much out of my depth looking at that website as I was thinking I could find Kevin Mercer.

But after spending the night and the next day with Ethel, and having a great time, I talked Lana into getting me a plane ticket to Calgary and letting me put out-of-pocket expenses against the geezer-pleaser movie.

It wasn't hard to do. Lana wanted to believe her uncle was still alive.

So my plan, such as it was, was to try and retrace Kevin Mercer's steps. Spending three days on a bus through northern Ontario, Manitoba, and Saskatchewan didn't seem necessary, though, so I got a flight to Calgary, rented a car and drove to the bus terminal.

The terminal was like a bigger version of the one in Sudbury; fairly new, clean, and full of people who seemed to know where they were going and what they were doing. Not the way any director would want a bus terminal to look in the movies. No one seemed particularly depressed or desperate.

I showed Kevin Mercer's picture to a couple of people working the ticket booths, but no one remembered selling him a ticket. One man about Kevin's age said, "You think he was going to Fort Mac?"

"Maybe."

"It's still the place most guys go," he said, "but I don't think there are jobs like there used to be."

I said, "How often do you sell a one-way ticket to a guy by himself in his fifties going to Fort McMurray?"

"Every day in the spring and summer, maybe every second day in the winter."

"So you might have sold one to this guy?"

"For sure, just can't remember him specifically."

I said, "Yeah, there isn't really anything particularly distinguishing about him."

"Do you want a ticket to Fort Mac?"

I thought about it, but I said, "Not yet, maybe he spent a couple days here," and I was thinking if I did go that far north, I'd take an hour-and-a-half flight and not a twelve-hour bus ride.

It was almost four in the afternoon. My flight had left Toronto that morning at ten, landed in Calgary just after noon, Calgary time, so just after two my time, so it was really almost six my time. So, too late for lunch but too early for dinner and definitely too early to check into my hotel room and crash, even though that's what I felt like doing.

I hadn't done a lot of research before arriving, I guess because I had some misguided idea that Kevin hadn't really done any and I was trying to get into his head. Which, of course, if it had been a bullshit script I had to read, I'd make fun of. To catch the mosquito you must become the mosquito. Pathetic. But I sat down on a bench and figured that if Kevin Mercer's bus had been on time it would have arrived at about six in the evening and he'd probably find a place to stay for the night.

I Googled nearby hotels and motels and found a couple of cheap ones and made my first call to what looked like the closest, cheapest place, the Centro Motel. I told the nice woman who answered that I was looking for someone who may have stayed there for a night or two a few weeks earlier and she said, "Are you with the police?" in what sounded like a mild Indian accent and I said, "I'm working with the police, yes," and she said, "Then why don't you just check the credit card?"

I said, a little triumphantly actually, "Oh, he would have used cash."

"Still," she said, "we would need to have a credit card on record to rent him a room."

"Even if he paid in cash?"

"Oh yes, always a credit card."

I wanted to say, even in your fleabag motel, but I didn't actually know what it looked like, just that it wasn't one of the chain motels that I figured for sure would require a credit card. I said, "Thanks for your help," and hung up.

Looking around the bus terminal, I felt pretty dumb. Of course Kevin Mercer didn't just book a hotel room. Or an Airbnb, or rent a car, or take an Uber, or do anything else I'd do without even thinking about it. He'd have to stay somewhere nearby that took cash.

I Googled hostels and found a website for a place called Wicked Hostels that said it was started by someone who wanted it to be the opposite of "big sterile buildings where you feel like a number," but then it also said, "For the security of our guests, we only accept genuine travellers from outside of Alberta carrying government-issued out-of-province driver's licenses or international ID and luggage/backpacks." Probably to avoid people exactly like what Kevin Mercer would have looked like.

Then I Googled men's shelters and one of the first hits said, "Man who ran men's safe house dies in apparent suicide."

I didn't really want to open the link, but I did. It was a newspaper article and the actual headline was "Man Who Ran Canada's Only Shelter Dedicated to Male Victims of Domestic Abuse Dies in Apparent Suicide." I hoped Kevin Mercer hadn't gotten off a bus after a three-day trip and Googled shelters and seen this article, but then I realized Kevin Mercer didn't have a smartphone. He probably didn't have any way to Google anything.

Which was good because even though as far as I knew Kevin wasn't a victim of domestic abuse, the story was still depressing. Twenty years ago a guy who was a victim of domestic abuse left the relationship and had nowhere to go. There were shelters and programs for women, but the only publicly funded services for men were for anger management, so three years ago this guy started a shelter himself in his own home. He tried to get some help, some funding, but never got any and finally had to sell the house and then he hung himself in the garage.

I felt sad for him until the article said the guy had become a well-known and outspoken member of the men's rights community and I didn't want to read anymore. From what I've come across with those guys, even when they have a good point, they manage to be such jerks about it I'm not surprised they alienate so many people.

Still, I was glad that Kevin Mercer was unlikely to be reading the article.

But what would he do when he got off the bus?

He might have gone to the Y. He wouldn't have been able to Google for the address, but I could, so I did, and the first thing that came up on the website was a picture of a driver's license and an announcement that picture ID was required. It didn't say what for, but I figured for everything. I put my phone in my pocket and had no idea what to do next.

If this had been a script I was scouting for, the next line would be something like "Private eye looks around and sees something. We follow his gaze to the payphones."

I walked over and lifted up the big black plastic case hanging from the wire and opened the yellow pages. Under men's shelters it listed the AIDS Calgary Awareness Association, the Tsuu T'ina Nation Wellness Centre, and a few rehab centres. Nothing looked promising. My theory was that Kevin Mercer didn't have a completely thought-out plan, but he did have some cash, about thirty-five hundred bucks from the advances, so he likely wouldn't have slept on the street.

I flipped through the Yellow Pages to bed and breakfasts. Some of them also looked like places you'd need a credit card and ID, but a couple were a little more promising. I actually dug around in my pocket looking for a quarter and wondering how much a payphone actually cost these days, when I remembered I had a phone in my hand.

The third place I called, a woman answered my

question with "Yes, we did have a man stay here who paid cash. He was in his fifties. Very rare."

On the drive over I was thinking about the places that a guy like Kevin Mercer could blend in and be so common no one noticed him, and the kind of places where a guy like him could be referred to as so rare. The pattern that was emerging surprised me, but I admit it wasn't something I'd ever thought about before.

The Sunnyside B&B was a house on 5th Street NW a couple blocks north of the Bow River, which seemed to divide the downtown office buildings from the residential neighbourhood to the north. This part of 5th Street ended in a T-intersection at 9th Avenue and beyond that was the side of a steep hill. I figured the view from the top of the hill must have been really good, because the view from the bottom wasn't bad. 5th Street was lined with nice houses with nice lawns in front and most of those lawns had a tree on them. There must have been a lane behind the houses with garages and parking, because very few of the lawns had been replaced with driveways.

I parked in front of 940 and walked up to the front door. I knocked and waited. I was looking across the street at one of the smallest houses I'd ever seen when I heard a woman's voice say, "Mr. Stewart?"

I said, "Is that a dollhouse?"

She was smiling when I turned to face her and she said, "My neighbour is a little eccentric. Still, we're glad he hasn't sold it for infill."

"You must be Faye."

"That's right."

"Thanks for talking to me."

She said, "Come on in," and held the door for me, then stepped past me and led the way into the living room. "So, you're looking for Mark."

"Is that the name he gave you?"

"Yes." She went through the living room into the dining room. On the far side of that was the kitchen, divided by a counter. I'd been in hundreds of houses just like this one on scouting trips. The stairs to the second floor were against the side wall and without going up them I knew where the three bedrooms and the bathroom would be. This house had an addition on the back, something else I'd seen quite a bit, but here it was probably Faye's living quarters.

I walked into the dining room and put a picture of Kevin Mercer down on the table and said, "Is this him?"

Faye said, "That's him." She sat down at the dining table and opened a laptop. "Why are you looking for him? Has he committed a crime?"

"I don't think so. I mean, he might have. I don't know if giving you a fake name is a crime or not, actually."

"So why are you looking for him?"

"His family asked me to."

"They hired you?"

She was looking up over the laptop a little too expec-
tantly.

I slipped my wallet out of my jacket pocket and looked in it. I had a hundred and sixty dollars in twenties. I took two of them out of the wallet and put them on the dining table. "And they're covering my expenses."

She scooped up the bills and had them in a pocket so quickly I wouldn't have been able to say which one. "Just like on TV, eh — two hundred a day plus expenses."

"Something like that."

"Mark Kennedy checked in here on April 13 and, just like you said, paid cash. He stayed a week."

"So, until the 20th. Did he say where he was going?"

"No, and he didn't book it all at once, I would've given him a discount but he paid the full fare every day, because he only let me know if he was staying in the late afternoon." She scrolled a little on the laptop. "I told him if someone else rented the room he'd be out of luck."

Faye was probably in her early seventies and what my father would call sharp as a tack. She was wearing jeans and a Disney World sweatshirt and I didn't doubt anything she told me.

I said, "He was probably looking for a job, did he mention that?"

"Don't know about a job," she said, "but I think he was looking for something. He asked me about taking the LRT and the buses around town."

"Can you remember any of the addresses he wanted to go to?"

She shrugged and said, "Not really, they were different neighbourhoods — Braeside, Woodlands, Marlborough."

"What kind of neighbourhoods are they?"

"What do you mean," she said, "neighbourhoods, you know, where people live."

I said, "Right." I was thinking he was looking for a job so he'd be going to industrial areas, but he was an electrician so maybe he was getting residential work, maybe renovations.

"Anyway, he must have found who he was looking for."

"Why do say that?"

"A guy came and picked him up, they left together."

"Do you know this guy's name?"

She made a face at me, one I deserved I guess, letting me know what a dumb question it was. "Guy in a pickup truck, looked like Mark Kennedy but carrying a bit more weight." She patted her own flat stomach. "If you know what I mean."

"Do you know what the last neighbourhood he looked in was?"

"Nope."

"OK, well, thanks, you've been very helpful."

As she walked me to the door, Faye said, "So, did this guy run away from home?" and I said, "Sort of, yeah."

"So he didn't rob a bank or anything like that?"

"No, don't worry, I don't think anyone else will be coming after him."

She said, "All right, well, good luck, kid."

I got into the rental car, pleased to be called kid and pleased that I actually had something. It was big, it was real, and I was pleased with myself.

Even if I really had no idea what to do next.

CHAPTER
TWELVE

In Calgary I figured I should have a steak or a burger or some kind of barbecue, but I pulled into a Chinese restaurant that turned out to be the first place in the world ginger beef was ever made. It seemed an oddly specific claim to fame, but it was really good.

I didn't want to sit by myself and talk on the phone in the restaurant, so I waited until I was checked into my room at the airport Holiday Inn Express to call Lana, and even then I texted first, saying, *I think I have something.*

My phone beeped a few seconds after I sent the text.

"What have you got?"

"Hi Lana, how are you? I'm fine. No, the flight wasn't too bad, no I'm not having much trouble with the time difference, I just had dinner. Ginger beef, steamed rice, and a vegetable dish, it was very good, thanks."

She said, "You finished?"

"Yeah, sorry. OK, I talked to a woman who runs a B&B and she says your uncle Kevin stayed there for a week."

"And you believe her?"

"I do." It was the main reason I'd suggested coming all the way to Calgary instead of just doing the research online and phoning people, so I could meet face to face. Not that I'm any great judge of whether people are lying or not, but in this case I was sure.

"When was this?"

"Right after he dropped the truck in Sudbury."

"So where is he now?"

"He met up with another guy here, and they drove off into the sunset in a pickup truck."

"Wait, you think Uncle Kevin is gay and he met someone?"

I hadn't actually thought of that and I said, "That's not where I was going with it, but I guess it's possible."

Lana said, "So where were you going with it?"

"I thought it was someone who hired him, a contractor or something."

"Oh, I see." She sounded a little disappointed.

"It's good news, it means he's alive and likely still here somewhere."

"Yeah, I guess."

I said, "And apparently he had a name or something, he spent a few days looking for someone. So, could you ask your aunt if he knew anyone here? Maybe she has a name of someone he knew when he lived here."

"That was a long time ago."

"It might help."

"OK, I can ask her."

"That'd be great."

"All right, I'll call you after I talk to her."

It was just after nine in Calgary, so just after eleven in Toronto. I figured Lana would talk to her aunt in the morning and call me then. I was tired enough to go to sleep, but it seemed too early, so I turned on the TV and looked for a movie.

My phone beeped and I answered it without looking. "That was fast, what's his name?"

"Bob. His name is Bob, don't call him Robert. He's a podiatrist."

I said, "OK, thanks. That's a little weird, though, not what I expected, are you sure about that?"

"Oh, I'm sure that's a funny word, po-di-a-trist, that's a great set-up, all kinds of places for you to go with that."

Even then it took me another second to figure out it wasn't Lana, and I said, "I thought you were someone else."

Ethel said, "I get that a lot. Usually when people are looking at me. You want to FaceTime?"

"Yes, let me get my iPad."

I hung up the phone and right away my iPad started beeping and I answered it.

Ethel said, "Oh cool, you got the extra beige room."

I turned the iPad around so she could see the rest of it. "With special extra-bland blandness."

"Nice. So how was your day?"

"Pretty good, productive actually, you?"

"Laundry, laundry, laundry. It's what happens when I've been on a job for a while."

"You did a great job," I said.

"You know they'll never use it, it'll all get cut."

"Probably, but you did great."

She was wearing a kind of bandanna holding back her curly red hair. Or trying to hold it back. She said, "So you found the guy."

"Whoa, slow down, I have a pretty good lead."

"Well, that's good, so you think he's out there somewhere."

"Looks like it, yeah."

Ethel frowned a little and said, "Did you tell Lana — how'd she take it?"

"I don't know, good, I guess, what do you mean?"

"She might have a delayed reaction," Ethel said. "It might not sink in right away, what he did."

"What did he do?"

"He walked away from everyone, abandoned them."

"I see what you mean." I wasn't really thinking about that at the moment. "Well, if it makes a difference, I'm pretty sure he was conflicted, he only made a half-assed plan and even that was pretty much at the last minute."

"But he still did it."

"Yeah, he still did it. But look, a lot of people think about it, right?" I waited and after a moment Ethel said, "Right," and I said, "Most people probably make better plans in their head than he did in real life, some people probably think about it all the time."

"I guess."

"So, that's probably what happened, he was thinking

about it and then he kind of did it, but I don't think he really thought it through."

"You don't think he really committed to it, to the idea of it."

I said, "That's right."

"I know a lot about not committing," she said, and I said, "Is that why you're still single?" and she said, "No, doofus, I was thinking about people failing to commit to the scene in improv, the ones who don't take it far enough and don't get enough laughs."

"Oh yeah," I said, "of course, that makes more sense."

Then she said, "But now that you mention it, maybe I do have a problem with commitment."

"Really?"

"No. What is it with you?"

She was shaking her head and I couldn't tell if she was serious or not. I said, "Lots of people have a problem with commitment."

"And some people just don't get the chance to commit to anyone. It's not always some deep-seated psychological problem."

"Or even not that deep-seated, sometimes it's pretty superficial."

"That's right," she said, "sometimes it's right there in front of you."

I really couldn't tell if these were cues I was supposed to pick up on or not. I said, "Are we flirting?"

"That's later in the call," she said, "I'll let you know. But right now, what's the big lead you got?"

I was relieved and also not so relieved. I said, "Oh, he was here, stayed for a few days at a B&B and is using the name Mark Kennedy."

"Wow, that is good."

"Yeah, it is."

She was smiling. "Way to go, Rockford."

"Thanks."

"So, what's next?"

"I think he knew someone here, maybe someone he worked with a long time ago, and that guy might have helped him find a job. Lana is asking her aunt if she can remember a name."

"That would be good, but what if she can't?"

"I'm not sure, I might go undercover."

"Ooh, undercover."

"Yeah, I'll try and find an under-the-table job."

"Ooh, from under the covers to under the table — kinky."

"I just mean I'll say I'm an electrician and try and find out who's hiring for renovations and stuff, it's probably a small group, guys all know each other."

"No," Ethel said, "that was flirting."

"Oh, I didn't realize we'd moved on already."

"Don't get me wrong, the minutiae of private eye work is fascinating." She gave an exaggerated yawn and rolled her eyes.

"No," I said, "I get it, we just passed over it pretty quickly."

"I guess you could describe what the guys on the construction site are wearing, but I'll probably picture real construction workers and not Channing Tatum."

"Yeah, that wouldn't work."

"Why don't you turn out the lights in that sexy hotel room."

I jumped off the bed and found the light switch and turned off the overhead.

Ethel said, "Nope, now you're lit from the iPad and it looks like a horror movie."

"I could hold it up like this?" I lay back on the bed and held the iPad at arm's length above my head.

"Still horror."

I said, "I'm not really sure how to do this."

"I can see that."

"Well, you look funny, too."

"That's some excellent flirting there, Sam Spade."

"Should I ask you what you're wearing?"

She tilted her head and looked down. "Yeah, maybe not, I said it was laundry day."

"Have you done this before?"

"Are you really asking about my sexual history?"

"Maybe just your phone sex history? No, forget that." I sat up on the bed. "I'm not usually sure if people get my jokes but with you I think it's safe to assume you do."

"Well, it's never really safe to assume, right, especially not these days, but I am a professional comedian. I even teach it."

"At Second City, yeah, I saw that, you teach improv and comedy writing."

"Stalker."

"You advertise it, it's all over social media."

"The getting-jokes thing needs to be reciprocal."

"So now we can make jokes about stalking?"

She rolled her eyes and said, "Please."

"I surprised myself with that. I'm nervous, by the way."

"Why is that?"

I paused and then said, "I like you."

"To tell you the truth, which for some reason is easier when you're three thousand miles away, I like you, too."

"Why is this so hard? Why are we so insecure?"

"Insecure? No way, not me, I'm a performer, there's never been an insecure performer in the history of performing." She made a face. "Turning to sarcasm and jokes to avoid emotional intimacy? I think you're way off target here."

"Yeah, I don't know what I was thinking, that's just crazy."

"And you," she said, "a thirty-something man who still lives at home."

"Not still," I said. "Returned."

"Whatever."

"Wait, how do you know where I live?"

"I checked you out."

"That kind of thing isn't online," I said. "Maybe *you* should be the private eye."

"Maybe I should be." She considered it, shrugged a little and said, "But all I did was ask Lana, that's not really all there is to it, right?"

"Pretty much, yeah, just asking people things."

"OK," she said, "just ask questions. So, why are you still single?"

It took me by surprise and I said, "My mother died when I was young, so I have abandonment issues."

"Lana said it was because you can be a real asshole."

"I guess there's that, too," I said. "There might be a connection."

"There might not be."

"Why are you still single?"

"I have high standards."

"So this is just a fling?"

"Too early to tell."

"Good enough for me."

"OK," she turned her head and leaned in closer to her iPad and looked very serious. "So now it's time to ask you some serious questions."

I didn't like the sound of that, but I said, "OK."

"What are you wearing?"

"Oh, is this the part where we flirt?"

She said, "We're going to do more than flirt," and she winked at me and I almost laughed, but I didn't and I was really glad I didn't, because we actually did flirt. And a little more than flirt. I don't know if Ethel had really ever done it like this before, but she really knew what she was doing and it was good.

———

The next morning my phone went off at five after six, and when I mumbled into it, Lana said, "I waited till after eight."

"Toronto time."

"I've got a name for you. David Burley. That's who my uncle knew in Calgary, he worked construction with him for a couple years. Apparently even went to the guy's wedding."

I said, "That's great. You could have texted that or sent me an email."

"I did send an email, I wanted to make sure you got it."

"I'll get it."

I took a shower and thought about Ethel. It went well.

Then I Googled David Burley and found an address right away. It would have been a lot easier for Kevin Mercer if he'd had a smartphone.

Of course, that would have made it a lot easier for me to find him, too.

CHAPTER
THIRTEEN

Addresses in Calgary include the quadrant (NW, NE, SE, SW), which seems to me like an orderly graph, but it's not like that at all. There's a river winding its way through the city and a hill they call Mount Royal, even though you can see the actual mountains, and multi-lane expressways they call trails.

I took Deerfoot Trail south from the airport hotel to a neighbourhood called Cedarbrae. It was Saturday, so the traffic wasn't too bad and the drive was pleasant. Deerfoot Trail felt like wide open spaces with the Bow River on one side and mostly warehouses on the other for a while, and then Glenmore Trail passed through a little more industry until the residential neighbour-hoods started when I crossed MacLeod Trail. There was a noise barrier wall, but instead of the bland green ones we have on the expressways in the Toronto suburbs, this one had what I thought at first were sharks painted on it, which seemed odd so far from the ocean, and then I saw they were actually different kinds of fish.

Cedarbrae was an older neighbourhood with winding streets lined with single detached houses probably built in the 1970s. If I was scouting it, I'd probably describe it a lot like I did the neighbourhood Barb Mercer lived in back in Toronto, working-class and well-kept. The place was probably a lot livelier when the houses were first built, and every one of them probably bought by couples with young kids. Now, it looked like some of the houses had been sold and new families moved in and put on additions and crammed the driveways with cars, but some of the houses also looked like they were still occupied by the original owners, but now the kids had grown up and moved out.

David Burley's house looked like an original owner home with the kids moved out. I'd found him online easily enough, his address and phone number were on Canada411.ca and he had a Facebook page he rarely posted to but was tagged a lot by what I figured was his wife, mostly on pictures of them with grandchildren.

I could have phoned, but I wanted to see the look on his face when I said the name Kevin Mercer.

I wasn't disappointed, though I probably could have gotten all the information on the phone. David Burley said, "Yeah, he was here a few weeks ago. Out of the blue."

We were sitting in the kitchen drinking instant

coffee David had made us. He'd answered the door when I'd knocked and introduced myself, and he wasn't surprised by the idea of a private detective or that I could be one or that I was asking about Kevin Mercer.

Now I said, "Did he use the name Mark Kennedy?"

"Not with me."

"And you hadn't heard from him in thirty years?"

"I hadn't seen him since he went back to Ontario, must have been '83 or '84, we had a big recession. You remember the bumper stickers, 'Please God Give Us One More Oil Boom I Promise Not to Piss It All Away This Time'? No, you're too young."

I said, "Boom and bust, right?"

"That's right. But that's not the last I heard from Kevin, we had Christmas cards for a few years after he got married. Pictures of the kids when they were young."

"Then what happened?"

"Nothing really, the kids got older and we just stopped, kind of faded out."

"How well did you know Kevin when he lived here?"

"Pretty well for a couple of years," David said. "We worked together and for a while we had a place together. Actually there were four of us in the house, close to downtown, 17th Avenue and 8th Street." He smiled a little, wistfully, I guess. "Had some good times."

"And then the recession hit and he moved back to Toronto?"

"Well, first Lucy and I got married. I moved out then, of course, we got an apartment. Kevin moved away a few months after that."

"And then one day he just showed up at your door?"

"Yeah, just like you."

"Well, you're not hiding," I said. "You're easy to find. But he didn't reconnect with you on Facebook or anything like that?"

"No." He drank some of his coffee and looked out the kitchen window to his little backyard. "I have reconnected with some of the people I went to high school with, but after you get caught up there's not much to say, you know."

"I guess so, yeah."

"And Kevin's wife hired you because the cops think he killed himself?"

"I work with his niece," I said. "I'm usually part of a movie crew, I'm a location scout. But I do a little private eye work in the off-season."

"I can see where'd they think that," David said. "I saw something on TV a while ago that said there were about five hundred suicides in Alberta last year — not young people, either."

"I've seen a few articles like that since I started looking for Kevin," I said. "I had no idea that it's men between forty and sixty-five who make up most of the suicides."

"Neither did I," David said. "The thing on TV said that men don't usually look for help, they don't want to seem weak."

"That's what I've heard, yeah."

"Do you think he might still do it?"

I hadn't thought of that. I said, "I don't know, I guess I figured he tried it once and walked away instead."

"I guess that's possible."

"How did he seem to you?"

"OK, I guess. He told me he got laid off and his wife left him and he was looking for work."

"Did you believe him?"

"I didn't have any reason not to. I've seen marriages fall apart after thirty years, it happens."

I said, "Yeah, I guess it does. Not this time, though, she didn't leave him."

"That's what he said."

"I'm sure it was. So, were you able to help him?"

"I gave him a few names. He was looking for something under the table."

"And that was it? You haven't heard from him since?"

David said, "We just got back. We have a daughter in Fernie, in B.C., we visit a few times a year since I retired. We went up for our grandson's birthday, that's the 18th, so we drove up the 17th."

"And you just got back?"

"We were in Fernie for a week and then we were on the road for a few weeks, we've got an RV. It's good to be retired."

"Sounds like it."

"I still do a little work sometimes, small jobs here and there, that's how I knew the guys for Kevin to talk to."

"Would you be able to give me the names?"

"Don't see why not."

I got out my phone and opened the notepad.

David said, "I bet you don't even carry a pen."

"There's probably one in my car back home," I said. "Under a box of Timbits from 2005."

"That doesn't sound that long ago to me," David said. "It still sounds like a science fiction movie, two thousand and something."

I nodded in a way I hoped was understanding.

"OK," he said. "The most likely to hire him was probably Ahmed Abdullah, he's a friend of mine who buys old houses and renovates them and sells them, he's a good guy." He gave me a phone number and then said, "And I gave him Frank Optril, he's a good guy, too, and Rick Garbutt." He gave me phone numbers for them, too.

"This is great," I said. "Thanks."

"Ahmed is probably working on a place today. He's got a day job, he does the flipping on the side with his brother. I do some of the electrical for him."

"Do you know the address of the house?"

David said, "No, but it's up by the airport."

Of course it was, where I started my day. "Any idea which street?"

"It's just off McKnight," he said, "past 52nd."

I opened the map on my phone and looked up McKnight and 52nd Street. "Temple Drive?"

He snapped his finger. "Templewood. But there are a lot of them — drive, road, way, Templewood, Templeridge, Templehill."

"Templemont?" I was seeing them all on the map.

David said, "Wait a minute," and got up and walked to his fridge. "I think I do have it here, I went out and gave him a quote a few weeks ago." He flipped over a page on the calendar and said, "Yeah, here it is, 234 Templemont Place."

"That's great, thanks."

David walked me back to the front door and I let him give me directions and I pretended to be paying attention even though the route was already planned out on my phone. Giving directions is something old guys seem to really like doing.

At the door he said, "I hope you find Kevin. I hope he's OK. If he's still around here, ask him to give me a call. I kind of expected to hear from him by now."

"If I find him, I'll do that. Thanks again."

We shook hands and I walked to the rental car.

I drove a couple blocks to a small strip mall and pulled into the parking lot. I texted Lana, *Talked to Burley, he def saw yr uncle few wks ago.*

There was an A&W and I was about to get out of the car and go in for a burger when I got a text. *Not Lana, but that's good news.*

Ethel. I typed out, "Oops, so excited by the good news. Let's talk later," and right away she texted back, *For sure.*

I sent the good news to Lana and went in and ordered a Teen Burger, onion rings, and a root beer, as if I was a teenager.

While eating I texted back and forth with Lana a little, telling her I had some names of guys who might have hired Kevin Mercer and I was going to talk to them and I'd let her know as soon as I did.

Then Lana texted, *I'm a little conflicted knowing he's alive.*

I texted back, *I'll call you if I talk to him.* Then I added, *Your uncle I mean*, and Lana texted back, *K.*

Driving back up towards the airport I could see where people would say Calgary was just endless subdivisions. From McKnight Boulevard I could see the slanted rooftops of bungalows that seemed to go on forever, disappearing into the prairie, the same three or four house designs repeated infinitely. But I remembered one of the first location managers I worked for saying you really have to see the inside. We were standing in a subdivision in Mississauga filled with houses that looked just like these houses in Calgary and every other city, and I made some superficial sarcastic remark, trying to sound deep about conformity and lack of individuality, and she said, "Anyone who thinks these houses are all the same has never been inside them." Then she said, "You know the line, all happy families are the same?" and I tried to sound smart and said, "Yeah, and every unhappy family is unhappy in its own way."

I remember she looked at me for a moment and then said, "The joke is, all families are unhappy."

At the time I didn't think that was true, I thought for sure my family was special and unique and we were the only ones who knew about real unhappiness, and now I laughed at how many times I'd laughed at myself for that over the years.

234 Templemont Place didn't look like it was under construction, but there were two pickup trucks in the driveway, and contrary to the jokes about Alberta, not many other driveways had pickup trucks. I parked and walked up to the front door and knocked.

From inside a man yelled, "Come in," so I did and saw him coming towards me from the kitchen. He said, "Where's the pizza?"

"Sorry, I'm not the delivery guy."

He looked suspicious. "Who are you?"

I said, "Are you Ahmed Abdullah?"

"Who wants to know?"

Another guy came out of the kitchen. This one was younger, in his twenties it looked like, and he said, "What's going on?"

I said, "I was just talking to David Burley. I'm looking for a man named Kevin Mercer but he might have been going by Mark Kennedy."

"Yeah, OK," the guy I figured was Ahmed said, "but who are you?"

"I'm a private detective."

Before he could say anything someone else knocked on the still-open front door behind me and I could smell the pizza.

The younger guy stepped around me and the older guy said, "You're kidding."

"No."

"OK, why are you looking for this guy?"

I smelled the pizza as it passed me, and the young guy carried it to the kitchen, and I said, "You probably don't want that to get cold, I can talk while you eat, if you want."

"OK, sure."

The kitchen was brand new and in the middle of being painted. There were no appliances and the counter was covered with a drop cloth.

While the two guys each got a slice, I said, "I'm Gord Stewart, Kevin Mercer's wife hired me. Are you Ahmed Abdullah?"

The older guy said, "Yeah. This is my son, Nazem."

We nodded and I said, "Did you hire Kevin? Or

Mark, I guess." I handed Ahmed the picture and he looked at it.

"Yes, we did. He did all the wiring. Did a good job."

"You're sure that's him?"

"Yes."

"Did he use the name Mark Kennedy?"

They looked at each other and Nazem said, "He used Mark for sure, I can't remember what last name he used."

"You paid him cash?"

Ahmed nodded. "Of course."

"How long did he work for you?"

Again they looked at each other, and then Ahmed said, "A week? We upgraded the whole house, put in an alarm system, new breaker box."

"That was a month ago?" I said.

"About, yeah."

"Do you have a phone number for him?"

"No," Ahmed said. "I never saw him with a phone."

"What about an address, do you know where he was living?"

"No. Sorry."

Nazem said, "I think he was in a rooming house."

"Any idea where that was?"

"No, not really. Maybe Tuxedo Park?"

"OK, well, that's good, thank you."

We stood awkwardly for a moment and then Ahmed said, "Anything else?" and I said, "Anything else you can remember?"

"No."

"OK, then that's it."

I reached out to shake his hand and he wiped his on his jeans.

It was almost four o'clock by then, so I drove to the airport hotel. I could call the other guys David Burley had set Kevin up with later, but now I had a name he was using, so I called Teddy at OBC. He was happy to hear from me, he said, "Gordo, that was great work you did last week."

"Glad to hear it worked out. Maybe you can do something for me now."

"On Saturday?"

"Sorry, I didn't even realize."

"I'm just yanking your chain, Gordo, I'm always working, you know that. The good guys never take a day off."

"Of course, I know that." I was going to say I read the papers, but I hadn't read a paper in years. I had seen a few online news sites, though, and I realized there hadn't been anything about Emery in a while. Which I guess meant OBC were doing their job.

Teddy said, "What do you need?"

"Remember I gave you that name Kevin Mercer? You had a look at his credit card statements. Well, now I think he's using the name Mark Kennedy."

"He sure picked common enough names."

"And I think he might be in Alberta. He was in Calgary a while ago, but I don't know if he still is."

"That narrows it down a little," Teddy said. "You think he's using the same DOB?"

"Probably."

"Then I might be able to find something."

"That would be great."

"And you could do a little work for me."

I had known it was coming, of course, but I still

hesitated. The fact I was now sure Kevin Mercer was still alive and I was getting close was enough. I said, "OK, it's a deal."

"It'll be easy work, Gordo, I promise."

"Let me know as soon as you find something."

"Will do."

After I got off the phone with him, I texted Lana: *Spoke to a guy who hired your uncle a few weeks ago. Getting closer.*

She texted back: *I haven't told Aunt Barb yet.*

Good. Shld be soon. I'll keep you posted.

K.

I wanted to text Ethel, but I didn't know what to say. I reread her text from earlier when I'd sent one to her by mistake and then said, *Let's talk later*, and I read her reply: *For sure.* Was this later enough? Didn't feel like it. It was the middle of the afternoon in Toronto. She was probably busy.

Then I figured she'd probably be even busier later. And then I convinced myself she'd answered the wrong number text so quickly she probably wasn't busy now, and then I wondered if I was sixteen years old.

I texted: *You busy?*

Let's Facetime.

I picked up my iPad and it was beeping right away.

"Hey, you're not busy."

"Are you kidding, I'm up to my ears in laundry."

"Thanks for making time for me."

She was walking around her apartment. "So you got good news?"

"Looks like it, yeah."

She walked into her bedroom and sat down on the bed. "Good for you."

"It feels close."

She said, "It sounds like a but is coming."

"I still have a few more people to talk to." Then I said, "My buddy at OBC is going to look for him online, he can get to databases I can't."

"That's great."

"I had to promise to do some work for them."

"So?"

"Well," I said, "they're evil."

"Really evil?"

"Yeah, really. The name means Old Boys Club."

Ethel made a face like I figured she would, and said, "Gross."

"And the work I have to do is on the Emery case."

"Good, that guy is disgusting and he should go to jail."

I shrugged a little and said, "Which side do you think OBC is on?"

"Shit, I didn't even think of that."

"I'll be doing surveillance. Maybe undercover work."

"Trying to find dirt on the women he raped?"

"That's right."

Ethel shook her head. "So, this is what you call a moral dilemma. I guess you can't check to see what the Edison Twins would've done."

"I don't think there's much choice, I need his help."

"And if you don't work for Emery, someone else will."

"Don't worry," I said, "he's told me that many times."

"And it is true." She was as angry as I expected. As

she should have been, as we all should be. "So," she said, "Emery's not going to resign and say he's going into therapy and retire on all his money?"

"No. He thinks he can get it dropped or at least win it in court, like Ghomeshi did, and he's the CEO of the company and a major shareholder and it doesn't look like the board will ask him to resign."

"The pushback has really started."

I said, "What?"

"There's always a pushback," Ethel said. Her expression was serious in a way I hadn't seen before. "To any movement. No one wins anything on the first try. Every wave of feminism got pushed back hard, that's why there are so many waves, you have to just keep coming, again and again."

I said, "I guess so."

"It's like the last time, the No Means No movement in the '80s, that got pushed back against in the '90s."

I said, "It did?"

"We got all those ultraviolent movies with the 'cool chick'" — she put the air quotes around it — "and we all had to say anal was perfectly normal and we loved threesomes."

"You were pretty young in the '80s."

"Hey, buddy, I'm woke as fuck."

"No, I know you are," I said, "I'm sure it's right, it's just a long time ago."

"Exactly." She nodded and said, "I've been reading a lot about it, I just read an article called, 'From No Means No to #MeToo,' covered a lot of this."

"I'm sure it's all true."

"You're not going to get all defensive now, are you?"

"No. Did that sound defensive?"

"A little."

"Well, I do get it," I said. "I work in the movie business, I've seen plenty of shitty behaviour. And I may not be as clueless as I let on."

"Oh, I know that, Lew Archer, don't worry, I saw through your act right away."

"What?"

"Don't try to kid a kidder. I've been doing this a long time."

"OK."

"So, they're going to get dirt on the women and try and intimidate them in court?"

"If it gets that far. Usually what happens is they get enough dirt so that it never gets to court."

"That's really fucking awful, you know."

"Oh, I know."

"And it might not happen this time, these women might fight back."

"I hope they do," I said.

"Because sometimes the pushback is so subtle we don't even notice it. We do it to ourselves."

"What?"

"I just read an old article," Ethel said, "by a woman who was a reporter at the l'École Polytechnique massacre."

"Oh yeah."

"Yeah." She nodded. I was glad we were on a FaceTime call and I could see her. But I was also kind of glad that we weren't in the same room, the distance was enough for us to be honest, I think. "It's called, 'How

I Sanitized the Feminist Outrage over the Montreal Massacre.' How's that for pushback."

"That's crazy."

"It sure is. It's a good article, I'll send it to you."

I watched her pick up her phone and her fingers fly over the screen in a flurry and I said, "Thanks."

Ethel was still looking at her phone and said, "I'm thinking about writing a one-woman show for the Fringe. Lots of comedy, but also using a lot of this material. I've been reading a lot and, you know, living a lot."

"It would be about the pushback," I said.

"Some of it, yeah. I've been thinking about some of the characters I do, you know? I do, like, a fantastic ditz, you know, like, just the dumbest white woman." The voice was perfect and the look on her face was perfect, too. And then the look was gone and she was herself again. "And I do a clueless vegan and a militant SJW and these characters always kill, always get great laughs. Have you been to Second City?"

"No."

"I'll comp you, it's fun."

"That'd be great."

"But I kind of fell into these characters. I mean, I was inspired by Catharine O'Hara and Andrea Martin and Lucille Ball, I guess that's pretty obvious."

I nodded but I had no idea what she meant by that.

"And Gracie Allen, of course, and Vivian Vance and so many other really talented, brilliant women who always played the ditz for laughs. And lately I've been thinking about those characters, their history, and their cultural significance."

"Cultural significance?"

"Don't worry, I'm not going to write a term paper, there will be jokes."

"OK then."

"I do a really good Lucy." She made a face and it was kind of amazing how just that, just the way she put her lips, the way she tilted her head and opened her eyes wide, and she really did look like Lucille Ball. "I thought about a Lucy one-woman show, but then I started researching and there are just so many ditzes. Ditzi? I might call it *The History of the Ditz*.'"

"It does sound like there's a lot of material there."

"It does, doesn't it? Because each one of those women were actually really smart, brilliant, talented women. They'd have to be, right? They all had such amazing timing and control of the moment. You've seen *SCTV*, right? Catharine O'Hara can get more laughs just saying, 'Ab-ba,' than there were in all the *Home Alone* movies combined."

"Well, the sequels for sure," I said, "but there was some real slapstick in the original. And John Candy."

"I'll give you Candy. But it was like all these funny women were working undercover. They were winking to all the women in the audience, always letting them in on the joke while the clueless men just laughed."

"That's the history of the world right there," I said.

"Yeah, it is, isn't it. That's fucking sad." She looked sad but then she brightened. "Maybe that's what you can do."

"Be clueless? I'm way ahead of you."

"No, go undercover."

"What do you mean?"

"Work for the Old Boys Circle Jerk Club, but secretly give all the information to the other side."

"Like a double agent."

"Exactly."

"I don't know," I said. "That's pretty risky, if those guys find out."

"Oh," Ethel said, "right, you wouldn't want to take any personal risk, just to, you know, make sure a guilty man is actually found guilty."

I said, "Hey."

"No, it's fine," she said. "The women are taking enough risks, no reason you should, too."

"I didn't say no."

"So you'll do it?"

"I probably won't get any useful information."

"So there's no problem just giving it up."

"How would I even do it?" I said. "I can't just call them."

"I'll help with that. No one has to ever know where the information came from."

"You know it sounds fun," I said, "like a movie, but it's not really like that."

"It doesn't sound fun," Ethel said. "It doesn't sound like a movie at all."

She was right, of course. I saw how she was trying not to look disappointed in me and I was trying not to be disappointed in myself. But I didn't want to double-cross the guys at OBC, they were some serious assholes, they had no problem crushing anyone who got in their way.

Which, of course, is what we were talking about.

"OK," I said. "Let's do it."

Ethel nodded. "I knew you would."

"I appreciate that."

"I thought we'd have a fight about it tonight and hang up on each other and tomorrow you'd send me a text saying you'd do it. You know, to avoid the awkward conversation."

"We could do it that way if you want."

"No, no, this is better," she said. "We have a special way to end these calls." She gave me an exaggerated wink.

"You think you can get in the mood now," I said, "after this conversation?"

"This conversation is a constant for women," she said. "And this is nothing compared to the way it usually goes. We have to be resilient."

"Well, OK."

"Don't worry, I can get you in the mood, too."

And she was right, she could.

———

Later I couldn't sleep so I read the article Ethel had sent me earlier. It was exactly like the headline said, the reporter rushed from Ottawa to Montreal and got there four hours after the mass shooting. She was twenty-four years old and, as she said, she was there to write about the slaughter of female engineering students, all about her own age. Fourteen of them. And she felt her original articles sanitized the feminism.

This article was written in 2009, and looking back with what the reporter described as "the benefit of analysis of the coverage that massacre spawned, I see how journalists — male and female producers, news directors, reporters, anchors — subtly changed the meaning of the tragedy to one that the public would get behind, silencing so-called 'angry feminists.'"

She said she felt she diminished the victims, "turning them from elite engineering students who'd fought for a place among men into teddy-bear-loving daughters, sisters, and girlfriends."

It seemed likely to me that it was all true, and I could see where Ethel could turn it into a deeply moving scene in a one-woman show, but I had no idea how she'd work in jokes. If she could do that, it would be an amazing show.

Ethel could probably do a lot of different characters so the part where the journalist wrote, "Some editors worried a junior reporter like me wasn't up to the task and one told me he worried I wouldn't cover the story objectively," would likely get some laughs and some groans.

And at the part where she wrote, "I watched the CBC *National*'s coverage. Only men were quoted: Eyewitnesses. Professors. Police. Survivors," Ethel would be able to do a few characters and maybe even get some laughs out of that.

Reading the part about the host, Barbara Frum, I tried to remember if I'd ever seen her on TV and I was pretty sure I could, but I was sure Ethel would be able

to do a great impression. I could see the scene in the words of the story:

"That evening, I thawed my feet in my hotel and watched the late Barbara Frum, one of Canada's most respected journalists, refuse to admit that the massacre was indeed an act of violence towards women.

'Why do we diminish it by suggesting that it was an act against just one group?' Frum asked on CBC's *The Journal*. Frum was puzzled that so many women insisted the massacre was a result of a society that tolerates violence against women. 'Look at the outrage in our society,' Frum said. 'Where is the permission to do this to women? If it was 14 men, would we be having vigils? Isn't violence the monstrosity here?' She refused to even utter the word feminist. But then, her neutralizing of feminist anger must have resonated, and perhaps was reflexive. Was it necessary to deny any shred of feminism in herself in order to get where she was in this bureaucratic media institution, this boys' club?"

Old boys club.

The article finished with, "They weren't killed for being daughters or girlfriends, but because they were capable women in a male-dominated field. I should have written that then."

CHAPTER
FOURTEEN

Sunday morning I read my emails — or mostly just deleted spam that somehow hadn't gone directly to my junk folder. But there was one from Teddy at OBC:

Mark Kennedy, DOB same as Kevin Mercer, filled out an application with ApRental.com, apartment rental management company in Calgary. They did not accept it.

I wondered how Teddy knew that, but then I realized I really didn't want to know. After the free breakfast buffet in the hotel restaurant, which had surprisingly good huevos rancheros, I called the number David Burley had given me for Frank Opatril, and a guy answered right away, saying, "Frank here."

I said, "Hi Frank, this is Gord Stewart. I'm a private detective."

"Oh yeah?" He sounded amused, which happens more often than I'd like.

"Yeah, I was wondering if I could come and ask you a couple of questions."

"What's it about?"

"I'm looking for someone," I said. "And a guy named David Burley said you might have hired him."

"Yeah, I've hired David."

"No, someone else. This would be easier in person, I can come to wherever you are."

"I'm at the restaurant," he said, as if I should know what that was, and then he added, "Gerda's, on 17th Avenue."

"That's southwest?"

"Right."

"Will you still be there in half an hour?"

"Sure."

It was still early enough on Sunday that the streets were mostly empty, and I like empty streets. After so many night shoots on films, I liked driving home through a quiet city. Usually, it was earlier than this and the sun was just coming up and I knew my way around, but this was OK, too. I drove through downtown and came out on the south side and found 17th Avenue was lined with restaurants and bars and condo buildings.

Gerda's was a small place close to 14th Street that looked like it had been there for a long time. If a script called for a Swiss mountain chalet or a restaurant called Old Vienna, this would be perfect.

Inside had been more recently renovated, but there was still a lot of dark wood and paintings on the wall of snow-capped mountains and small villages.

But the place was empty, so I figured Frank hadn't waited for me and that was annoying, because I wasn't late at all. I was just about to turn around and walk out when a guy came out of the kitchen and said, "You the private eye?"

I said, "Yes, are you Frank?"

"Yeah, come on in, have a seat. This is my family's restaurant. It was my mother's for a long time but she retired, now my cousin runs it. You want something to eat?"

"No, thanks," I said, "I just ate. Too bad, though, smells really good."

"My mom's schnitzel," he said. "Coffee?"

"Sure, thanks."

Frank went back into the kitchen and came out a moment later with a couple of mugs in one hand and a coffee pot in the other. He motioned to a table along the far wall and we sat down. He was about sixty years old and in good shape. He was bald on top with a ring of close-cropped brown hair around his head.

"We don't open for another hour." He poured us each a cup. "So, what's this, you're looking for someone?"

"Yes," I said. I took one of the pictures of Kevin Mercer from my pocket and put it on the table. "This guy. He might have called himself Mark Kennedy."

Frank picked up the picture and nodded. "Yeah, he did, that's right, Mark."

"You hired him?"

"I did, yeah. We put a new laundry room in one of the buildings, he did the wiring."

"Do you have a phone number for him?" I knew the answer but I asked anyway. "Or an address where he was staying?"

"No phone number," Frank said. "And I only know where he stayed for a couple days."

That surprised me, and I said, "That's great, where was that?"

He shrugged a little and looked like he didn't want to say. "He told me he was having trouble finding a place. I figured he just got out of jail or had bad credit or something, he didn't have a driver's license or anything. He was in a rooming house but it wasn't working out. I wasn't surprised, some of those places are real death traps."

"Why is that?"

"Fires, usually. We had one a few years ago, couple guys were killed. Some of those places, they have ten, twelve people crammed into three-bedroom houses."

"Sharing rooms?"

"I've seen them where they divide the bedrooms, some of the rooms don't even have windows. They give all us landlords a bad name."

"I can see why Kevin wanted out."

Frank looked surprised for a second and then said, "Right, Mark. Yeah, he said he was going to find something else, so I let him stay in one of my empty units."

"You gave him an apartment?"

"I let him stay in one. The building is empty, we haven't started the reno yet."

"Is he still there?"

"No," Frank said. "I was a little pissed off, actually. I let him stay there and he was supposed to work another job for me but he never showed."

"How long ago was this?"

"Couple weeks."

"So he just left, you don't know where he went."

"No idea, sorry." He dropped the picture on the table and picked up his coffee and took a sip. Then he said, "It happens, though, I've seen it before."

"You have?"

"I hire guys like this all the time. Well, sometimes, anyway."

"What do you mean," I said, "guys like this?"

He shrugged a little and said, "These kind of middle-aged guys, blue-collar guys. I guess what the news is calling the white working class now."

"In the States, yeah."

"We have them here, too," Frank said. "They know their stuff, you know, this guy was a good electrician, worked steady, didn't waste materials. These guys are usually like that but they don't have any papers, they aren't licensed or certified or whatever they need to be these days."

"So you can hire them under the table and pay cash?"

"It's good for everybody, they don't have to pay any taxes, or alimony if that's what it is, I don't ask."

"And it's cheaper for you."

"And I get good work," he said. "My units are safe. Let me tell you, there's never going to be a fire in that laundry room Mark wired."

"Kevin," I said.

Frank drank some more coffee and said, "I know him as Mark. I wish he'd stuck around."

I wished he'd stuck around, too. I was glad to know he was around here somewhere, but it still felt a little hopeless. I said, "Did he leave anything behind in the apartment?"

"Like a clue," Frank said. He was amused. "Maybe he wrote something on a pad of paper and tore the page off and if you brush a pencil over it you can read the indentations?"

I said, "I am a little desperate here."

"Tell you the truth," Frank said, "I haven't been to the place since I dropped him off."

"Could I go look at it?"

"I guess so. Come on, I'll drive you over, I should check on it anyway, we're going to start the reno soon."

Frank drove a new pickup that I didn't think got used on the job site very much, it was clean and comfortable. He turned on a classic rock radio station and we cut through downtown listening to Eddie Money singing about having tickets to paradise and how we'd have to leave tonight.

The building was on Edmonton Trail, the end unit in a row of old two- and three-storey red brick buildings that had retail stores on the first floor and apartments above. Most of the retail outlets in the block were vacant, including the one in Frank's building. He parked right in front and said, "We've applied to the city to change the zoning so we can put an apartment on the ground floor instead of commercial. Nobody wants to rent commercial spaces anymore."

153

I said, "Do people want to live on the ground floor right on the street like this?"

"We have a great design," he said. "Totally accessible, it's all on one floor and no steps into the building, great for someone in a wheelchair."

"I never would have thought of that."

"No one ever does," Frank said. "So we'll rent it out easy."

We got out of the truck and walked to the building. Frank unlocked a door that was next to the main door to the old store, saying, "We're going to change the whole front, make the doorway wider and have windows along the top."

I said, "It sounds good."

"Oh yeah, it's going to be great, if we can get the pencil pushers at city hall to grow some balls and do something different."

He led the way up a narrow, crooked staircase to the second floor and put the key in the lock above the door handle and said, "Shit." The door wasn't locked. He pushed it open.

At the end of the hall I saw the back staircase, which I figured led to the lane behind the building.

"We're going to make one unit up here," Frank said. He walked into the main room. "Two bedrooms, there's a shortage. All these condos are studios and one bedroom, seven, eight hundred square feet, too small."

The place was mostly empty. There was a mattress on the floor and some cardboard boxes by the window. The old kitchen cabinets were still on the wall but there was no fridge or stove.

We both smelled it right away.

Frank said, "Oh, fuck."

He'd opened the closet door and was stepping backwards away from it, his hand covering his mouth.

"Fuck, fuck, fuck."

The body was hanging, an orange extension cord around its neck.

I took a half step closer to the closet. To the body.

Kevin Mercer.

He was probably hanging there for a couple of weeks. His face was bloated, black and blue and the skin had started to slip down away from his bugged-out, discoloured eyes. His arms were limp by his sides and his hands were swollen. His feet probably were, too, but I couldn't tell. He was wearing socks but no shoes — I don't know why I found that weird, but I did. And he was wearing jeans and a plaid shirt.

It could have only been more Canadian if he was being eaten by a bear.

Frank said, "Holy shit. Well that explains why he didn't show up for work."

I didn't think it explained anything, but I just said, "Yeah."

Frank had his phone out and said, "Who do I call? 911?"

"Sure, I guess."

"It's not really an emergency, though."

"No," I said. "Not anymore."

CHAPTER
FIFTEEN

The first cop to arrive on the scene was a young woman named Dillon who was probably working a twelve-hour shift that started at six in the morning, and the rest of her day would be spent dealing with this.

She called in more services, an ambulance, which I guess was some kind of standard procedure, and also detectives. While we were waiting for them to arrive, she took our names and phone numbers and asked us what happened.

Frank told her he owned the building and had let Kevin Mercer stay in it but hadn't seen him in a couple of weeks. He pointed to the body that was still hanging in the closet and said, "I guess no one has."

Officer Dillon said, "I guess not." She looked at me. "And you? What are you doing here?"

"I'm a private detective," I said. "I was hired to find him." I expected a remark about my being a P.I., but Officer Dillon just wrote it in her notebook. I said, "I didn't expect to find him like this."

"No, you wouldn't," she said. "You're from Toronto?"

I guess the area code on my phone number gave it away. I hoped that's what it was. I said, "Yes, that's right."

"Is that where he was from?"

"Yes."

The ambulance guys arrived then and we stepped out into the hall to give them room to work.

Frank said, "Can I wait out front, get some air?"

Officer Dillon said, "Right in front, OK?"

I followed him down the narrow stairs and out onto the sidewalk in front of the building.

"Holy shit, that's crazy." He looked at me and said, "You ever see anything like that before?"

"Just special effects," I said, "in the movies."

"I thought it was a Black guy at first."

A car pulled up behind the police car that I guess Officer Dillon arrived in and two men got out. They were both wearing suits and ties and would have been exactly what a cop show script called "rumpled detectives." They walked past us and up the stairs.

It was a nice day in Calgary, more summer than spring. People walked past on the sidewalk pushing baby strollers and the traffic picked up on Edmonton Trail and it kind of hit me how all these people had been going through their days not knowing about the body hanging in the closet on the second floor of this building.

I could see where Kevin Mercer would think that no one would notice him and no one would miss him, but I couldn't understand why he included his family in that. Although maybe I could. Was it such a big step to go from 99.9 percent of the world to 100 percent? Is this what people mean by feeling like they're taken for granted? Like they're not even noticed. At that moment it seemed like a very thin line between almost everyone in the world not noticing you were gone and everyone not noticing.

The only difference was family.

So, I was thinking about my father back home in Scarborough, probably on the back deck drinking coffee and reading the Sunday paper and complaining about the government. At that moment I wanted to hug him.

The younger of the two rumpled detectives came out of the building and said, "Which one's Frank Opatril?"

"That's me."

"You own this building?"

"That's right."

"You allowed the deceased to live here?"

"I let him crash here for a couple nights," Frank said.

"What nights were those?"

"I'm not sure exactly." Frank got out his phone and looked at the calendar. "I guess it was May 11."

The detective thought about it and looked like a little kid trying to figure out a really difficult math problem.

I said, "Three weeks. Twenty-three days."

"You sure?"

"Yes." It was like putting a shooting schedule together, but I didn't tell him that.

He said, "You're Stewart Gordon?"

"Gordon Stewart."

"Sorry," he said. "But it does work either way."

"Yeah, it does."

"And you're a private eye?"

"Yeah."

"From Toronto?"

"That's right."

"You were looking for this guy?"

I said, "Yes, I was."

"Well, good for you, you found him."

I think he was trying to be sarcastic, trying to make me feel bad, though why he thought I felt anything other than bad was beyond me.

The older detective came out of the building then and said, "Which one's Opatril?" and I thought we'd go through every question again, but when Frank said, "I am," the older cop turned and looked back at the building and said, "This used to be a hardware store."

It wasn't a question, but Frank said, "That's right, until about six years ago. It's been empty since."

"Is that when you bought it?"

"No, it's been in my family a long time. It was my uncle's store."

The older cop said, "It's too bad all those neighbourhood hardware stores closed, they were great."

"My uncle had everything in there," Frank said. "Anything you needed, he had it, or he could get it."

"I believe it," the cop said. "Now you go to these big box stores, kids working there don't know anything."

Frank said, "That's for sure," and the older cop said, pretty casually, "You let squatters stay here a lot?"

If he was trying to catch Frank off guard it worked. I watched him stumble on his words, saying, "Not a lot," and then trying to explain it, saying, "Once in a while, rarely, almost never. Sometimes the guys have nowhere else to go, you know?"

"So, you give them a place to crash and put them to work, do you pay them?"

"Of course."

But the older cop wasn't buying it. He said, "You own a lot of rooming houses, too, don't you?"

"No," Frank said. "I own a few rental units, duplexes and triplexes. No rooming houses."

"You sure? I think I know your name."

"I sold them or converted them into higher-end units," Frank said. "There's no money in rooming houses, most of the time the guys don't even pay the rent."

"And sometimes there isn't enough work for them to make it worthwhile."

Frank said, "Whatever."

"So, were you surprised when this guy told you there was a dead body here?"

"He didn't tell me, I brought him here," Frank said.

The older cop looked at me and said, "Is that true?"

"Yeah, I got some information that Kevin Mercer, that's the body upstairs, that he had called Mr. Opatril here looking for work."

"And I gave him some," Frank said, "and I paid

him and I gave him a place to crash and then he never showed up for the next job."

Frank was getting frustrated, and I could see he had no idea where the cop was going with it, and I wanted to tell him, probably nowhere, probably just cops being cops, but I didn't say anything. I've found whether they're still on the job or retired like the guys at OBC, it's best just to let cops have their moments. They can be like directors that way.

"And he was alive when you left?"

"Of course," Frank said. "I thought he just left, fell off the wagon."

The older cop said, "He was an alcoholic?"

"I don't know," Frank said. "Maybe."

"Well, that's probably it," the older cop said. He looked at me. "Do you know was he an alcoholic or depressed or anything like that?"

I said, "He was depressed, yeah. He wasn't an alcoholic, and he wasn't homeless." I don't know why I wanted to make sure they knew Kevin Mercer had a house, but I did. "His wife hired me, actually I work with his niece, it's a long story, that doesn't matter, but I was looking for him because they thought he committed suicide in Ontario, up near Sudbury."

The older cop said, "Why did they think that?"

"He drove way out into the woods and left his truck on a logging road. They thought he walked into the woods and shot himself."

The door opened and one of the ambulance guys backed out onto the sidewalk holding one end of a stretcher. As he moved past us, the first thing I thought was that I didn't know ambulance guys even brought body bags to scenes, but there it was on the stretcher. Which I thought was better than just covering up the body with a blanket.

"So, he didn't shoot himself in Ontario, he came all the way out here and hung himself."

"I guess so."

We all stood there for a moment and no one said anything, and then I said, "What happens now?" and the older cop said, "What do you mean?"

"What happens to his body? Who tells his wife what happened?"

"Well, he didn't die in a hospital so there has to be an autopsy, that's procedure. Next of kin has to identify the body, but if they're not here we can do it over video." He watched the stretcher being loaded into the ambulance and then said, "Have you got a number for the wife?"

"Yeah, I do." I got out my phone and looked up Barb Mercer's number and gave it to him. Then I said, "Can you wait a few minutes? Let me call the niece, maybe she can go over and be with her aunt when you call?"

"Sure. Call me when you've talked to her, OK?" He handed me a business card.

I said, "OK, shouldn't be long."

The uniformed cop came out of the building then and closed the door.

162   Frank said to the older detective, "You're not going to put up that yellow tape or anything, are you?"

"It's not a crime scene."

I said, "I thought suicide was a crime?"

The detective said, "I mean, it's not an ongoing investigation."

"Oh, right."

"OK," Frank said, "can we go now?"

"Yeah, I've got your contact information."

When the cops had gone, Frank said, "Shit. Well, I guess you need a ride back to your car, right?"

On the way back across town Frank told me all about Calgary, what a great city it was, how it was growing and how great it was to be so close to the mountains. He actually said something about fresh air and the great outdoors.

At the restaurant, Frank said, "Well, good luck," and held out his hand. I shook it and said, "Thanks," though I wasn't sure what I was thanking him for. The ride, I guess.

I walked a block up 14th Street to the parking lot just off 14th Street, next to a place called Smartypantz Escape Rooms, which I was pretty sure I wouldn't be smart enough to escape from, and I wouldn't find it fun trying.

I sat in the rental car and called Lana.

She answered right away, "Hi."

I said, "Hi, how you doing?"

"Fine, do you have news?"

"I do," I said. "Look, there's no way to say it, he, ah, did it this time."

"Shit." There was a long pause and then Lana said, "How?"

"Hung himself."

"Fuck."

"Yeah, I know."

"Where? I mean, it's in Calgary, right?"

"Yeah, Calgary. An empty apartment. He was

working for the guy who owned the building, he let him crash there."

"He didn't check on him?"

"There was no reason. So, look," I said, "the cops are going to call your aunt Barb." I looked at the business card. "Detective Mitchell Vernon is going to call. He's going to need to set up some kind of video conference so your aunt can identify the body."

Lana said, "Shit."

I said, "The thing is, the body was hanging there for three weeks. It's, um, in bad shape."

"I fucking bet it is."

"So, I figured you'd want to be with your aunt when she did it."

"Well, I don't want to be." She let it trail off, but I knew what she meant, of course she didn't want to be but she would be.

"When, ah, when do you think you could be there?"

"Don't fucking rush me."

"I'm sorry, it's just I have to call him, and . . ."

"No, sorry, it's not your fault. You did good."

"I'm surprised, too."

"Let me call her and see if she's home. I'll call you back."

"OK."

"Then what happens?"

I said, "What?"

"What happens after they tell her? What does she do then?"

"I don't know," I said. "I guess it depends what she wants. I guess there's a way to ship the body back for a funeral."

"Shit, this is such a fucking mess. And this is my only day off this week."

"You started already?"

"Yes."

"This the geezer-pleaser in Sudbury?"

"Yes."

"Good, you started already."

"OK, I'll call you right back."

I got out of the car and leaned back against it. Now that the shock was wearing off, I was getting hungry. There was a McDonald's further up on 14th, an Ali Baba Kabob House, and something called Via Cibo Italian Street Food.

My phone beeped and I checked the text. It was from Lana and it just said, *I'm heading over now, I'll call you soon.*

I texted back Detective Vernon's phone number and *Can you call him from your aunt's?*

It took a few minutes but I got a text back that said, *K.*

Via Cibo turned out to be a franchise. Or a wannabe franchise, I think they were just starting out. It was a step or a couple of steps above fast food and very hipster. The middle of the restaurant was one long table that could seat about eighteen people, but I think they expected strangers to sit together.

A waiter met me at the door and seated me at a table for four by the window, which was nice, but it was between lunch and dinner and the place was pretty much empty. He told me the food was inspired by Italian street food and the specialty was piadina. "Are you familiar with it?"

I was glad he didn't ask me if I was intimate with it. I said, "No, not really," and as he explained about the Italian flatbread and choices of toppings, I thought it sounded like a pizza wrap and said I'd think about it.

When the waiter came back to my table a few minutes later, I ordered something they called a Na' pizza with prosciutto, roasted tomatoes, and a couple kinds of cheese and an Italian beer, a Moretti. I'd been treating the whole trip like a scouting job and saving receipts and I planned to submit an expense report to Lana.

The food was very good, so I figured the coffee would be, too, and ordered a cappuccino.

I was still sitting at the table about an hour later, scrolling through Facebook on my phone when it beeped and I saw it was Lana.

"She says it's not him."

I said, "What are you talking about?"

"My aunt Barb, the cop set up the video conference, we just did it on Skype for Christ's sake. But it's not him."

"I know it's really hard to tell," I said.

"She's sure. It's not him."

"It's him."

"She won't give them an ID," Lana said. "She says it's not him."

"So what happens now?"

"They're doing a DNA test. They said it could take a while."

"I bet they're not too happy about it."

"They were good about it," Lana said. "They didn't pressure her, they want to be sure."

I was thinking, they are sure, but I didn't say it. I said, "What should I do?"

"There's not much point in staying there looking for him."

"No," I said. "I found him."

"OK, well, you might as well come back."

We hung up.

For a minute I was happy that I'd done a good job and found him. The feeling didn't last.

CHAPTER
SIXTEEN

It was a long flight home.

Left Calgary at nine, arrived in Toronto at six in the morning with a stopover in Edmonton, and I didn't sleep much at all on the plane.

The sun was up and it was starting to be a nice day when the cab let me off at my house, and I tried to get inside without waking my father but he was already up and sitting at the kitchen table, drinking coffee and reading the paper.

He said, "You look like shit."

"Thanks, it was really something. Memorable."

"You want a cup of coffee?"

I said, "I think I'm going to try and get some sleep."

"How do you think that's going to go?"

"You're right, sure, I'll have a cup."

My dad got up and got a mug from the cupboard and the carafe from the coffee maker. If he'd had breakfast he'd already cleaned up the kitchen.

"So, it was a good trip?"

I sat down at the table and sipped the coffee. It was good. "Yeah, sort of. I found the guy."

"That's good."

"He hung himself three weeks ago."

"That's not so good." He drank coffee. "But that was before you were hired, right?"

I said, "Yeah, it was," and shrugged, because I didn't see the connection.

"So it's not like there was anything you really could've done," my father said. "He was dead before you even started."

"Yeah, that's true."

"Too bad he went all the way out there to do it."

I said, "It's too bad he did it," and my father nodded and said, "Yeah, that too."

After a brief awkward silence he said, "I'm going to the garden centre in a few minutes."

I understood the words but they didn't make any sense to me. "You're going where?"

"I'm driving Ida."

"Who's Ida?"

"Across the backyard, they moved in a couple months ago. They bought the Olsens' place."

I vaguely remembered the family that had moved in, they had a couple of little kids. "Isn't her name Mei?" I was pretty sure I could remember that.

"Her mother is Ida," my dad said. "She lives with them."

"And you have a date with her?"

"Oh, for Christ's sake, it's not a date."

"No, of course not."

He was standing up then, putting his mug in the sink. "You going to be here for dinner?"

"I don't know, are you?"

He started walking towards the front door and said, "Try and have a good day, try not to annoy people too much."

When the door closed I laughed a little, what a script would probably describe as a chuckle.

And then I thought there probably was a script in my father taking the Chinese grandmother to the garden centre. A sitcom, maybe. Probably not a charming indie film, though you never know.

For a minute I thought I could fall asleep, but instead I took a shower and started the day.

———

The production office was quiet and mostly still empty. This is the best time on any movie, before it starts, when it still feels like there's plenty of time to do everything that needs to be done and it might be really good. In the beginning, everything that needs to come together perfectly can still come together perfectly. It'll be weeks before the small problems start to show up and it won't be until the week before principal photography that the first feeling of dread will really show up, when people in lots of different departments start to accept that they won't be able to get done everything they need to and that compromises will have to be made. It won't be until principal photography starts that the feeling of just having to get through this and get it done will take over, before the relief of post-production and the feeling among the crew that we did the best we could under the circumstances and at least there's a finished product.

Today, the few people in the office, mostly department heads, were in good moods.

I passed the art department office and said, "Hey Artie."

Kyle said, "Gordo, good to see you."

I stopped in the doorway. When I first met Artie, that's how I was introduced to him, and I thought it was his name for three movies before I found out his name is Kyle and Artie was a clever nickname he'd been given because he worked in the art department. I guess it was the movie crew version of hockey players adding "-er" to the end of everyone's name: Wayner, Daver, Nikitaer — it got tougher when the Europeans started coming to play in the NHL, but Canadians can adapt, it's one of our best qualities.

"This could be fun," I said, "recreating 1968."

Artie already had a Woodstock poster on the wall.

"Yeah, at least there's going to be some colour."

I said, "Ha ha," and Artie said, "What?"

"You said colour, you know, and you're a . . . person of colour."

Artie said, "I still say Black. But I'm old like you, it's hard to get with these kids."

Above his desk Artie had a sign that read, "Toronto is basically a bland, globalized no-place with an acute lack of atmosphere or vision." I motioned to it and said, "That from a movie review? Can't be about your work."

"No," he said, "it's an internet comment, I love it. It's so confident and arrogant and wrong. It's irony-free. Some white guy spent a week here and went to the AGO and the ROM, now he knows everything about it. It's funny."

"Hilarious."

I walked further down the hall, past the break room and found Lana in her office. In front of a computer monitor, of course.

She said, "Hey, you made it."

"You'd think I'd be asleep, but no. How's it going?"

She pointed at the monitor and said, "Great now."

"How's your aunt?"

Lana stood up and said, "You want a coffee?" She walked out of the office and I followed her to the break room. While she poured two cups of coffee she said, "She's deep, deep, deep in denial. Like, completely. She's still going over what she plans to say to him when he comes home." She handed me a mug and we walked back to her office.

"I guess that's understandable," I said, sitting down in one of the guest chairs that I knew Lana hoped would never get used.

"At least it won't go on forever."

"No?"

"Once the DNA test comes in, that'll prove it."

"Will she believe it? Conspiracy theories are built on less denial than that."

Lana leaned back in her chair and raised the coffee mug in both hands. "I get that she doesn't want to believe it, but she's the one who found out it happens every day."

"But not to your own husband."

"But it could, that's the point. He's no different than these guys, right?"

"If this was a shitty cop show, someone would be saying he fits the profile."

"Exactly."

"But when they say that bullshit in the script, we always say a million guys fit the profile, but only one did it so the profile's not much good, is it?"

"But this time it was him." She drank coffee and then looked at me and said, "You believe it, don't you?"

"I do, yeah. But I know how he feels. How he felt. It doesn't sound so crazy to me now."

"What?" She was smiling, about to laugh. "You?"

"Yeah, me." I wasn't mad she didn't believe me, I guess I was a little glad she didn't think of me like that. "I think everyone feels that way sometimes, like nothing matters, like there's no point in doing this anymore."

"Sure," Lana said, an edge creeping into her voice. "Teenagers, but we outgrow it."

"Sometimes we circle back to it," I said. "I got the feeling when I was in Calgary, that he felt, I don't know, like he'd gone full circle. Whatever it was, forty years ago, when he went out there and worked construction, picking up jobs, working for the day. It was kind of like that for him now. Living in a rooming house with other guys. It's probably what he did then and when he was doing it again now he just felt, I don't know, like it was pointless."

"Because he was working construction?"

"It's hard to explain."

"Maybe because it can't be explained."

"Maybe."

We sat for a minute and neither one of us said anything, and then Lana said, "Can you wait a couple weeks to submit an expense report, just till we're up and running more here and I can justify it?"

"Sure, no problem."

"She refused to start planning a funeral."

"It's got to be a shock."

"Do you know how much it costs to ship a body across the country? So, I said, maybe have him cremated there and ship the ashes, much cheaper, you know, but she won't even talk about it."

"People deal with stress differently," I said. I didn't want to come right out and tell Lana that she dealt with stress by organizing — everything and everyone. It made her a terrific production manager, but it could be a little overwhelming in real life.

"She's not dealing with it all."

"She will," I said.

"I hope so."

I stood up and said, "If you need any help with any of it, getting the body shipped or anything. I talked to the cops, they sort of know me, if you need anything there."

174

"Thanks, I appreciate it," Lana said. "You don't mind going back to Sudbury and doing a real scout, do you?"

"No, not at all."

"OK, I'll call you."

I started walking out of the office and Lana said, "Gord?" and I stuck my head back in.

"I just wanted to say thanks."

"I wish it turned out differently."

"Me, too."

As I was walking through the parking lot, I got a text from Teddy at OBC asking me to call him, so I sat in my car and did just that.

He answered saying, "Can you work tomorrow? And the rest of this week?"

"Yeah, I can."

I could hear the sigh of relief. He was a lot more stressed on this job than I'd ever seen him before. "Great. I'm going to send you a name and an address and a picture. Can you pick the guy up tomorrow after work, be there at five and keep an eye on him for the rest of the night?"

"It's a guy?"

"It is. Check your email, it should be there now."

"OK, will do. You want daily reports or the end of the week?"

"Hourly. I'll call you."

I said, "OK," and hung up. I knew I'd be working for him as soon as I got back, but this seemed odd. Surveillance on a male, every evening this week.

I looked at my phone and tried to talk myself out of making the next call but I couldn't. I scrolled through my contacts and hit the little phone icon that looked like a phone no one had anymore.

Ethel answered on the first ring. "Hey, you."

I said, "Hey, how's it going?"

"Good. You still busy in Cowtown?"

"No," I said. "I came back last night. And I was wondering, would you like to have dinner tonight?"

"Like a date?"

I could hear the hesitation in her voice, the surprise, and what I thought was disappointment.

"Yeah, just like that."

"Um, well."

"It's OK," I said. "It was too soon, I shouldn't have asked like that, surprised you on the phone."

"No, that's not it."

"It's OK, really."

"No, wait."

So I did. I wanted to tell her this was going to be the only evening I'd have this week but I thought that made this sound like it was just for convenience. Already I knew I was thinking too much and that could only be bad. I had to struggle to keep from talking and saying something dumb.

And the silence dragged out.

Then she said, "OK, sure."

"You sure?"

"Yeah, why not? Look, I admit, I was liking the long-distance thing, it played well into my insecurities and my fear of intimacy, you know?"

"Oh, I know."

She laughed. "But, yeah, a date, why not."

"Do you want to pick a restaurant?"

"Do you like Indian food?"

"I do."

———

There was a very small restaurant, maybe ten seats,

around the corner from Ethel's house on Queen called Cinamon that was excellent. It was next door to a Nando's and I thought that's where we were going when we walked along Queen and I said, "It's not Nando's, you know."

"You know I'm a professional comedian, right? I teach comedy writing."

I said, "I'll keep that in mind."

When we walked in we were met immediately by a woman who said hello to Ethel and then, "It's not takeout tonight?"

"No, not tonight, Saya."

We got the best table in the place, by the window. We ordered a bottle of white wine and some appetizers and then Ethel said, "So why are you back so soon?"

I said, "Because I found the guy."

"Oh, wow, that's great."

"I was too late, though."

"Why, what happened?"

I told her how he'd already killed himself and how Frank and I found him and how awful it was, three weeks later, and how there still wouldn't be any closure for anyone because there's no such thing as closure.

Saya brought our onion bhajis and vegetable samosas.

Ethel said, "That's true, there's no such thing as closure." She drank some wine and then she said, "But look, you did a good job, you're a good private eye."

"I'm dogged," I said. "If I was a hockey player, I'd be a grinder."

"Did you want to be a hockey player?"

"Let's see, I grew up in Scarborough," I said, "so, for a while, anyway."

"Before you fell in love with the movies?"

"I didn't fall in love with the movies," I said. "I don't even like movies."

"You're in the business."

"I'm in the location scouting business."

"Yeah, scouting for movies."

I said, "That's true."

"So why did you get into it?"

"I guess because I really can find things."

"No," Ethel said, "why did you get into the industry?" She put air quotes around the word industry.

"I don't know, I kind of fell into it."

"Like you fell off a bike?"

"It was more about what I didn't want to do," I said. "I worked with my dad at hydro, climbing poles for a couple of summers, and I didn't want to do that. I didn't want to work in retail. I didn't want to sell anything."

"Or process anything."

I said, "What?"

"You don't want to sell anything, buy anything or process anything as a career. You don't want to sell anything bought or processed or buy anything sold or processed or repair anything sold, bought or processed as a career. You don't want to do that."

"What are you talking about?"

She said, "You're Lloyd Dobler," and I said, "Oh, it's from a movie, of course. Everything everybody says is from a movie."

"Well, yes," she said, "movies have used all the words. Sometimes people put them in a different order."

I said, "Did you always want to be an actor?" and

she said, "Yes," as if it was the only thing anyone ever wanted to be.

After the meal, we walked a block down to the lake and along the boardwalk for a while.

I said, "This is no one's view of Toronto," and Ethel said, "What do you mean?"

"When you say Toronto, no one ever thinks of a beach."

"It's been in plenty of movies," Ethel said. "It was in an episode of *Black Mirror*."

"They never said where that was, and they never showed the skyline, not the tower, anyway."

Ahead of us we could see the skyline, and the tower, lots of tall glass condo buildings, and Lake Ontario.

"Do you ever get tired of scouting locations that can pass for some other city?"

"I get tired of scouting locations no matter what they're used for."

"Really?"

"OK, not really," I said.

"That's better." She took my hand. "Can't be cynical every minute of the day."

"You sure about that?"

She just squeezed my hand tighter.

I liked that.

179

CHAPTER
SEVENTEEN

I woke up alone in Ethel's basement apartment. I was disoriented at first and almost fell off the couch and then I tried to remember why I was on the couch.

We got back from walking on the beach and Ethel fixed us drinks, she had a bar cart in her living room. Then we started making out and she said she was going to "slip into something more comfortable," and I'd laughed because it seemed like an old movie.

Looking around the apartment now I saw a lot of things that looked like they were from old movies. The bar cart, the white dining table and the four plastic-looking chairs, the movie posters on the wall: Lucille Ball and Desi Arnaz in *The Long, Long Trailer*; *Forever Darling*, which also seemed to star Lucy and Desi; and one I'd never heard of called *The Fuller Brush Girl*, with just Lucy.

"Hey, sleepyhead."

Ethel was coming out of the bathroom wearing a white bathrobe and with a towel around her head.

She said, "You sleep OK?"

"Yes. Sorry about that."

"You must have really needed the sleep," she said. "You were out cold. I did try to wake you up, but not too much, I had to stop before it really affected my self-esteem."

"I was jet-lagged. I think I still am." I was sitting up, then wiping the drool from my lip. "I didn't know Lucy and Desi were in so many movies together."

"Oh yeah, they were the It Couple for a long time, huge stars." Ethel was looking at the posters. "Really, though, she was just doing anything to keep him from going on the road with his band." She turned back to me and said, "He had a bit of a thing for the young ladies."

I said, "Really? I never would have guessed."

"So," Ethel said, "I'm going to have to kick you out soon. I'm teaching a class this afternoon and I'm doing D&D Improv tonight."

"What's D&D Improv?"

"Exactly what it sounds like," she said, "it's improv based on Dungeons & Dragons."

None of that made any sense to me, but I was still groggy from the deep sleep. I said, "OK, well, I have to work tonight, too. The double-agent thing, remember."

"Wow, they're starting you right away."

"It's an ongoing investigation."

"They call it an investigation when they're collecting information to smear rape victims?"

I said, "They are the bad guys, remember."

"How could I forget."

"They work pretty hard," I said, "to not sound bad at all. Very clinical, very theoretical, no real names or anything like that."

She shook her head a little and then said, "OK, well, I was going to get dressed and leave you a note if you were still sleeping but now that you're up I've actually got about an hour before I have to leave."

I said, "Oh, OK, you want me to get out of here?"

"I was thinking we had enough time now for what we didn't get to do last night."

It took me a second to figure it out and even then I wasn't sure that's what she was talking about but then I saw she was making an exaggerated wink and tilting her head towards the bedroom so I said, "Oh, yeah, for sure, I just didn't think this was very good pillow talk, you know, go from this right to that."

"Hey," Ethel said, "women have to compartmentalize."

"OK, if you're sure, it just didn't seem like . . ." I wasn't sure what to say or why I was even talking, so I stopped. Which seemed like the right thing to do because Ethel took my hand and led me into her bedroom.

———

Afterwards Ethel said, "I'll be honest, the first time I thought you were just going to be a hook-up."

"A one-night stand," I said. "Not even a potential friend with benefits?"

"I wasn't thinking that far ahead."

"I get that."

"Were you?"

"Thinking far ahead? Honestly, no. Are you now?"

Ethel was staring at the ceiling. "Well, I'm concerned about global warming and the creeping authoritarianism with right-wing nationalism, sure, but at the same time I don't know if I'll have next month's rent."

"Sounds about right."

"But I feel . . . I don't know . . ." She paused, still staring at the ceiling and I was still looking at her. I felt a real urge to hug her but I forced myself to stay still and wait. When I was just about to say something — I have no idea what, but probably something stupid — Ethel said, "I feel like right now, maybe for a while, I don't want to see anyone else. Is that too much pressure?"

I said, "We're at that stage now?"

"I think so." She reached over and picked up her phone off the table beside the bed.

"Are you going to delete Tinder?"

"I don't know about delete," she said, "but maybe I'll move it to the last screen, out there with the other ones I never use, like health and stocks."

"That's a big step, thank you."

"I've never had that app, have you?"

I said, "No. I think I'm a little old for that."

"What year were you born?"

"1979."

"Ha, you're a Carter baby. I'm a child of the Reagan era, no wonder you're so grumpy."

"True enough, I was born during the malaise."

Ethel said, "I haven't been in a serious relationship in a couple of years and I'm still worried it'll be smothering, you know?"

"Yeah, sure, I know." I hadn't been in a serious relationship in longer than that, but I didn't say anything.

"I guess you just have a lot of short-term, on-set romances," she said. "They call it summer camp for grown-ups, right?"

"I've heard that," I said, "but I have that whole being-an-asshole thing going for me and it usually gets in the way."

"Your reputation precedes you."

"Word gets around. But it didn't bother you."

She said, "No, I can fix you."

"You are a professional comedian."

"I am. OK, this is good, baby steps." She turned her head, kissed me on the cheek, and jumped out of bed. "Now I really do have to get going."

I said, "I should get going, too."

Ethel was picking up clothes off the floor and she looked back over her shoulder at me and I felt like a teenager with a mad crush.

At five that afternoon — after having just enough time to go home, shower, get something to eat, and ask my father how the date at the garden centre went, and for him to tell me it wasn't a date and neither was the movie he was going to with Ida that night — I was standing on the sidewalk on King Street waiting for a guy I recognized from my last OBC job, the guy the woman I'd been following then had met up with.

Crowded sidewalks in Toronto had pretty much returned to the way they were before a guy in a rental van hopped up on one and mowed down people for blocks, killing ten and injuring dozens more. At the time, we talked about how the event would change us, and I guess it did for a while, but over time we drift back to the way we were. The way we are.

It was one more thing that so many big cities had in common now.

Across the street I could see a huge TV screen packed full of images and text. I guess the numbers running across the bottom have something to do with the stock market, but they're meaningless to me. They're like the weather numbers on another part of the screen, they're just there. In the middle of the screen the images changed quickly from sports highlights — almost all baseball now — to news stories that looked like video-game images of wrecked cities.

Surveillance isn't that hard downtown, no one notices anyone else. People pushed by me on the sidewalk and no one noticed me. When I started doing this kind of work I worried a lot about how I looked. I wore hats and plain jackets and tried to blend in, but after a while I realized I could be wearing a chicken costume on the sidewalk here and no one would notice.

A director told me once, we all believe the myths about ourselves. Well, directors say a lot of stuff they try to make sound insightful and deep when you're driving them around on tech surveys — visits to locations before shooting there — but after I thought about it a while I started to think maybe this guy had a point. Canadians believe they are nicer and more polite than other people. Americans think they are rugged individuals. The French think they have good taste. It's true for some people, of course, some individuals, but it seems to me when the group gets big enough and crowded enough, we all start to be pretty similar.

I could have been standing on a corner in the financial district of any big city and not looked out of place.

The young guy in the good suit with the briefcase (and the haircut with the flip in front from some kind of gel) could have come out of any office building in the financial district of any city.

I followed him to the subway and all the way out to Scarborough. The last time I'd followed him I wasn't really following him, he'd met up with the young woman and they rode the subway together until the end of the line and then she turned and came back and I stayed with her. This time he was by himself and stood still and held on to an overhead strap all the way to Bloor and then walked in the middle of the trudging crowd to the eastbound line and stood still and held on to an overhead strap until a few seats became available and he sat down.

He didn't notice me, of course. I didn't stand out in any way among the other riders, although I did notice that out of the fifty or so people left on the subway car there was no single group that dominated. There were two or three other white guys between twenty and forty like me, and there were three or four Asian guys, and three or four black women, and a lot of teenagers, but they were all mixed, too. For a moment I was worried that would make me more noticeable, but then I figured it just helped me blend in more. I'd have to be really doing something to get noticed, playing "Despacito" on an accordion or riding a unicycle or something.

As we got further into the suburbs, the crowd really thinned out, but there were enough people making the transfer from the end of the subway line to the Scarborough RT that the guy I was following didn't notice me. The RT is old and rickety now and never really became the automated future it had been conceived as, and a lot of people complained about that, but I kind of liked it. Of course, I don't ride it to work every day.

My mark got off at Ellesmere Station and I followed him outside, into what any script would call the "bland and bleak urban landscape of an anonymous city, concrete and asphalt," which was true enough, I suppose. I stayed with him as he walked a block to one of the new rows of townhouses that lined the train tracks.

An hour later, I sent Teddy a text saying the guy was still in the house and my shift was done. I was only a few blocks from my house, so I just walked home.

I did that for another two days and when I was almost home on the second day, I got a text from Lana that said, *Call me*, so I did.

She answered with, "It wasn't him."

I was standing on the sidewalk in front of my house and I said, "What?"

"The DNA test came back, my aunt was right — it wasn't him."

CHAPTER
EIGHTEEN

The house was empty. I had no idea where my father was but I was glad he wasn't home.

I said, "Well, who was it?" and Lana said the police wouldn't tell her that.

"They just said that it's not my uncle."

"And they're sure?"

"Yes, my cousin took a DNA test here and they compared the results and it's not him."

I sat down at the kitchen table. "They're one hundred percent certain?"

"Yes, goddammit."

"OK, I believe you."

Lana said, "I'm sorry, I just didn't expect this."

"I didn't expect it, either. I saw him."

"Yeah, but you never met my uncle," Lana said. "You were just going by pictures."

"And a little evidence. I was with the guy who dropped him off."

"Well, it's not him," Lana said. "So now, of course, my aunt wants you to keep looking."

I had no idea where I'd even start now. I said, "Aren't the police doing it now? Now that there's evidence he was in Calgary, proof he didn't walk into the woods in Sudbury."

"The Calgary police said there's nothing for them to do, they told us to call the OPP in Sudbury."

Even though I knew the answer, I said, "Did you do that?"

"We were hoping you could do it. You did talk to them, they know you."

I felt there was very little chance anyone at that OPP detachment would remember me, and if they did, it wouldn't be fondly. They were very happy to have the case closed. "All right," I said. "I'll call them."

"Great, thank you. Keep track of your hours," Lana said, "and submit an invoice."

I said, "Don't worry, I will," and hung up.

It was only eight o'clock, so I looked up the number for the Sudbury OPP and pressed the little phone icon.

A man answered, saying, "OPP Sudbury, Constable D'Agostini."

I was thumbing through the notes on my phone and I stalled a little with, "Hi, I was wondering if I could speak to . . ." and I found it, "Constable Jokinen."

I expected him to tell me she wasn't in and to call

back, but he said, "One sec," and I heard him calling her and then I was put on hold.

And I waited. And waited, and finally after what seemed like way too long to pick up a phone, I heard, "Jokinen."

It took me a little by surprise, but I soldiered on. "Hi, my name is Gord Stewart, I spoke to you about a week ago, about a man who left his truck on Old Highway 806." I was reading from my notes.

After a pause, she said, "Yeah, OK."

"Well, you know there was no body. I mean, his body wasn't discovered."

"Not unusual," she said. "It will be."

"Well, that's the thing," I said. "It won't be. It turns out he walked back into Sudbury and bought a bus ticket to Calgary."

"That seems unlikely."

I said, "Yeah, I thought so, too. But I went to Calgary and talked to a friend of his who saw him a few weeks ago. Gave him a job."

"You went to Calgary?"

That didn't seem like the part of what I told her that should've gotten the reaction. I said, "Yes, and I met with a couple of people who saw Kevin Mercer, that's the guy who's truck it was, in Calgary."

"They told you that?"

"Yes."

"OK, well, that's good, I guess."

"Yes," I said, "it is." I wasn't sure what I expected from Const. Jokinen, but it wasn't this. "So, the family was wondering, could this become an open investigation again?"

"Sure."

Even though she said it in a pretty matter-of-fact tone, that was good news, so I said, "Hey, that's great, so you'll look for him?"

"It's not our investigation."

"But . . ." I wasn't sure what to say. "Why not?"

"Well, why should it be?"

"Because that's where he left his truck."

"It's not a crime to leave a truck by the side of the road."

I thought it actually probably was — littering at least, but probably something more serious. If they towed it into town, they'd probably want to bill someone for that. I said, "OK, but if that's where he disappeared, isn't it your case?"

"You said people saw him in Calgary."

"So, it's the Calgary police who should be looking into it?"

She said, "You said someone gave him a job?"

"That's right."

"Then I don't understand," she said. "Why is this a police matter at all?"

"Because his family doesn't know where he is."

"Then it's a family matter."

I had no answer for that.

"OK, right, I see that now." I paused, not wanting to hang up, but I didn't know what else to say. "Thanks for your time."

"You're welcome."

She waited, I could tell, not saying anything. I held the phone away from my ear and looked at it and the call was still connected, but I knew she wasn't going to say anything else and I touched the red icon to end the call.

Before I forgot, I sent a text to Teddy with a photo of my mark going into the row house behind the train tracks and a note telling him what time I left the scene.

Then I figured I might as well get something to eat, and as I stood up, I heard my phone bing, which I figured was Teddy letting me know he got my text.

I stood with the door to the fridge open, staring in for a long time. I could hear my father's voice saying, "I didn't put anything new in there since you looked ten minutes ago," and I wondered where he was. Probably on another date with Ida, the Chinese grandmother, that he wasn't calling a date.

Well, good for him, he hadn't been out with anyone in a couple of years. I was starting to think he'd never go out with anyone again.

My phone binged again, because I hadn't looked at the text, so I closed the fridge and looked at it.

It wasn't from Teddy, it was from Ethel and it said, *U busy?*

I texted back, *No.*

Right away it came back, *U hungry?*

I texted, *Yes.*

Where r u?

I'm mobile, I texted.

We went back and forth a bit and decided to meet at a place on Queen East called Prohibition.

———

The place was hipster, of course — it actually said, "Curated Booze" on the menu and the food section said "Eat well, speak easy," in case they weren't driving home the Prohibition imagery enough with the pictures of Al Capone on the walls. I got there first and found a table for two as far from the crowd as I could and ordered a beer, a Beau's Lug-Tread.

I expected Ethel to be late, but she walked in the door at exactly the time she said she'd be there, so I suppose that says more about me than it does about her. I stood up to greet her and she air-kissed me on each cheek and sat down looking quite happy.

It made me happy.

I said, "It's good to see you."

The waitress put my beer on the table and Ethel said, "Can I get a gin martini, with Dillon's dry?" and the waitress said, "Of course."

Then Ethel said, "Whoo, the day I had."

"How was your day?"

"Well, I'll tell you. I teach this class, part of the professional development program, to help people overcome self-doubt and to be confident and to work well with others."

I said, "I thought it was all improv classes."

"I teach those, too, but this isn't for performing — it's to help people be better at their jobs, or just in their lives, be more confident, read social situations better. There is some improv involved."

"You're teaching people how to have a sense of humour?"

"Kind of, yeah."

The waitress arrived with Ethel's martini and asked us what we wanted to eat.

Ethel said, "I'll have the Buddha Bowl," and then

looked at me and said, "Do you want to split some chicken lollipops?"

I said, "Chicken lollipops?" and then stopped both Ethel and the waitress from telling me what they were. "Sure, let's split them and I'll have a Margherita Flatbread," which I hoped was a pizza.

The waitress said, "Great," and walked away.

Ethel took a sip of her martini and ate the onion that had been in it and then took another sip. "Oooh, that's good. So, anyway, sometimes these classes get a little self-helpy, you know, kind of like a group therapy session sometimes."

I still wasn't clear on what the classes were or why they were giving them at a comedy club, but I just said, "Sure, yeah."

"And tonight, oh boy, only a few people made it and it was all therapy, all the time. I felt like Bob Newhart."

"'Whatever you do, Emily, don't look in the dishwasher.'"

Ethel reached across the table and took my hand. "You get me so hot."

I was glad she didn't ask me how I knew about such an old sitcom, I really didn't want to talk about my misspent youth sitting in the basement watching TV with my dad. Talk about a therapy session.

"Anyway," she said. "I feel like there should be comedian-student confidentiality and I shouldn't talk about it."

"I think you can if you want to."

"No, that was probably enough," she said. "My day was emotional, but it wasn't really about me. How was your day?"

194

"My day was fine," I said. "Up until about an hour ago, when I found out the guy I was looking for is still alive."

"You said he was hanging in that apartment for three weeks, he couldn't still be alive."

"Turns out that wasn't his body."

"Wow."

I said, "Yeah, wow."

"Did it smell?"

I said, "Yeah, but not as bad as you'd think. No one threw up or had to put a handkerchief over their mouths or anything like that. We didn't even notice it when we came in."

"Did the detectives make witty remarks?"

"Like, 'What's he doing hanging around here?'"

"Or, 'Shouldn't he have turned back into a bat?'"

I said, "He wasn't hanging upside down."

"You know, people know more about vampires and zombies," Ethel said, "than they do about other people."

"Sure," I said, "vampires and zombies follow the rules, they behave in predictable ways. You never know what people are going to do."

"Or we don't want to admit it." She drank some more of her martini and said, "Like when this guy went missing no one wanted to believe he killed himself."

"And it turns out he didn't."

"And no one wanted to believe he pulled a Flitcraft."

"I think you're the only one who knew about that," I said.

Ethel ignored that and said, "So, what now? Are you looking for him again?"

"I think I reached the end of my abilities," I said. "I'm actually kind of amazed I got as far as I did."

"And you don't know who the actual dead guy was?"

"No." I had been thinking about it, though, and I said, "My guess is one of the other guys from the rooming house. Kevin, the guy I was looking for, had been living in a rooming house with a lot of other guys like him, and then the guy who owned the building where we found him let him stay there."

"Why?"

I drank some of my beer and said, "I guess because the rooming house wasn't very nice."

"I wouldn't imagine it was, but still, why let the guy stay in the apartment?"

"I don't know, really."

Ethel said, "Maybe that's, like, a clue, or a loose end you should be following up?"

"Or maybe it's a MacGuffin," I said, "or a red herring."

"You see, you do know this stuff."

The waitress was at the table then, putting down a plate of chicken lollipops, which it turned out were exactly what they sounded like, breaded fried chicken on the end of a stick. She said, "How's everything, need more drinks?"

Ethel said, "Yes, more drinks," before I could say no, I didn't want another one. Then I figured, yeah, I do want another one.

"So, it seems like that's where you have to go," she said, "follow that lead." She raised an eyebrow and then finished off her martini and put the empty glass down on the table.

I said, "No, I don't think so. The main reason I went to Calgary was to talk to people face to face so I could get a reading off them, and I think Frank was telling the truth."

"Frank is the guy who let him stay in the apartment?"

"Yeah. I don't think there was anything sinister there."

"In your gut? Like on a cop show?"

I said, "It's not like that," and then the waitress arrived and put Ethel's martini and my beer on the table.

When the waitress left, Ethel said, "I've been on a couple of cop shows. I'm usually a witness. I was a waitress once who served the killer."

"You've never been the killer?"

"Not yet."

"But there will always be another cop show," I said.

"Like death and taxes. I've had bits on all of them, *Rookie Blue*, *Flashpoint*, *The Detail*."

"At least now they have female detectives."

Ethel said, "But they're still the same detectives, they still have to break the rules to get results."

"You could do that."

"I sure could. Or I could be from Internal Affairs, they're still always the bad guys."

"They never understand," I said, "what it's like on the streets."

"Like the lawyers," Ethel said, "or those desk jockeys

on the civilian oversight committee, never been outside their safe little worlds."

"Always trying to make us play by the rules."

Ethel laughed a little and said, "I actually could play those parts, though."

"I'm sure you could." I picked up my beer in a toast and Ethel raised her martini glass. "To Detective Mack," I said. "May she forever be breaking the rules to nail the perps."

"In the twenty-four hours she has to close the case."

The chicken lollipops were actually very good and my flatbread *was* a pizza and it was pretty good, too. When we finished and decided against one more drink, I told Ethel that I was back working for Teddy at OBC, doing my double-agent surveillance, and she said, "Who are you following?"

"One of the complainants' lawyers, I guess," I said. "A while ago I followed a woman while she met with this guy, and the past couple days I've been following him." I held up my phone with one of my very clever selfies with him in the background.

"He's a lawyer?"

"I don't know for sure, probably."

"So, what do they want with him?"

"Who knows," I said. "I'm like that joke about the mushroom, you know, they keep me in the dark and feed me shit. I don't ask questions anymore."

"Some private eye you are. You're supposed to keep after them until they beat you up and tell you to leave it alone, and that just gets you to dig harder."

"I've been beaten up," I said. "It would actually get me to stop."

Ethel took my phone and started flipping through the pictures. She paused, still looking at the phone, and said, "You're going to let me look at your pictures?"

"I keep the private ones in a folder marked expenses."

She held the phone up to me and said, "Is that the woman he met with?"

"Yeah."

"She looks familiar," Ethel said. "Who is she?"

"I've been calling her Mindy Kaling."

"A little racist, no?"

"A little, I guess."

"I really have seen her, though," Ethel said. "But where?"

"I imagine on the news. She's probably one of the women Emery raped."

Ethel looked up at me a little surprised and said, "Allegedly."

"Right," I said, "allegedly."

"But she's not," Ethel said. "I've seen pictures of all of them and she's not one of them."

"She might be someone who's thinking about bringing charges," I said. "Maybe she talked to the police and to this lawyer."

"And you'd know about it?"

"OBC would. If she talked to the police it would be the first call they made."

Ethel said, "The first call the police made?"

"Yes."

"Why?"

"Because OBC would pay them for that kind of information."

"But that can't be legal."

"That's why they keep that kind of thing pretty quiet."

Ethel said, "Fuck," and I said, "Yeah."

"But she really does look familiar. I know her from somewhere."

We decided against dessert, too, and split the bill. It was easy and easy-going and I was really enjoying spending time with Ethel, and when I drove her home I was ready for her to invite me in or kiss me goodnight and send me on my way. I would have been happy with either one.

What I wasn't expecting was for her to say, "I do know her." And then, "She's an actor."

CHAPTER
NINETEEN

Ethel showed me websites on her laptop; comedy troupes and community theatre and a couple of TV commercials.

"Samantha Singh. Probably a stage name."

I said, "People still use stage names?" and Ethel said, "Sure, you don't think my name is really Ethel, do you?"

Before I could answer, and admit I did actually think that was her name, she said, "And she's not one of the women who have brought charges against Emery. Could you be working on something else?"

I still wanted to go back to the name thing, but I said, "No, it's definitely Emery."

"So, who's the lawyer? What's he doing?"

"I don't know," I said. "I don't even know his name."

"Maybe we can find something with an image search of his face."

Ethel showed me how to AirDrop the photo from my phone to hers and then she got it onto her laptop and into the image search, and in seconds we were looking at the webpage for a law firm and the headshot of a junior partner, Joel Gibbs.

"Well," Ethel said, "they're not one of the Seven Sisters."

"The what now?"

We were sitting at her round white dining table on the white plastic chairs that seemed to me like a movie set, and Ethel said, "You know, the Seven Sisters, the biggest law firms in town."

"They're called the Seven Sisters?"

"That's the nickname people use for them."

"How do you know that?"

"I've done corporate gigs for half of them," she said. "Lawyers like to think they have a sense of humour and can take it, but you learn fast they really can't. They're all about status and hierarchy and knowing your place and no one lower on the ladder better ever say anything about anyone above."

"Not even a joke?"

"Especially not a joke," Ethel said. "But this guy is with some small firm, just a few partners. They seem to do a lot of criminal law."

"That makes sense," I said. "It's a criminal investigation."

"Are you totally sure they weren't just on a date or something like that?"

"No, it wasn't personal, it was business for sure.

They met in the subway where there's no phone service so it couldn't be tapped. She gave him the envelope. He did kind of ask her for it a few times. She might have been reluctant."

Ethel said, "That's interesting."

"And it could be wrong," I said. "I was keeping my distance. And, to be honest, I don't really fully engage in these things, I like to pretend I don't know what's going on."

"What is going on?"

"You know," I said. "Finding dirt."

"For the trial?"

"Not if it's good dirt." I stood up and walked around the tiny apartment. "The real goal of OBC, when they get something like this, is to keep it from ever going to court. Or if it does, for it to be over quick, get it dismissed or something."

"Like how?"

"Well, usually it's your basic blackmail. There are three women bringing charges against Emery, right? If OBC can find something about one of the women she doesn't want made public, they can use that to get her to drop the charges."

Ethel looked disappointed, or maybe sad, and then she looked at me and said, "You don't mean something not even to do with the case? Something that might sway a jury?"

"The idea is something to keep it from ever going to court." I sat back down and said, "Like, here, look, a couple years ago, OBC got hired by someone who was charged with something similar to this, not as high profile."

Ethel said, "Before the #MeToo movement started?"

"Yeah, before that. Before Ghomeshi. But a rich guy charged with rape."

"Big corporate exec?"

"Or son of big exec. Member of old money family."

"Right."

"So, OBC gets hired to investigate the complainant. I should say, they also dig pretty deep into the police investigation looking for mistakes there, anything that can be used."

"Used for what?"

"Usually it's to get evidence dismissed, so it can't be used. Sometimes it really is obvious, but sometimes it isn't. OBC are all ex-cops, so they have a pretty good idea what to look for."

"Cops turning on cops."

"Don't worry," I said, "they take care of their own. But in this case the issue was with the complainant."

Ethel was already looking very pissed off. "Like what, she wasn't a virgin?"

"No, it was something that happened when she was a teenager, she was involved in a crime."

"She wasn't the victim?"

"No, she wasn't, she was one of the ones who committed the crime. But she was young and she was sorry. I'd say she was actually quite ashamed of what she'd done. It was more the boyfriend and it had to do with an animal, a pet."

Ethel said, "Holy shit, OK."

"Anyway, she did a little time in juvenile detention, got some counselling, worked really hard as they say, never did anything again and she was doing everything right in her life. Which was a bit of a struggle."

"Because she was poor and her family was messed up?"

"There was some of that, yeah," I said.

Ethel said, "And?"

"And, it was brought to her attention that if she continued with the complaint, what she had done earlier would be made very public."

"But they can't do that," Ethel said. "That's the whole point of a juvenile record, people do dumb shit when they're kids, but those records get sealed and can't be used against them, they can't bring that into court."

"That's all true," I said. "What she was told was that all of her friends would receive anonymous, untraceable emails with all the details about what she'd done."

"That's blackmail," Ethel said. "That's against the law, that's a crime."

I said, "Yes, it is."

Ethel looked at me and said, "And everyone involved knew, right?"

"Not everyone."

"But lots of people."

"And there was nothing anyone could do?"

"There was nothing anyone could prove. No one would ever find out who leaked the information," I said. "There might have been an investigation, but it would never have got to OBC, and it would never have gotten anywhere near the family with the money."

"Because the cops doing the investigating wouldn't do a good job."

I shrugged. "It's not a TV show."

"No, it fucking isn't," Ethel said.

"Look, this is the way it happens, we all know it but we don't really talk about it. We generalize, we theorize, we talk about percentages and break things down by age and race and whatever, but this is what it is in the details."

"The details are this girl got raped, but there was something in her past she didn't want everyone to know about."

"That's right."

"So victims do have to be perfect?"

"When the criminal has money, yes." Before she could say anything, I said, "If the guy who did it didn't have any money, he would've been convicted. Or at least, he would have gone to court."

"Because he wouldn't have been able to hire these OBC bastards."

"That's right. And if she hadn't had something in her past, they would have found something else."

"I mean, you're right," Ethel said, "I know that goes on, but fuck."

It was quiet for a minute and then Ethel said, "And you worked on that?"

If I was talking to anyone else I probably would have lied. I said, "I did."

"What did you do, exactly?"

I could hear my father's voice in my head, in for a penny in for a pound. "I found a couple of people she was friends with before the thing she did happened, and I pretended to be someone else and got to know them and got them to tell me what she'd done. Or what she was involved with. It was just rumours, really, that I found out about."

"And you passed on that information," Ethel said. "And that got them what they needed?"

"Yes. Other people found out the details, the sealed file got leaked."

"Leaked?"

"I imagine cash changed hands. All I knew was that the girl, the victim, had moved when she was fourteen and changed schools, and there was a gap of a year where she didn't go to any school."

Ethel said, "I think you better go now."

For a moment I thought about saying it was your idea for me to keep working on this, your idea for me to be a double agent, I was never going to work for these guys again, but I knew that wasn't true. I was going to work for them when I needed something from them and I was going to convince myself there wasn't any other way.

I stood up and said, "OK, well, good night."

Driving home, I tried to convince myself that was better than saying goodbye but I don't know why I bothered, I can never convince myself of anything. And trying to never stops me from doing things, even when I know they're wrong.

All I ever end up doing is justifying why I have to, why there's no other way.

CHAPTER
TWENTY

Pulling into the driveway, I could see a light on in the basement. I didn't feel like talking to anyone, so I went inside and started to go straight to my room, but I heard the TV so I called down the stairs, "You want another beer?" and my father said, "Yeah, sure, why not."

He was in his usual chair. I handed him a beer and sat down on the couch and took a drink of my own. I always liked beer. I know people who said they had to acquire a taste for it, but I liked it from the very first one I had when I was fourteen. Sitting on this exact couch, my dad sitting exactly where he was now. Back then he brought the beers down from the kitchen.

I looked at the TV and said, "Is this another new western?"

"Guess it's a trend."

"Is it another reboot?"

"I don't think so. If it is, I don't know from which one. It's mostly women, this one," my dad said. "It's good."

"Is she the sheriff?"

"Like an unofficial mayor," my dad said. "She was the first homesteader in the area so she knows it better than anyone else." He drank some beer. "And she knows the Indians, there's something going on, I don't know what yet."

I said, "I hope there's something going on," because I'd read enough scripts to know that wasn't always the case.

On screen there seemed to be a group of people at a meeting, standing around the front of a building on an obvious Western Main Street set. Maybe not that obvious, maybe I was just being hard on it. It actually looked pretty good.

"Yeah, there's some question about who she really is, where she really came from."

"She seems to know what she's doing."

"Part of the mystery," my dad said.

I was about to ask him how his date at the garden centre went when my phone beeped that I was getting a text.

It said, *U up?*

From Ethel.

I texted back, *Yes*.

Then I waited. The three little dots blinked in a row the way they do, over and over. Then they went away. Then they came back.

On the TV, the meeting was breaking up and one guy stayed behind to say something to the mystery woman.

New text: *So . . . yeah . . . compartmentalizing . . . not 100% effective . . . still a work in progress . . .*

I texted back, *It's not you it's me.*

Damn right.

I waited. For a moment there weren't even the three dots, but then they appeared.

Then, *Want to talk tomorrow?*

Yes. I sent it right away. A younger me might have waited a minute, playing some kind of game, but now I can tell when something's real. I think.

K. Good. Night.

I texted back, *Good night*, and left the app open, but I knew there wouldn't be another text tonight and that was OK. That was good.

My father said, "Yes, goddammit, I'm still watching." He touched a button on the remote and the next episode started.

I said, "How late are you going to stay up?"

"What difference does it make?"

"I don't know, you don't have another date at the garden centre?"

He said, "It wasn't a date, I told you," but there was something in the way he said it that made me think there was more to it.

"Did it go OK?"

"Yeah, went fine."

"But?"

"But what? It went fine."

"Yeah, but there's a but," I said. "I can hear it in your voice."

"You think you're such a detective," he said. But he wasn't mad, in fact he was smiling a little.

I said, "It doesn't take a detective. Where are you guys going next, furniture store?"

That made him smile more but he shook his head. "Nowhere."

My phone beeped again, which I thought was strange because I was certain I wasn't going to hear from Ethel until tomorrow, and I knew that would drive me crazy, but any sooner would be bad somehow.

It was from Teddy and it said, *Call me.*

Which I did as I was walking up the stairs.

He answered, saying, "Gord, are you close to where you dropped the guy?"

"I am."

"Get your ass over there now, I need to know who's coming to see him."

"I'm on it." I was out the door and in my car in seconds and two minutes later I was driving slowly in front of the row houses by the railroad tracks as the guy I now knew was Joel Gibbs, the lawyer, came out of his house. I slowed down but there was nowhere to park, the entire street lined with cars. I could see Joel in my rear view and I hoped he'd walk my way, but he didn't.

He walked past a few cars and then got in the passenger side of a minivan. It pulled out right away and passed me without a glance. It was a Kia Sedona, probably three or four years old.

I got a good photo of the license plate and then I followed.

This would be about the worst surveillance in the history of surveillance, so I guessed it was another emergency to correct another one of Teddy's screw-ups, but I didn't see how it could work. If they headed downtown, there might be a chance they didn't notice me, but I'd likely lose them, and if they headed further out into the suburbs, they'd probably pick me up easy.

They didn't do either. They turned up Kennedy, drove a couple blocks and pulled into the parking lot of the big box stores at Kennedy Commons. The Kia stopped in the middle of the mostly empty lot and the engine shut off.

It was after midnight and everything was closed, so I couldn't pull into the parking lot after them, be the only other car driving through it, so I kept going and then pulled a U and turned into the Petro-Canada. I parked beside the convenience store and then ran back to the Commons, staying close to the side of the big box store.

The minivan was still parked in the middle of the empty parking lot and I guess they thought they could tell if they were being followed and figured they weren't. Which wasn't a bad strategy at midnight.

From the shadow of the building I got good, clear shots of Joel and of a woman in her twenties. Not Samantha Singh, this woman was white with short blond hair.

She was doing all the talking and she was pretty excited about something.

I texted a couple of the pictures to Teddy along with the location.

Right away he texted back, *You're a lifesaver, Gordo.*

I typed out, *Even a blind chicken finds a kernel of corn sometimes*, and hit send.

Teddy texted, *Thanks. I appreciate it.*

I was amazed he was screwing up so much on this, which was probably one of the highest-paying gigs OBC had ever had, but then I thought maybe he wasn't really screwing up, maybe he was just being extra cautious. Far too cautious.

I texted, *While you love me, cld you keep an eye open for Kevin Mercer. He's still alive.*

You sure?

I texted, *Yeah, thought he hung himself in Calgary but turned out to be another guy.*

Who?

Don't know.

Interesting.

I wasn't sure about that, but I let it go.

In the car Joel seemed to be talking now, much calmer, more reassuring. The blond was nodding and it looked like maybe wiping her eyes. Maybe she'd been crying. It looked like they were wrapping it up, so I went back and got my car.

I waited in the gas station parking lot for a couple of minutes and then pulled out onto Kennedy behind the minivan as it drove by. I was worried they'd notice me, there were hardly any other cars on the street, so I passed them and hoped they were going back to Joel's place.

They were. I got there first and waited a block past his house and even got a couple pictures of him getting out of the Kia and going inside. I stayed ahead of it as it continued down Joel's street and out onto Ellesmere, and I guessed right that it would head further out into the burbs.

I turned around and headed back home.

My father was still watching TV when I got in and I called down, "Good night," from the kitchen before going to bed. I sent Teddy a final text with the pictures of Joel going into his house and the blond woman driving away and plugged in my phone to charge.

I was hoping the next text I got would be from Ethel and I was right, but it wasn't in the morning like I'd hoped, and it wasn't setting up a date, like I'd really hoped.

She'd become a detective and was doing her own surveillance.

CHAPTER
TWENTY-ONE

The text said, *How do you pee on a stakeout?*, and I texted back, *Same as any other time, into a Tim Hortons cup.*

Easier for guys.

I texted, *There's an adapter for women*, and then I looked it up and sent her the link to Go-girl.com ("an independent and convenient bathroom solution. Don't take life sitting down"). I thought about sending the link to the Top 10 Pee Funnels (Female Urination Devices), but I thought that would be killing the joke.

Now you tell me.

Why do you need it now?

Stakeout, duh.

I texted back, *Duh, duh?*

Can't talk, on the move.

About an hour later, another text came in saying, *She's scared of something.*

Who?

Moving.

And then nothing. It was one-thirty in the morning. I was still awake near three, fighting the urge to text back or to phone, but then I must have dozed off, because the next thing I knew it was morning and I checked my phone and there was nothing. No texts, no missed calls, nothing.

I got on with my busy day of doing laundry, and in the afternoon when my phone rang, I answered it with, "What the hell's going on?" and Teddy said, "Whoa, what's going on with you?"

I said, "Sorry, I thought you were someone else."

"Don't tell me Gord Stewart is having women problems?"

"What makes you think it's women?"

Teddy said, "That's a good question, why would I think that. Anyway, I got something for you."

"Great, what is it?"

"Someone used the name Kevin Mercer."

I said, "Oh."

"Don't worry, there's more," Teddy said. "I talked to the cops who filed the report about the guy you thought was Kevin Mercer."

That was more work on this than I expected from Teddy, but I just said, "Uh-huh," as if it was no biggie.

"They picked up a guy a couple days ago and he

gave his name as Kevin Mercer. When they pressed him on it, he gave up his real name."

I said, "That's interesting," trying to make it sound like it was interesting.

"No, that's not interesting. Here's the interesting part," Teddy said. "The guy said he figured he could use the name because Kevin Mercer went back to Ontario."

"Now that is interesting. When did he say this happened?"

"He's a drunk living in a rooming house," Teddy said, "his dates are fuzzy. He said Mercer had been working up north and came back to Calgary sometime last week."

I wondered if he'd gone back to the apartment and seen the body. I said, "This is great, thanks."

"Don't mention it. Just keep up the good work."

I ended the call thinking, if he only knew.

It was good news, though, if Kevin Mercer had come back to Ontario. He might just walk back into his house as if nothing happened.

I called Lana and got her voicemail but didn't leave a message. I texted her instead: *Call me when you get a chance. Personal.* She called me right away and said, "What is it?"

"Your uncle might be coming home."

"What?"

"The cops picked up a guy in Calgary a couple days ago and he gave them the name Kevin Mercer. When they found out it wasn't his real name, he said he figured he could use it because the real Kevin Mercer had gone back to Ontario."

"So weird," Lana said. "So, he's on his way?"

"The last time the guy saw your uncle was about a month ago, so he might be back here now."

"Well, he hasn't contacted my aunt Barb."

"I guess he might," I said. "Maybe he managed to make his money last a while, but it must be running pretty thin."

"So you think he'll just walk in the door?"

I said, "I have no idea. But if he uses any of his ID we'll know and we can find him then."

"Is there anything you can do now?"

"Like what?"

"I don't know," Lana said, "but if he's around here, maybe someone knows."

It did seem possible, though a long shot. I said, "You want me to talk to his old friends again? No one knew anything before."

"It's different now."

That was true. I said, "OK, I can ask around. I'll have to bill you for my hours and submit expense reports."

"That's fine," Lana said. "I've got a schedule for the geezer-pleaser, what's it called, *Penn's River*? I'll just start you a little early. Oh, and by the way, you will have to go back to Sudbury and do a proper scout."

"Oh joy," I said.

"Hey, it's not winter."

"No," I said, "that's true. Maybe it'll be blackfly season."

Lana said, "They only bite warm-blooded animals, you'll be fine. Keep me posted, OK?"

"For sure."

I looked through the numbers in my phone and

found one for Kevin's friend I'd spoken to, Mike Cernak. He answered on the first ring, and I introduced myself and asked if he remembered me and when he said yeah he did, I said, "So, it turns out Kevin Mercer is still alive."

Mike Cernak didn't sound too surprised. He said, "Oh yeah."

"Yes, he did go to Alberta like you thought he might."

"I didn't think that."

"Well, anyway, he went," I said. "But it looks like he's come back to Ontario."

"To Toronto?"

I hadn't really thought about whether he might have come to anywhere else in the province. "I don't know for sure," I said, "I was just told he came back to Ontario."

"And you believe it?"

"I do, yeah. There's some evidence."

"Well, that is a surprise," Cernak said.

"He never contacted you?"

"No."

"If he does, could you let me know, please? Do you still have my number?"

"I have now," he said.

"And you'll call me if you hear from Kevin?"

"Sure, if I hear from him."

"Thanks, I really appreciate it."

He ended the call.

I was feeling like an intruder, like I was asking people to think about things they'd rather not, but I told myself that's just the way it goes. I looked up one of the other names Barb Mercer had given me and called it.

A woman answered and I said, "Hi, I'm looking for Gerald Lucerne."

She said, "Who is this?"

"My name's Gord Stewart, I'm a private investigator."

"Sounds like a scam."

"I guess it does, yeah," I said. "But doesn't it sound too lame to be a scam? I mean, Gordon Stewart. Sometimes I tell people it works just as well in reverse, Stewart Gordon."

"And the private eye part?"

"That's real, too," I said. "And all I want is to ask Gerald if he's heard from an old friend of his, guy named Kevin Mercer."

She said, "Kevin Mercer's dead."

"Is there any way I can talk to Gerald?"

"Not today," she said. "The chemo is hard on him."

"I'm sorry to hear about that."

She didn't say anything, but she didn't end the call, and it was quiet for a moment until I said, "Are you Gerald's wife?"

"Yes, Wendy."

"Wendy, hi." I paused and then said, "So, you knew about Kevin?"

"When it happened, Gerald was going through his first round and I called to see if Kevin might come and visit. They hadn't really seen each other for a while."

"Yeah, I heard, Kevin had become withdrawn, wasn't going out much."

Wendy let out a short, humourless laugh. "I thought it was Gerry who was withdrawn. Tell you the truth, I didn't realize it till he got the diagnosis and had to start the chemo and then I noticed he hadn't seen anybody in a while. I called looking for Kevin and Barb told me he was gone."

"I work with Barb's niece," I said. "Usually I'm a location scout but I do some private-eye work in the off-season. Barb asked me to look for Kevin."

"What do you mean look for him — he killed himself."

"He might not have," I said and then quickly added, "There's some evidence he didn't."

"You think he's still alive?"

"Like I said, there's some evidence. So, if he does call or email or something, could you call me, please?"

"I guess so."

"That would be great, thanks."

I was about to end the call when Wendy said, "Do you still want to talk to Gerry?"

"I don't know," I said. I didn't think he could have anything useful to tell me.

"We're at the Scarborough General," she said. "I'll be taking him home in a couple hours and he'll be out of it the rest of today and tomorrow, but if you want you can come by the day after."

I didn't want to, I didn't see any use in it, but I said, "OK, yeah, that would be good. What time would be best?"

"Late morning. Around eleven."

She gave me the address and I said, "OK, thanks, see you then."

A little while later, I was in the basement pulling clothes out of the dryer when I heard footsteps in the kitchen and my father said, "You home?"

I carried the basket of clothes upstairs and said, "Where have you been?"

He said, "What's it to you?"

"You've been gone all day."

"So?"

"I don't know," I said, "I just wondered where you were."

He was putting food into the fridge and he said, "There are a couple more bags in the car."

I walked out to the driveway and got the rest of the groceries from the trunk of the car and also a case of Molson Canadian. It was late afternoon and the winding street was quiet. I'd been back living with my father for almost three years, still thinking of it as a temporary arrangement, or not really thinking about it at all, feeling like a bit of a stranger in the place I'd spent the first twenty years of my life.

Back in the kitchen, my father said, "Did you get the beer? Oh, good." He took it from me and put the case in the fridge. "You going to be here for dinner?"

"I think so, yeah."

"You think so?"

"Yes, I'm going to be here for dinner."

222   "I'm going to make dumplings."

It was only then I realized the groceries weren't from No Frills and I said, "You shopped at T&T?" and my dad said, "Yeah, what's it to you?"

"I'm just surprised, you've never been there before."

He said, "They have interesting stuff."

"They do." I was going to say, but it's almost all Chinese, and then I said, "Oh, did you go there with Ida?"

"We stopped in, yeah."

"While you were out on a date?"

"It wasn't a date, what's with you?"

"Nothing. Sorry."

The dumplings were really good and my father even made a delicious sauce with sesame oil and rice vinegar and a little ginger. I didn't ask if Ida had given him the recipe.

For the rest of the evening I had to fight the urge to text Ethel and ask her what was going on. I figured she was having fun playing private eye — I did in the beginning — and I didn't want to push things. The fact she was talking to me at all was better than I'd hoped for.

At around nine-thirty she texted, *She's really scared*, and I texted back, *How are you?* That was it until after ten, when Ethel texted, *Not as easy as it looks*.

My dad and I were watching TV and as I was thinking about what to reply he said, "Are you going to spend the whole night on your phone?"

I said, "I might, yeah," and texted back, *It looks easy?* I was hoping she'd text back right away, but there was nothing by midnight, when my dad said, "That's it for me. You going to watch another episode?"

223

"Yeah."

He didn't move for a minute and then said, "How are you doing? Finding that guy dead must have been something to see."

"It was, yeah. I'm OK, I think."

"And the guy you're looking for, you think he's still alive?"

"I do, yeah."

"You still looking for him?"

I shrugged and said, "As much as I can. He's keeping out of sight pretty well."

"He'll slip up," my dad said. "And you'll find him." He stood up then and walked across the room.

I watched him grab hold of the railing and move slowly up the stairs, one at a time, and I thought that might have been the most encouraging thing he'd ever said to me. I was immediately suspicious.

My phone rang and I looked at the display and then answered it. "Ethel, hi."

"So, when someone is following you, are there usually more than one?"

"Ideally, yes. Why, is someone following you?"

"I think so."

"Why would someone be following you?"

"I guess they picked me up when I was following Samantha Singh."

I said, "Where are you?"

"On Queen East. I just walked past my apartment. I was going to go in but I got the feeling I was being followed."

"Whereabouts on Queen?"

"In front of the library."

It took me a second to picture the Beaches branch, old red brick building next to Kew Gardens park, so there was a big open space beside it with benches and trees that got really dark away from the street.

I said, "Can you keep walking east on Queen?"

"How far?"

"Until I meet you." I was walking up the stairs and heading out to my car. "Maybe fifteen minutes."

"OK, but it's kind of scary."

"The Beaches? You worried you might get dragged into a yoga studio?"

"I'm worried about these guys following me," Ethel said.

I was in the car then and put the phone on speaker. "What do they look like?"

"I don't know, basic white guys, they blend in."

"They do," I said. It was my stock in trade. "OK, are you on the south side?"

"Yes. I'm just passing the Thai place."

I said, "How did you find her?"

"She took courses at Second City, I told you."

"But how did you find her tonight?" I turned off Brimley onto Kingston Road, an intersection that would have been deserted five years ago but now had enough condo buildings to mean there was always a little traffic.

Ethel said, "At her place, she has a condo on King."

Probably the place I picked her up from the night I followed her and she met with Joel. I said, "But how do you know that?"

"I looked it up, it was on her registration form."

"You can't do that."

Ethel said, "Focus, Rockford, I'm telling you, she's scared. She went out tonight but she was constantly looking around. She waited in a Starbucks for a long time, like she was waiting for someone and she was scared. But no one showed."

225

I passed the Hunt Club golf course and turned down Fallingbrook into the Beaches. At this end it was all big houses, quite a few of them very modern, box-like buildings, but also quite a few old, old-money stone behemoths.

"Where are you now?"

"Passing a kids' dentist."

"I don't know that, what street?"

"Not sure," Ethel said. "There's a Swiss Chalet across the street. And a little park."

Driving west on Queen, Ethel would be on my left. I approached the lights at the corner with the Swiss Chalet and said, "I see you, do you see me?"

She looked back behind, the way she'd come and said, "No."

"Across the street."

"Oh, OK, right."

A streetcar was heading east and as it went by I couldn't see Ethel on the sidewalk, and I got scared for a second that it would be like a movie and when the streetcar passed she'd be gone, but it wasn't and when the streetcar passed she was still there, of course. She crossed the street and got into my car.

"Thanks."

"No problem." The light changed and I started driving. We were headed towards Ethel's place and I said, "You OK to go home?"

"Not really."

"I'm sure it's fine," I said.

"I don't know, I feel it. I feel someone watching me."

"OK, well, don't get mad, OK?"

She said, "Why would I get mad?"

"OK, well, the thing is, what you're feeling now, like you're being followed? It's really common," I said, "when people start doing surveillance."

"What?"

"Everybody goes through it when they start. It's like the way all med students think they have every rare disease they're learning about."

"That's not it at all. When Samantha went back into her condo I kept walking for another block and then I turned around and I was face to face with a guy. I know he was following me."

"Maybe he was following Samantha."

Ethel shrugged and said, "Maybe he was, but then he started following me."

"Well, maybe he did," I said. "He might be working for OBC. But once he found out you weren't connected, he would have dropped it."

"Then why," Ethel said, "is he right there?"

She pointed at a car parked two houses up from her apartment. There were two men in it.

I stopped and pulled into the condo building driveway on the corner, backed out and drove away in the opposite direction. The guys in the car didn't see us.

Ethel said, "You believe me now?"

"I believed you before," I said, and meant it, but I'm not sure I really did then. I still didn't completely. I wanted to believe Ethel, but I think I was maybe fifty-fifty on the idea of her being followed.

"So, they know who I am and everything, right?"

"Maybe, yeah." I was moving to sixty-forty. Eighty-twenty. "They still may not know what you were doing." I drove another block on Queen and then turned on Woodbine and headed north. "What were you doing?"

"After we talked and, you know."

I didn't really. We didn't have a fight, we didn't even have a disagreement, but it wasn't entirely unexpected. I'd had a pretty good idea that when Ethel found out the kind of things that OBC really did, that I did for them, she wouldn't want to spend time with me. It's one thing to know it in an abstract way, but another thing completely to be part of it.

And I was definitely part of it no matter how much I tried to pretend, even to myself, that I wasn't. So I waited.

"After we talked," Ethel said. "I wanted to know what was going on. I looked up Samantha Singh, because I knew her, she was in one of my improv classes."

"And you went to follow her?"

"My plan," Ethel said, as if she'd really given it a lot of thought, "was to just run into her and to get to chatting, old times, new times, what are you up to now, that kind of thing."

"You were going to improv it?"

"I was, yeah. But as soon as I got to her condo, she was on the move. And she was scared."

"Because a crazy improv teacher was following her?"

"No, goddammit, I don't know why, but she was scared. The night you saw her she was scared, wasn't she?"

"Maybe."

"Well, she really was tonight. Maybe they're going to kill her."

"I doubt it."

"Why not? You don't think they're capable, these OBC guys?"

I said, "Oh, I don't doubt they're capable. And if they really had to I think they would, but it doesn't really work like that."

"Never?"

"Well, never say never, but what they're really trying to do is make a very public thing go away, not bring on more attention."

"You think another woman gets killed in this city, it would bring a lot of attention?"

"Well, yeah," I said. "This isn't Chicago, it's Toronto, how many people you think get killed here every year?"

"I don't know," Ethel said, "but it happens. Guy drove a van onto a sidewalk, killed ten people, guy walked along Danforth shooting into restaurants, killed two people and wounded a bunch more."

I nodded and said, "Yeah."

"There was a serial killer in the Gay Village for years and no one noticed. There was the Scarborough rapist for years."

"That's all true," I said. "Although to be fair, lots of people were saying there was a serial killer in the village, it's just the police weren't doing anything."

"But they would do something about Samantha Singh?"

"They wouldn't want to," I said. "But she's an actress, she's got an agent, she's got friends in the business. It would make the news, people would talk about it, it would go viral, there'd probably be a podcast and then a Netflix documentary."

Ethel said, "She's not that famous."

"Well, no," I said, "but she'd get really famous if she got murdered."

Reluctantly Ethel said, "Yeah, maybe."

"I know on the TV shows there are dead bodies all over the place, some P.I. starts to look into one murder and before you know it there are three, four more murders, but that's because they think there needs to be some kind of bump before every commercial break, as if people are still watching one episode a week at whatever time the network schedules it."

"But people do get killed," Ethel said.

"But not like that. This thing with Emery, the guy is a rapist pig and some women have tried to stop him, but now it's all out in the open. There isn't a murder, no one gets the brake lines cut on their car, there isn't something that looks like an accident, it doesn't work like that."

"It never works like that?"

"Well, I guess it might sometimes," I said, "but what all these things are about, what all the money being spent on OBC is for, is to keep it quiet, to keep it off the news and out of the papers. To not draw attention. If someone anywhere near Emery gets murdered, that brings the light to it with the force of a thousand suns, so to speak."

"So, you're not worried about Samantha getting killed?"

"No. If you've got the kind of money he's got, you don't need to kill people. Harvey Weinstein never had anyone killed."

"First of all, we don't know that."

"OK, that's true."

230

"And secondly," Ethel said, "he lost his job, he lost his company."

"You think Emery would have someone killed to save his job?"

"I don't know, but if he wanted it done, OBC could find someone to do it, couldn't they?"

I paused then said, "Yes, they probably could."

"So it is possible."

"It's possible," I said. "It's just really, really unlikely."

It was quiet for a minute then and I'd just about convinced myself that the guys sitting in the car a couple houses down from Ethel's had nothing to do with her, and no one saw her following Samantha Singh and we could forget the whole thing, but I couldn't believe it one hundred percent.

Maybe by the morning.

Then Ethel said, "Oh my god, you live in Midland Park!" and she was so excited about it I figured for sure we'd both have forgotten about the guys following her by the morning.

I was wrong about that, but she was still pretty excited about Midland Park.

CHAPTER
TWENTY-TWO

We were still in the driveway and Ethel said, "Is this a Milford? Or a Lynwood?"

I shut the car off and said, "What?"

"Which model is this house?"

I said, "It's a bungalow."

She stopped with a hand on the door handle and looked at me and said, "Are you serious?"

"It's one storey, right? That's a bungalow."

"It's an original Midland Park." She shook her head a little and said, "It looks completely original."

"Yeah," I said, "my dad hasn't done anything since he moved in. It was in a TV commercial I scouted a few years ago. Just the exterior, there's no way I'd let a film crew in my house."

Ethel was walking towards the front door then, saying, "It's fantastic."

What I usually thought about my father's house was that it was "small" and "old." I'd never thought of it as "fantastic."

Inside the front door she said, "Holy shit, you really didn't change a thing."

"My dad prefers to repair rather than replace," I said. "Come on, let's go downstairs, we can talk there. Do you want something to drink? Are you hungry?"

"I'm fine." She walked down the stairs and said, "Holy shit, that's an Apollo."

I followed her down the stairs and saw what she was staring at and said, "It's a record player."

She was already across the room. "It's an Electro-home Apollo and it's in perfect condition." She turned around and looked at me and said, "It works, doesn't it?"

"Yeah, of course, it's my father's."

The stereo looked like a round plastic ball on a white plastic pedestal, a little like a space helmet from 1960s NASA. Beside it, the two speakers were also round and on smaller pedestals.

"I don't think it's been turned on in a long time, but it works."

Ethel looked around the basement and said, "This whole place is fantastic."

233

"If you say so."

"That's real knotty pine wood panelling. And the bar!"

"Yeah, it's a regular time capsule down here," I said, getting a little tired of it. "But right now let's get back to these guys following you."

Ethel turned serious and sat down in my father's chair. "Right. So, they must be OBC."

"Yeah." I sat down in my usual spot on the couch.

"It's weird," Ethel said, "in the movies, the home is a place of comfort for male characters but a place of danger for women."

"Really? I hadn't noticed."

"Oh yeah, come on, women are terrorized at home — you know, *Sorry, Wrong Number.* 'The call is coming from inside the house.'"

"Yeah, I guess so."

"And a million other movies." She pulled her legs up under herself, which looked odd to me in my father's chair, though it was a perfectly natural way for Ethel to sit. She said, "I was really scared."

"It is scary."

"How do you do that? Follow women around and scare them?"

"Well," I said, "I try really hard not to let them know I'm following."

"But they must see you sometimes, they must know. I mean, you can feel you're being followed, you can sense it."

"People feel like they're being followed a lot," I said. "Even when they aren't."

"But sometimes they are."

"Yeah," I said, "you followed someone tonight. How did that feel?"

"Not good." She shivered a little and wrapped her arms around her knees, pulled them close to her face. "She was so scared."

"I imagine she knows what she's doing is dangerous."

"What do you think she's doing?"

"I'm guessing she's bringing charges against Emery. Or someone's trying to talk her into it."

"And she really is scared. The look on her face." Ethel paused, closed her eyes, then opened them and said, "You really don't think she'll get killed?"

I said, "No, I don't."

"I don't see how you can be so sure of that."

"Isn't there an expression for when a female character gets killed to advance the plot?"

Ethel said, "Fridging."

"Really?"

"Yes, it's from a comic book, a woman killed and stuffed in a refrigerator. But it's been used in a lot of TV shows. I mean, it's not always a woman in a fridge, but you'd be surprised how often it is exactly that. You've probably worked on plenty of shows that have done it."

"I don't really read the scripts, just the loglines. But yeah," I said, "I might not be that surprised."

"Of course there's even a supercut on YouTube, but it's a few years old. You could probably make a new one every year."

"Right," I said, "just another lazy trope. But it doesn't really happen like that. No one from OBC is going to kill Samantha Singh."

"And they won't hire someone to do it?"

"Like a hitman?" I said. "No."

"You're sure?"

"Like, 99.9 percent."

"So there's still a chance?"

"Now you're Jim Carrey."

She shook her head from side to side and said, "*Smoooooking!*"

"But seriously," I said, "no one's getting their brake lines cut or pushed in front of a subway."

"Or stuffed in a fridge?"

"Right. And no one's getting warned off. They might get bought off."

"Really?"

"Sure, if Samantha Singh is in debt, if she's trying to be an actor and has no money, they might make her an offer not to bring charges."

"How much?"

"What did Stormy Daniels take, a hundred grand?"

"A little more, I think," Ethel said. "But that was a business deal, she didn't get assaulted."

"So it might be more." I shrugged. "Emery is a multi-multi-millionaire. He could give her a million dollars and never notice it was gone, it's change in the couch to him."

"Fuck, that's disgusting on so many levels."

"It is."

Ethel was quiet for a minute and then said, "So why were those guys following me?"

"I don't know."

Ethel looked at me and said, "But you believe me, they were?"

"Yes, I do." I did believe her and I think she believed me that I did. I hoped she did. "They were probably just trying to figure out who you were. They probably work for OBC and they were following her like I was, and then they saw you and wanted to know who you were."

"Do you think they know now?"

I didn't want to say right away but while I was hemming and hawing, Ethel said, "Of course they do, they have all that fancy computer shit like on TV. They have some nerdy girl in glasses with five monitors."

"They have a guy named Teddy," I said. "He only has one monitor, but he is good with it."

"Shit, so they do know."

"Probably. They were parked outside your apartment."

"Shit. Fuck. What am I going to do now?"

"Don't do anything."

"But they'll keep after me until they find out, won't they?"

I said, "I don't know," which was true, but I couldn't imagine they would just let it go. "I mean, I'm sure they're going to want to know. Chances are they'll figure out the connection, that she took a class from you, you're both actors."

"But that won't tell them anything."

"Maybe they'll think it's personal. When do you think they saw you?"

Ethel seemed to hunker down even more into the chair, like she was trying to disappear into it. "I have no idea. I only saw them when she went back home."

"So maybe they don't know you were following her for a while. Look," I said, "they're probably just being thorough, they'll file a report with Teddy and move on."

"Does that really seem likely to you?"

"They have a lot on their plate, that's why I'm always getting these last-minute assignments."

"So they'll just be too busy and forget about it?"

"They're probably going to run a background check on you, look at your social media and decide the only connection is personal."

Ethel said, "And leave me alone?" She sat up a bit then.

"They'll keep tabs on you."

"Tabs?"

"They'll add your name to the database they keep, and if it ever comes up again, they'll be back."

"It's so creepy."

"It is."

Ethel nodded slowly. "But if I never have anything to do with this case again they won't bother me?"

"Ninety-nine-percent certain. A hundred percent if Samantha Singh doesn't bring any charges against Emery."

"So for my sake I have to hope she doesn't."

"That's right."

Ethel said, "Which is fucking awful."

I didn't say anything.

For a minute it looked like Ethel was going to cry, but she seemed to shake it off and said, "I see what you mean. This is the part when the private eye is supposed to keep going even after being warned off. But it's really where you start to feel what you're actually up against."

"This is the machine we rage against," I said.

Ethel nodded and didn't say anything for a minute,

and then she said, "Do you think Emery will go to jail?"

"I don't know, he might."

"But do you think he *will*?"

"He's certainly going to do everything he can not to, spend whatever it takes."

"It's going to come down to his word against the women's," Ethel said. "And OBC is going to do everything they can to make the women seem unreliable."

"That's right."

"I've seen some stuff online," Ethel said. "He's really sticking to his story that he thought it was all consensual."

"I'm sure he's had a lot of people working on exactly what he should say. And shouldn't say."

"Yeah, he's got a lot of people working on this."

"But you never know," I said. "Bill Cosby went to jail and he's rich."

"Any other rich guys ever go to jail?"

"Conrad Black. That guy who stole from his investors in the States."

"Sure, you steal from rich people, you go to jail. Any other rich rapists go to jail?"

I couldn't think of any.

After a minute, Ethel said, "This house really is great. There are a lot of people really into mid-century these days."

"I guess everything comes around," I said. "It's not like we're being trendy."

"You and your dad."

"Like I said, it's his house. I moved back in a couple

years ago when he had a medical issue and I just haven't moved out yet."

"Medical issue?"

"He had a little heart thing," I said. "He's doing OK now."

Ethel looked around the room and said, "Did your mother have a medical issue, too?"

There were no pictures on the knotty pine walls or on top of the TV, even back before it was a flat screen and there could have been pictures on it, or anywhere else.

I said, "No, that was an accident."

Ethel said, "Oh?"

"I was five, I don't really remember my mom. Or my sister."

"She was in the accident, too?"

"Yeah, they were coming back from Windsor. My sister was older than me, she was eleven at the time. She was really into figure skating, she was in tournaments all over. My mom always took her."

"Did she make her costumes?"

"She did, yeah."

Ethel was nodding like she knew all about it.

I said, "Did your mom do that for you, too?"

"Not figure skating," Ethel said. "Dance. I was really into dance."

"Well, they were coming home late, middle of the night, I guess, and they were in a car accident."

"That's terrible."

"This is the part where someone usually says, 'A damned drunk driver crossed the centre line, they didn't have a chance,' something like that. But that's not what happened."

"What happened?"

"We're not sure, but probably my mom fell asleep. Emily, my sister, she was asleep in the back seat. There were no other cars involved, just them."

"I'm so sorry," Ethel said.

"It was a long time ago, I don't really remember it at all. I don't really remember them. It kind of feels like an old movie, it's sad and everything, I get that, but not really real. You know?"

"I guess so."

It was awkward then, so I said, "Are your parents still alive?"

"Alive and well," Ethel said. "I have sisters, too, we'll talk about them some other time."

That made me smile, the idea that we'd be talking about Ethel's family more in the future. I said, "I'm looking forward to it."

"We'll see how you feel when you meet them." She kind of smiled at me. Which felt good.

I said, "All right, so, you want to try and get some sleep? You could be the first female in my twin bed since my last year of high school, when Donna Belvin came over to do homework. You play your cards right, you could give me a hand job, too."

"Maybe next time. Could I just sleep here in the basement?"

"Sure."

I got a blanket and a couple of pillows from the trunk in the furnace room and dropped them on the couch.

Ethel stepped close to me and put her arms around me and said, "Thanks for coming and getting me."

"Anytime."

She kissed me. Then we hugged for a long time.

Finally breaking it off, Ethel said, "You really think Samantha Singh will be OK?"

I said, "I do. That's the way these things usually go. There isn't usually a big third act action scene, there's just people making decisions and living with them."

"OK," Ethel said. "That sounds about right. That sounds like the way it usually happens."

And we both believed it at that moment.

And we were both wrong.

CHAPTER
TWENTY-THREE

While I was still half-asleep, I thought I heard Ethel talking and my father laughing.

Sitting up in bed, I was sure of it.

The day was starting off bad and I figured it would only get worse.

I walked into the kitchen and the laughing stopped and my father said, "Look who's finally up."

I said, "Good morning."

"Your dad is hilarious." Ethel was leaning against the counter with a mug of coffee in her hands.

"Yeah, he's a regular barrel of monkeys. Is there any more coffee?"

She moved aside a little so I could get to the coffee maker and pour myself a cup.

My dad said, "Ethel does some great impressions, have you heard her Carol Burnett?"

"No, not yet." I was still pouring and my father laughed. I hadn't even heard anything but when I looked up I saw Ethel was just pulling on her ear and making a face and my dad was splitting a gut. I said, "Lucky there isn't coffee coming out of your nose."

"Her Imogene Coca is amazing," my dad said. "You know her?"

I turned to Ethel and said, "Are these from your history of the ditz one-woman show?"

She smiled a little and said, "Half research, half fun."

My dad said, "Imogene Coca was no ditz."

"None of them were ditzes," Ethel said. "That's the whole point of the show."

I said, "I'm looking forward to it."

My dad said, "Is Teri Garr in it?" and Ethel made a face and said, "No, I didn't think of her."

"*Young Frankenstein* — she's kind of a ditz."

"I guess she is, yeah." Then Ethel said, "It's really great that you kept this place all original."

"Well, you know, if it ain't broke."

"And if it is," I said, "you fix it." I looked at Ethel. "He's fixed everything in this house more than once. That stove probably five times."

"Different things on it," my dad said.

"Sure, not the same thing over and over."

Ethel said, "Of course not." She smiled at me and then said to my dad, "You know there's a historical society for these houses, for this neighbourhood. They're trying to get it a heritage designation."

My dad laughed. "These houses?"

"Yes," Ethel said. "These houses are a terrific example of mid-century modern design."

My dad was shaking his head. "When we bought this place, we thought we'd only be here a few years, we'd move to something bigger, probably further out of town."

The doorbell rang its old-fashioned bing-bong and Ethel said, "That's original, too, isn't it?"

My dad said, "It sure is," as he was standing up. "OK, I've got to go, you kids have fun."

As he was walking to the front door, I said, "Is this also not a date?" and he said, "That's right."

When he was gone, Ethel said, "He's funny."

"There's something funny about him," I said. "Now he's started going out with a Chinese grandmother who moved into the house behind us."

"Cool, what's she like?"

"I have no idea."

Ethel said, "Well, that's sweet. How long has he been retired?"

"A few years," I said. "Five, I guess."

"Where did he work?"

"Toronto Hydro. He used to drive one of those big trucks with all the wires and ladders and stuff on top. Then he worked in generating stations."

"That's cool," Ethel said, and I didn't call her on that. I hadn't thought it was cool since I was six years old, when I also thought dinosaurs were cool. My father never thought it was cool, it was just a job and not one he wanted me to get. He was pretty bitter by the end of it, tired of being, as he said, always everybody's problem — lazy unionized worker, overpaid government worker, whatever people were mad about, they seemed to blame guys like him. Well, never the guys, he pointed out, it was pretty rare anyone ever said anything to his face, but every time a politician talked about cutting back the waste in government, it somehow always meant fewer guys in the plant and more work for the ones left.

I said, "Right away when he retired he had the heart thing, he was in the hospital for quite a while, bypass surgery, all that. I moved in to help him get back on his feet, but as you can see he's fine now, so I should be getting out of here."

"Why?" Ethel looked around the kitchen. "It's so great here."

"Oh yeah, I'm rocking the suburbs."

"Ben Folds — that's a great song."

"William Shatner's version is better," I said. "That guy can rock."

Ethel said, "So, I was thinking, I'm going to talk to Samantha."

"Samantha Singh?"

"That's right."

"What are you going to say?"

"I'm going to ask her what she's so scared of."

I said, "Just like that, you're just going to call her and ask why she's so scared?"

"I figured I would talk to her face to face, like you said, get a real feel for what she's saying."

"I thought we decided the best thing was to just back away from this?"

"That doesn't sound like something we'd decide," Ethel said.

"I'm pretty sure we did. We didn't feel good about it, but we'd deal with that."

"No," Ethel said, "that's not going to work. I'm going to talk to her."

"Right now?"

"Yes, at her day job."

"You know her work schedule?"

"I'm following her on Instagram." She held up her phone and kind of waved it at me.

I said, "OK, hold on. You were scared last night and now you want to go back and get more involved?"

Ethel said, "Yes," and I said, "Why? You can just walk away."

"No, I can't."

"Yes, you can. I know, I know, on the TV shows they always get threatened and that just makes them more determined, but that's not the way it really happens. I've seen these guys scare off the toughest cops you've ever seen. Way tougher than TV cops."

Ethel said, "So you believe there's real danger?"

"Yes, of course, I know these guys."

"And you think they're really after me?"

I said, "No," but I could feel the fight going out of me, I could feel Ethel lining up for her kill shot. She had me and she knew it.

She said, "OK, so if we're not in any danger it doesn't matter, and if we are in danger then we have to do something about it." And before I could say anything, she held up her hand and said, "And you know we can't go to the cops."

"But we can just walk away."

"No, we can't."

"Yes, we can. That's what they want, if we do it, if we just walk away and don't get any more involved, they won't come after us."

"You're sure?"

"I've seen it happen many times," I said.

"Have you ever walked away before?"

"I've never had to."

She nodded a little and then said, "I can't. I have to do this."

I started to say something and stopped. I was going to say, no you don't, you just think you do because it's what you see in the movies all the time, but you don't really have to, but I didn't. I said, "OK, what exactly do you want to do?"

"Accidently run into her. Come on, I'll explain in the car."

As I pulled out of the driveway, I said, "We can get breakfast at a drive-thru, you want McDonalds or Tim Hortons?"

"Samantha is working the lunch shift at the restaurant at TIFF, she hates it," Ethel said. "I figure we could eat there."

"We're not on an expense account, you know."

"First of all, you could expense this to the movie and Lana wouldn't mind at all," Ethel said, "and second, this is important."

248   "OK, you're right."

It took twenty minutes to get through the traffic into downtown and then I pulled into an underground parking lot and had to go down two levels to find a spot. When we got out of the car, Ethel headed towards the elevator, and I said, "No, this way, we're going to King Street."

She followed me and we went up the stairs and came out in the gazebo between Roy Thomson Hall and an office building right across the street from the Royal Alexandra Theatre. Less than a block from the TIFF Lightbox and the restaurant we were heading to.

Ethel said, "How did you know where we were?" and I said, "What?"

"When you parked in that underground maze and found the stairs, did you know they would let us out here?"

"Yes."

"How?"

I said, "What do you mean, how? That's where they go, right here." I pointed across the street. "That's where we're going, right? Locations are my business."

"I never would have been able to that."

I said, "Really?"

"I think it's because I don't drive," Ethel said. "I see the whole city in a different way."

"It's a city built for cars," I said as the light changed and we crossed King Street.

At the doors to the Lightbox, Ethel said, "OK, so we'll try and make sure we sit in Samantha's section," and led the way into Canteen. It's just off the lobby of the Lightbox, which is what the pretentious Toronto International Film Festival, TIFF, calls its movie the-atre.

A woman standing beside a sign marked Please Wait to be Seated said, "For two?"

Ethel said, "Yes. And I'm sorry, but I'm having a little trouble with my eye?" She held up a hand and kind of motioned to her eye, and I thought it did look a little red. "It's a light-sensitivity thing, so is it OK if I make sure the table is all right?"

The woman said, "Of course, this way," and led us into the restaurant.

I saw Samantha Singh right away, standing by a table on the patio taking an order from a couple of older men.

Ethel turned and walked out to the patio saying, "It's really more of a darkness issue, I need natural light to be able to see, I'm really sorry," and walked to the empty table beside the two older men. "Is this OK?"

The woman from the restaurant said, "Yes, of course," smiled patronizingly, and went back inside.

I said, "Are you going to be OK in the sun?"

"What do you mean?"

"The eye thing."

Ethel was opening the menu and she said, "There's nothing wrong with my eye, that was ac-ting."

"Pretty good."

"Ah, thank you."

And there was Samantha Singh at our table saying, "Hi, can I get you something to drink?"

Ethel said, "Yes, can I get a sparkling water, please?"

"Perrier OK?"

"Sure. But not the lemon."

"No problem."

"Hey," Ethel said, "I know you from somewhere."

Samantha said, "Oh yeah? Where from?"

"Were you in a show at the Fringe?"

"No, sorry." She smiled at Ethel and then turned to me. "What would you like to drink?"

"I better have a drink," I said. "Caesar."

When Samantha left I said, "Why didn't you just say you knew her from Second City?"

"Because," Ethel said. "I want her to recognize me, it'll be better for bonding."

"It's a little scary how good you are at this."

"This is nowhere near the scariest thing I'm good at."

Samantha came back to the table and put down our drinks and then stood there for a moment, long enough for it to get a little awkward, and then she said, "Do you teach at Second City?"

Ethel looked genuinely surprised by the question, and said, "Yes I do."

"That's it," Samantha said. "That's where I know you from, where we know each other from. I took a class you taught."

"Advanced Improv, I remember now. There was that guy who did great accents, really terrific voices."

"But couldn't hit a punch line to save his life."

"That was a fun class," Ethel said. "You did a great Indian grandmother; she said very little but every line she did say hit."

"Thanks."

Ethel looked from Samantha to me, smiling with maybe a hint of I told you so, and then back to Samantha and she said, "So are you doing any improv now, or any acting? You were really more into acting than improv, weren't you?"

"Yeah," Samantha said, "I'm doing a little," but then she looked like she didn't want to talk about it and said, "Are you ready to order?"

"Oh, right, yeah." Ethel smiled. "I'm going to have the sweet potato taco."

I almost said, that's not a real thing, but it was on the menu. So was honest-to-god avocado toast, although probably ironically, somehow. I said, "I'll have the burger and fries."

Samantha said, "The Canteen Burger?"

"It's the only one on the menu, isn't it?"

"There's the Beet Burger, too."

And there it was, just above the Grain Bowl. I didn't know if it was a hamburger with beets on it or just beets on a bun. I said, "Yeah, the Canteen Burger, the hamburger." It was eighteen bucks. So was the Beet Burger. The Avocado Toast looked like a good deal at only ten bucks.

When Samantha was gone, I said, "So, when are you going to talk to her about why you're really here?"

"After her shift."

"This place only opened an hour ago — we're going to eat lunch for seven hours?"

"She's working split shifts," Ethel said. "And even then only part-time. She complains about it a lot on social media."

I said, "Oh," and Ethel said, "You got to get wired up, baby," and I said, "I don't think that's going to happen."

Ethel shrugged a little and drank some of her Perrier. She did make me want to be a better person, and that annoyed me because it was like a stupid rom-com.

Ethel said, "Look, she's scared."

I said, "I know, and I get it. What she's doing, or thinking about doing, bringing charges against a guy like Emery, it's a scary thing to do, it'll take over her whole life probably for years and it'll be hard. Way harder than people seem to understand."

"No," Ethel said, "I mean she's scared right now." She motioned towards the kitchen.

"OK, so you want to wait for her to finish her shift and talk to her then?"

Ethel said, "Yes. Do you think we can do it here? Out in the open?"

"Of course. Look, I told you, it isn't like that. No one's going to get killed."

"Ninety-nine-point-nine-percent sure."

"Yes. No one's getting warned off the case, there isn't only twenty-four hours to solve it, no one's going to disappear."

"No one's getting shoved into the trunk of a car?" Ethel said. "No machine-revving tension."

"It's better for us if you don't understand." I was thrilled I finally got one of the pop culture references. "Tragically Hip, right?"

"That's right." Ethel looked like maybe she felt sorry for me, but then she laughed a little and shook her head. She smiled.

We finished lunch, dragged out a couple of coffees and left when Ethel saw Samantha cashing out.

And then we got shoved into the trunk of a car.

CHAPTER
TWENTY-FOUR

It was actually the trunk of a minivan, the Kia Sedona I'd seen the night before, so I just sat up and said, "What the hell's going on?"

We'd followed Samantha Singh when she left Canteen and crossed King Street and then she surprised us by going into the same parking garage we'd been in. She got about halfway down the row of parked cars on the first level, stopped, turned back to look at us, and the minivan pulled up. I recognized the woman with the short blond hair and before I could say anything, the hatch opened and Samantha shoved me in.

She yelled, "Go, go," and the van took off while she was climbing in.

Ethel managed to get the side door to slide open and she got in, too.

I sat up and looked over the seats and said, "What the hell are you doing?"

Samantha said, "Get down, get down."

She was looking past me and she was scared, so I did what she said. Then I said, "Are you trying to lose someone in a parking garage?"

"Just be quiet."

If it was in a script, I knew it would just "cut to" the four of us standing beside the van, probably in a parking lot by the lake, and we'd be talking as if no time had passed since the parking garage and no new information had been given in the probably half-hour drive. We'd probably walk along the boardwalk and maybe even have ice cream cones from a truck with a guy in a paper hat who'd then be serving some kids.

I said, "If you go down one level, you can take the University exit."

The driver said, "I know what I'm doing."

Ethel said, "We're not who you think we are."

"Who are you?" Samantha said.

The van made a sharp turn and I rolled around and banged my head.

Ethel said, "We're just . . . we're just . . . we don't work for Emery."

"Yes, you do," Samantha said.

The van stopped, then inched forward. I figured we were at the exit and the driver was paying for the parking.

"I don't," Ethel said.

Samantha said, "I know, you're not good enough for OBC."

"Wow, that's a little personal."

From the floor at the back of the van I couldn't see anyone's expression, but I had a pretty good idea what they looked like. Especially Ethel, still going for the laugh in the car chase. I could see the Telus building and a couple of condos, though, so we were on University, moving south in the slow traffic and it didn't feel like a chase at all.

"As surveillance," Samantha said. "I made you right away."

Ethel said, "I know that," but no one believed her. And no one laughed.

I said, "Can I sit up now?"

"Yes, they didn't see us."

"Who?"

"Never mind."

Ethel said, "What's going on?"

Samantha looked at the blond woman driving the minivan and then back at Ethel. "Who do you work for?"

"No one."

"Then why are you following me?"

"Because you're scared."

"What's it to you? You taught me one improv class, what do you care?"

"We're trying to help you," Ethel said.

"Well, don't. You're going to draw too much attention. You have to stop following me."

"OK," Ethel said. "Sure. But *he's* still going to." She pointed at me and it felt like she was throwing me under the bus.

Samantha said, "Him? What do you mean?"

Ethel said, "He was following you way before I did."

"Holy shit."

She didn't know.

The driver turned into the parking lot at the Harbourfront Centre. Not nearly as far out of town as the parking lot I would have scouted for this scene, but the same idea. Except we were in a loading zone and no one got out of the van.

Samantha looked past Ethel to me and said, "Why are you following me?"

"Why do you think? Someone hired me."

"Who?"

I gave her the you-know-I-can't-answer-that look.

She glared at me for a second, and then her face contorted into anger and she yelled, "Aurgghh," and punched the window of the van so hard we all jumped.

The driver said, "Take it easy."

"Take it easy? Fuck! You know what this means?"

"Yes, but freaking out isn't going to help."

"Fuck!" She punched the headrest a few times. "Fuck fuck fuck. OK." She settled down a little and stared at me. "Who? Who hired you?"

I didn't say anything. And I did realize that the scene would have played much better walking on the boardwalk than crammed into this minivan.

Ethel said, "OK, look we're on your side. You're thinking about pressing charges on this Emery guy, he had to know you'd talk to a lawyer."

Samantha yelled, "What the fuck?!"

The driver said, "What do you fucking know?"

"That's it," I said. "That's all."

Ethel said, "We're on your side," again.

"You don't know what we're doing."

"We know you're talking to a lawyer, Joel, you're going to bring charges against Emery."

"We're not doing that." Samantha was looking at her phone, thinking about her next move, I guess.

"I know it'll be hard," Ethel said. "I know a little bit about being attacked online, I had this whole thing a few months ago with some of those incel assholes, it's scary, I know, fucking trolls all have armies of other trolls. And I know what I went through is really nothing compared to what you'll go through. But come on, there's a chance this fucker is going to beat the charges he's up against now."

That surprised me, I didn't know anything about that happening to Ethel.

"We're not thinking about pressing new charges," Samantha said.

That really surprised me.

Ethel said, "So what are you doing?"

The driver said to me, "Have you really been following us?"

"Last night I saw you pick up Joel at his house, take him in this minivan to a parking lot on Kennedy."

"You fucker!"

I shrugged.

The driver said, "Who do you work for!?"

I said, "Why don't you tell us what you're doing?"

"Why don't you?"

I didn't say anything.

Samantha took a second to raise her eyes from her phone and then looked from Ethel to me. "I don't want to tell you anything, but I have a feeling Mariska Hargitay here will be able to keep you sticking your nose in if we don't."

Ethel said, "Hey."

"Men always led around by their dicks."

Ethel said, "Hey now," and then, "Harsh but fair."

"This is serious," Samantha said. Now she was looking at Ethel. "This isn't some improv set-up, this is real. People could get seriously hurt."

Ethel said, "I know that," and I said, "You mean hurt emotionally."

Samantha said, "I mean hurt. Do you have any idea what's at stake here?"

"Yeah, I do," I said. "Which is why I don't think anyone will really get hurt. It would draw too much attention."

"Oh, so now you have some idea about drawing too much attention."

Ethel said, "OK, enough, just tell us what's going on."

"So easy for you to say, you're not the one doing it."

"What exactly are you doing?" I said.

"What else have you seen? Besides last night."

I didn't want to tell her any more, but I did want to know what was going on. I'm not sure I could have just walked away like I said I could. I believed that in the past, but I'd never really tested it. Most people I know think they'd do the right thing even if it's really hard, or risky, or would have really bad consequences for them, but they almost never get a chance to test that theory. I always figured I wouldn't. I always figured I'd just walk away and not get involved if I had

259

that option. But now I said, "I got you talking to the same guy, Joel, on the subway." I looked at the driver. "That's it."

The driver said, "Fuck."

Samantha said, "And who did you tell?"

"That's all you get until you tell us what you're doing."

Samantha nodded a little and then said, "You work for OBC, don't you?" and before I could say anything she said, "I fucking knew it."

"You know them?"

"The Old Boys Club? Oh yeah, I know them." She shook her head. "We work for them, too."

Ethel said, "What?"

Samantha said, "And you told them we met with Joel?"

"I sent them pictures."

"Fuck fuck fuck."

Ethel said, "What the fuck? Why would OBC get him to follow you if you work for them, too?"

I said, "Because they're double agents."

Ethel turned and looked at me in the back of the minivan. "What?"

What I had talked Ethel out of doing because it was too dangerous. "You've been doing surveillance on the women bringing the charges."

260   "Gabrielle Vandermeer and Emily Burton," Samantha said. "Not 'the women pressing charges,' they have names." She let out a breath. "And it's way past surveillance. We're friends now."

"And they don't know you work for OBC."

"Of course not."

"And Teddy was worried you're giving evidence to the defense."

"He's pretty sure someone is," Samantha said. "I guess now he knows who it is."

The driver said, "What the hell are we going to do now? We have to get out of here."

"No, Hollywood is right," Samantha motioned to me. "It would draw way too much attention if something happened to us now."

"Yeah, well, they can probably deal with the attention. We'd have to deal with being dead."

"No one's getting killed," I said.

"No?"

My 99.9 percent certainty had slipped a little. Ninety-five percent. Maybe ninety. And I figured if I was looking at those odds for myself, they wouldn't be good enough.

I said, "OK, but they don't know you know."

"So?"

"So it's true, if you keep doing what you're doing and I keep doing what I'm doing it'll be OK."

Samantha said, "What will be OK?"

"You'll be OK. Look, what's OBC's biggest problem?"

Before she could say anything, I said, "They're arrogant, they think they're smarter than everyone else. So now they know you're passing information to the defense they're either going to give you bad information to pass, misinformation, whatever it's called—"

"Fake news."

"Right, or they think they'll be able to deal with it. The reason you're giving it is so the defense won't be blindsided in court, right?"

"Right," Samantha said. "Like what happened in the Ghomeshi trial."

"So, if you just keep doing that, it'll play out. And if there is enough evidence against Emery, he'll get convicted."

"Admissible evidence," Samantha said. "And you know OBC and the lawyers are doing everything they can to keep most of it out of the courtroom."

"I know."

"And we're helping them, we're giving them everything."

"But there won't be any surprises."

Ethel said, "There has to be more we can do."

I said, "This is dangerous enough," and Ethel said, "Why are you always so scared, nothing's going to happen to you."

"I'm not worried about that," I said. "If this gets out, they might be able to use it against the defense."

"How?"

"I don't know, I'm not a lawyer. Maybe they'll just use it to get more delays, maybe they'll play it in the press somehow. I have no idea what they'll do, but they'll do something."

262 Samantha said, "They've already got the media on their side."

I wasn't sure what she was talking about, but I don't follow the news much.

Ethel said, "Fucking bastards."

"OK," Samantha said, "so they better not find out."

Ethel said, "So, that's it?"

"I would do anything to see this guy convicted," Samantha said.

"You have more faith in the justice system than I do," Ethel said.

"I want to see him found guilty in court. I want to see him taken away in handcuffs. I want to see him go to jail and I want every other man watching to know they can go to jail."

It was quiet for a moment, and then I said, "How does it look?"

Samantha said, "Do you know what this guy did?"

"Seven counts of sexual assault."

"So you only know what he's been charged with," Samantha said, and glanced at the driver who returned the solemn look. "Not what he did."

Ethel said, "Why isn't he charged with everything he did?"

"Because we live in the real world, not the stupid movie world," Samantha said. She took a breath. "People have known about this guy for years. Lots of people."

Ethel said, "I know that."

"And some of them have tried to get him charged before. But it's not easy. He's got a lot of connections, a lot of money. He started out rich and he got a lot richer. And he still has all his rich friends."

"I know," Ethel said. She glanced at me and then 263 looked back at Samantha. "OBC pay off the cops to know if someone's talking to them about pressing charges."

"In the movies," Samantha said, "there's always that one cop who's honest and determined, but even in the movies there's just the one and lots of shit working against them and they can barely pull it off."

"With some big third-act surprise, I know," Ethel said. "I've seen some movies."

"Well, it doesn't really work that way. The cops let Jane Doe be bait and get raped, they let Paul fucking Bernardo go when he was only the Scarborough Rapist and they never would have got this far with Emery if it wasn't for the whole #MeToo movement and all the publicity."

"OK, but they did get this far."

"Yeah, but have you noticed it's already slipping? Have you felt it?" She looked at me. "You felt it at OBC? They're arrogant, yeah, but maybe they have a reason to be."

"Maybe."

"So," Samantha said, "Emery has been charged only with what the lawyers think they have a better than fifty-percent chance of getting a conviction on. And even then it's barely fucking fifty percent."

"But he did do it," Ethel said.

Samantha laughed. In a script it would be called "humourless," but that wouldn't do it justice by a long shot. "What he did. You have no idea what he did. The guy isn't an idiot and he knew what he was doing was wrong, so he was careful. It's kind of sick how careful he was. That was part of the thrill for him."

It was quiet for a moment and then Ethel said, "How many women?"

Samantha shrugged. "Don't know. And we can only guess about the ones in Canada. We have no idea what happened in the U.S. or in other countries where he has offices. Lots. He has raped a lot of women."

Ethel said, "Shit."

"Yeah, so let's not fuck this up."

"OK," I said, "let's not. Let's keep going as if we didn't know about each other."

The driver said, "You're going to keep following us?"

"Yes. If I don't, they'll just get someone else. But I'll keep you informed."

Samantha nodded. "That might help."

"And you keep informing Joel."

Samantha nodded. "He's a go-between. He went to law school with someone who knows one of the defence lawyers."

The driver said, "Maybe we should find someone else now that they know about him."

"Maybe," Samantha said. "But it was hard enough to find him."

I said, "You should tell him."

Samantha said, "No way, he'll stop," and the driver said, "And that'll be a real giveaway that we know."

"But he has a right to know."

The driver said, "No way."

Samantha said, "That's true." Then she looked at me and said, "But it's also true, if we just stop seeing him now, Teddy will notice."

"The way Teddy has been giving me these jobs, I think he's making mistakes and trying to cover his tracks. It's possible he thinks he's got this under control."

"They think they can discredit the women pretty easily," Samantha said. "We've given them a lot."

"But because of you they won't be blindsided. No surprises in court, no questions they didn't see coming, that's good."

Samantha said, "It's all we've got."

"All right," I said. "OBC think they have it all under control, they think they know everything you're doing and think they've got it covered." I looked at Ethel and said, "Now it's the connection to you."

Samantha said, "What?"

Ethel said, "I followed you last night and they saw me," and Samantha said, "What the fuck?"

"It's OK, they don't know what I was doing."

"What were you doing?"

"I was worried about you."

"There was nothing to be worried about."

"There was," I said. "Me. Or someone like me."

Samantha said, "You."

"OK, but they still don't know why Ethel was there last night, they don't know it has anything to do with Emery."

"Why else would she be there?"

I said, "They might think it's personal."

They all said, "What?"

Then Ethel said, "Yeah, we talked about this, they're going to look into it and what they're going to find is the improv class, it's really the only connection between us."

"So?"

"So, they'll think it's personal."

Samantha said, "They will?"

"Yeah, they will," Ethel said. She looked at me. "Like we're dating." She gestured between her and

Samantha. "They'd believe that at the Old Boys Circle Jerk, wouldn't they?"

"They would," I said. And they would, they'd love it. They'd make jokes about it and talk about it forever. It could work."

"How?" Samantha asked.

Ethel said, "We'll just have to make sure they see us together."

"On a date?"

"Or having a fight," Ethel said. "We could improv it."

Samantha looked at the driver and the driver said, "We're so close. They're running out of delays and this will actually go to court soon."

"But what are the chances?"

"As good as they'll ever be," the driver said. "They've done everything they can, but there's still enough to go to court. And no surprises. We just have to get it that far."

I could see Samantha trying to come up with arguments, but she just shook her head and said, "OK, let's do it."

She and Ethel exchanged emails and Samantha said, "Be very careful. I'm telling you, this isn't like anything else you've ever been on. They want to win this."

I said, "They always want to win."

"This is different," Samantha said. "It's . . . well, just be careful." She slid open the side door of the van.

267

As Ethel got out she gave Samantha an awkward hug and said, "We've got your back," and Samantha said, "You worry about your own back."

I said, "We never met, right?"

"Right." We shook hands.

The driver never looked back at us and she was pulling away before the door even closed.

There were people walking by on the sidewalk in front of the Harbourfront building. It was a nice afternoon and people were down by the water having a good time.

Ethel said through clenched teeth, "I hate this, I fucking hate this."

"So do I."

She started to walk away from me and I followed.

We passed in front of the building and there was a park on the other side. People were sitting on benches and riding by on bikes.

Ethel stopped and turned back, looking at me, and she said, "He better go to fucking jail."

My phone rang and when I looked at the screen I saw who it was and said, "Fuck," and my voice even scared me.

Ethel said, "Who is it?"

"It's Teddy."

CHAPTER
TWENTY-FIVE

I answered the phone and Teddy said, "Hey Gord, you keeping out of trouble?"

I made a face at Ethel — helplessness and fear. "Trying to, yeah."

"Well, I've got something for you."

"Oh yeah?"

"Don't sound so scared, I'm not asking you to do any real work."

"That's good."

"It's about that missing person, you still looking for him?"

I said. "Kevin Mercer? Yeah, I am."

"You said he might be using the name Mark Kennedy and the same DOB."

"That's right."

"OK, so a Mark Kennedy with that DOB worked for three days on a construction site in Sudbury."

I was still wound tight to be talking to Teddy just after Samantha Singh had driven away, but now I relaxed a little. A lot. I said, "Yeah, right, when he first disappeared it was in Sudbury."

"This was a couple weeks ago. Ministry of Labour did a spot check on the work site and he didn't have his papers."

Like always when Teddy gave me information, my first reaction was to want to know how he got it, but like always I caught myself and said, "This is great, Teddy, thanks."

"I just emailed you the info I got from the ministry. There's not much, but there is a contact name."

"Fantastic. I really appreciate this."

"Don't mention it."

"Got it."

"No, seriously, don't mention it, we're going crazy here and no one can know I spent even ten seconds working on anything else."

I knew he meant anything other than the Emery stuff. "Well, like I said, I really appreciate it. And you know, if you have anything you need from me, just ask."

Terry said, "You know it. OK, gotta go, be good." He ended the call.

I let out a breath, my first one since I'd seen Teddy's name on my phone's display.

Ethel said, "OBC?"

"I know, it's crazy, I thought he must have someone following me." Which as I said it didn't sound so crazy.

"You did good," Ethel said. "Your hands were shaking and you're sweating, but your voice only sounded a little panicky."

"Only a little?"

"And it might have passed for surprise."

"It was about my missing person, Lana's uncle."

"So, he doesn't suspect anything?"

I said, "I don't know. Didn't sound like it."

"Well, he wouldn't want you to know he knows, he'd play it cool."

"But he might know I know."

"Well, if he knows who," Ethel said, "he'll know what and he can find out where."

I said, "Is that shtick?"

She made a face and said, "*Get Smart*."

I said, "What?"

"Come on, Maxwell Smart, the Chief," she did an accent, might have been Russian, "Agent Ninety-nine, the sexy one."

"She wasn't Russian."

"She could be," Ethel said. "When she went undercover. Hey, maybe I should go undercover."

"What? No."

"I know," Ethel said, "I just wish there was more we could do."

"So do I, but we have to act like nothing's going on, we can't do anything to make him suspicious."

"It just makes me sick," she said. "Him and that whole company, doing everything they can to get a

271

rapist off and you're his best friend. 'I really appreciate this.'" She did a pretty good me.

A couple of kids on skateboards wove between us and kept going.

I said, "I'm trying not to draw any attention."

"Don't worry, you won't."

I knew she wasn't mad at me, or not at only me anyway, but I didn't know what to say.

Ethel said, "We have to do more."

I said, "We're doing everything we can."

"We're doing nothing. You and me, we're doing nothing."

"Yes, and that's what we have to keep doing."

"There must be something we can do."

"Not us," I said. "We're not the stars of this movie. We're not the director or the producer, we don't get our own title cards in the cool opening credits. We're in those names that go by in the end credits, too fast to even read."

"We don't have to be."

"Yes, we do," I said. "That's how it gets done, it's the only way it gets done. Everyone does their job." It didn't sound right. "That's not exactly what I meant."

"No, you're right, that's it. That's the way it works."

"We just have to hope the system works."

"Yeah, that's right."

It did sound hollow, like the emptiest of empty promises. Do this one on spec and next time I can pay you scale. I said, "Shit."

"No, it's all right, I get it, it's the way it is." Ethel got out her phone. "I'll get us an Uber to get back to your car. I have to plan this improv with Samantha, throw them off our trail."

"Right."

She typed quickly on her phone and then took my arm.

I didn't say anything, I wasn't sure if when we got to my car she was going to come back to my place or what, so I just went with it.

We went back to my place.

CHAPTER
TWENTY-SIX

My phone woke me up, like it does most days, and when I looked at the message on the screen I said, "Shit."

Ethel mumbled something and I said, "It's OK, stay asleep, I have to run an errand, I won't be long."

"What errand?"

I sniffed a T-shirt and it wasn't bad, so I pulled it on. "I made an appointment a couple of days ago. I don't really need to go now, but it's easier than trying to get out of it."

Ethel rolled over and picked up her phone from the table on the other side of the bed. "It's ten o'clock, I should get up anyway."

"Could you stay in bed? I won't be long?"

"You think you can go run your errand and come back to bed at noon? And what, have a quickie?"

"Doesn't have to be quick," I said, "I don't have anything on the rest of the day."

"Intriguing. But, no. I'm up now."

I was dressed then and said, "OK, I'm just going to go. I can pick up some coffee and breakfast on the way back."

"I can make coffee. Where are you going?"

I had my phone in my hand and I looked at it. "A couple of days ago I talked to one of Kevin Mercer's friends. Well, I talked to the guy's wife, he was at his chemo treatment. She asked me to come talk to him today."

"But you don't need to now."

"He hasn't spoken to Kevin in a long time, he won't know anything."

Ethel was sitting up in my twin bed, holding the sheet up to her neck, looking sexy as hell. "Then why are you going?"

"Their house might be good for a location sometime, it's probably a time capsule. Like this one."

"That's not it," Ethel said.

"It's not?"

"No. You said you'd go and so you're going. You do what you say you're going to do."

"Not a big deal."

"What industry do you work in?"

Before I could say anything, Ethel said, "And you think the guy would like someone to talk to."

"I guess, yeah."

"Look at you, all hard on the outside and soft on the inside."

"I'm pretty soft on the outside."

She got up and walked around the bed, still holding the sheet, and kissed me. "Have a nice visit. I'll make us some breakfast."

———

Gerry and Wendy Lucerne's house in Scarborough looked a lot like Barb and Kevin Mercer's house in north Toronto. If a movie was using one as a location and it fell through halfway through filming the scene, they could relocate to the other one and no one would notice.

Wendy even looked a little like Barb. She met me at the door, happy to see me, and led me through the living room and the kitchen to an enclosed back porch where a man I guessed was Gerry was sitting on a recliner. He said, "Hi there, you must be the private eye." He was smiling and seemed upbeat but he looked sick, too skinny, too many wrinkles on his face and neck, his hand too bony when I shook it.

"Gordon Stewart."

"I knew a guy named Stewart Gordon."

"I get some of his mail."

"Ha, that's funny." He didn't laugh, he didn't even smile. He was wrapped in a blanket and he was wearing a blue Maple Leafs tuque with a pom-pom.

Wendy was still standing by the door in the kitchen, and she said, "Would you like some coffee?"

I said, "If you're having some."

"Apple juice," Gerry said. "I drink a lot of juice these days."

"That would be fine for me, too."

Wendy said, "OK," and went into the kitchen.

"Sit down, sit down." Gerry motioned to another recliner and I was worried I'd sink into it and get trapped but I sat anyway. He said, "So, you're looking for Kevin."

"Yeah, I think I have a line on him."

"What a prick, walking away like that."

Wendy said, "Don't say that, you don't know what he was going through."

Gerry made a face, a smirk and a shrug. He had some idea. He said, "I still love the guy, but that was a prick move. Getting all these people worried."

"Who worried?" Wendy said. "You didn't even know he was gone."

"OK, you got me there. I've had some other things on my mind."

I took the glass of apple juice from Wendy and drank some. "When was the last time you saw Kevin?"

"Before I got the diagnosis, that's for sure. So, at least six months. Wow, that went by fast."

Wendy had sat down on a wicker chair and she said, "I'm one to talk, I haven't spoken to Barb, either."

I said, "When was the last time you spoke to her?"

"After his first round of chemo," she motioned at Gerry and he nodded. "I called her to see if Kevin might come visit."

Gerry said, "I told her not to."

I said, "And that's when Barb said Kevin was gone?"

"That's right."

"Did she say he was missing or he . . ." I didn't want to say the word, but Wendy did: "Committed suicide?"

I nodded, glad I had the apple juice to drink for distraction.

"She said that's what the police said, but she didn't believe it. I guess that's when she hired you."

"I work with her niece," I said. "This is like a favour."

"I didn't believe it, either," Gerry said.

I said, "You didn't think it was something he would do?"

"Nope, not Kevin."

"It turns out there's a pattern," I said. "I read a lot of articles about it, Kevin fits the type."

"I bet a million guys fit the type," Gerry said, "but they don't all top themselves."

"Enough that some people call it an epidemic."

"One in a million isn't an epidemic."

"The articles say that men don't try and get help."

"Why would they try to get help if nothing's wrong?"

"Well, something's wrong," Wendy said, "if they kill themselves."

"OK, those guys need to get help — not every guy."

Again I was glad to have the apple juice to drink so I didn't need to say anything. I thought it was weird we need a "not all . . ." for everything — everyone is so defensive and doesn't even realize it.

Wendy and Gerry argued about it for a while and decided to agree to disagree. Well, they didn't so much decide that as they stopped arguing and looked at me. Which was something else everyone I knew seemed to be doing lately, arguing for a while and then stopping without any resolution. Just silently agreeing to disagree.

Gerry finally looked at me and said, "You found out he didn't, though, is that right? He didn't kill himself."

"That's right. You heard he left his truck in Sudbury, just outside on an old logging road? I guess he hoped people would think he walked into the woods and shot himself."

"He took his hunting rifle?"

"Yeah, he did."

"Did he leave it in the truck?"

"No."

"But he didn't go into the woods?"

"He might have," I said. "He probably left his hunting stuff there in the woods so someone could find it."

"And they'd figure animals ate the body, spread the bones around."

Wendy said, "Gross."

"I guess so." I finished off the apple juice and said, "I guess the rifle will show up."

"Maybe he sold it," Gerry said. "It's old but it's worth a few hundred bucks."

"Maybe."

"And he went out west?"

"To Calgary, yeah."

"That's right, he lived out there for a while."

"After high school."

"I met him when he came back," Gerry said. "Working at Plascom. We both worked there till it closed down."

"He was an electrician?"

"That's right. I was in shipping. I was the head shipper by the end. Then NAFTA happened." He was still mad about it, I could see that. He said, "We were all such stupid loyal fucks, we packed up everything that was still useful and I arranged to ship it to Mexico myself. Got a great deal for that much weight."

It was the kind of thing I could imagine my father doing, too, staying on long enough to pack up the equipment so some other guys could use it in Mexico.

Gerry said, "After they shut it down, I got my AZ and started driving trucks."

"Long-haul?"

Gerry said, "Oh yeah, I knew all the trucking companies from Plascom, so I got on as an O and O right away, I told Kevin he could get on, too."

"What's an O and O?"

"Owner-operator. You get hired by contract."

"Kevin didn't want to?"

Wendy said, "He didn't want to be away from home that much."

"And he didn't want to take out a second mortgage."

I didn't understand, and Gerry said, "It's a hundred grand for the truck, I had to put up my house as collateral. Kevin didn't want to take the risk."

That I understood.

Wendy said, "Our son is driving it now, he took over the contracts."

I said, "That's good that worked out."

"It's just temporary," Gerry said, "till I get back behind the wheel."

Wendy rolled her eyes and made a face that told me she didn't want to get into it, but Gerry said, "Six more months, I'm back to work."

"That's not what the doctor said."

"Yes, he did."

Wendy looked at me and said, "They said they were doing everything they could to get him through one year. If he makes that, then we can talk about the next five years."

"And I'm halfway through," Gerry said. "And then I'll be back to work."

I didn't want to ask what their son would do when Gerry took the truck back, but I got the feeling that was really a long shot, anyway.

Wendy said, "Where do you think Kevin is now?"

"I don't know, but I think he's probably in Ontario. I was hoping you might be able to think of someplace he might be, someplace he knows?"

"Like where we went hunting?"

"Yeah, where was that?"

"Oh, we went out past Sudbury a few times, also a place past Thunder Bay."

"Do you think he might have gone to one of those places?"

"I doubt it," Gerry said. "It's been a long time since we were there. And then it was a vacation, you know. Wherever he is now, he must be working, right? He's got to be doing something for money."

"Yeah, he's been getting pickup work."

"I don't think he'd be at a hunting lodge, you know, he's not really much of an outdoorsman."

"He did go hunting with you."

"Yeah," Gerry said, "he came along. If we'd gone golfing or something like that, he'd probably have done that, too, it was really just to get away, hang out, drink beer. I did it with my dad when I was a kid, and some of the other guys were from up north, but Kevin just came along."

I said, "I get it. Kevin didn't go hunting with his dad?"

"Naw, he was a city kid. And his dad died before I met him, so he must have been pretty young," Gerry said. Then he looked at Wendy and said, "We were at Plascom when his mother died, remember we went to the funeral?"

"That's right, at Pine Hills." She looked at me, "Do you know it?"

"Yes, I do." My mother was buried there, too, and I'd scouted it a few times for TV shows. It was maybe a fifteen-minute drive from where we were at that moment.

"But he is really handy," Gerry said. "Not just an electrician, he can do pretty much any kind of renovation, plumbing, carpentry. He built this room."

Wendy said, "You built this room."

"I got the coffee and doughnuts," Gerry said. "Kevin did all the work. The rest of the house could fall down, this will still be standing."

I said, "That's good," and it was for the house and for Gerry and Wendy, but it was bad for me. It meant Kevin could be getting work anywhere.

"Is this like a movie," Gerry said, "will you keep looking till you find him?"

I said, "No, it's not. I have to get back to my regular job, that's a movie, I scout locations. I have a few contacts that'll know if Kevin uses his real name or a credit card or something." Really, I had only one contact, Teddy, and I was going to lose that one if he found out that Ethel and I talked to Samantha Singh. I'd be lucky if all that happened was he never talked to me again.

282

"I guess that's what will probably happen," Gerry said. "Kevin will slip up and you'll find him."

"I guess." It seemed like a long shot to me now.

Wendy said, "Maybe then he'll visit."

"I'll go see him," Gerry said. "I can still get him some contracts."

"He'll have to get his license."

"It's easy," Gerry said. He looked at me. "When you see him, you tell him that, tell him I can get him some work driving. It'll be the shitty routes to start, but it'll be something."

I said, "OK, I will."

We shook hands, Gerry's felt even weaker than when I'd arrived, and Wendy walked me to the front door. She said, "Thank you."

"What for?"

"For visiting. It's good for Gerry to have something to look forward to."

"I'm happy if it helps."

"And he's serious, he can get Kevin some work. You tell Kevin that."

"I will if I see him."

She said, "You will," and was still standing at the door smiling at me as I got into my car and drove away.

CHAPTER
TWENTY-SEVEN

It sounded like ABBA. Well, it had to be ABBA — what else sounds like that?

I heard it before I opened the front door and stepped into the house. It was coming from the basement.

I walked down the stairs expecting to see, well, I have no idea, but I would never in a million years have guessed what I did see.

My father and who I figured must be Ida were dancing. Disco dancing.

I started to go back up the stairs, because that's what people did in these situations that were clearly a dream, a nightmare, and they needed to wake up.

Ethel said, "Hey, come on." She was by the stereo,

but when she saw me she started dancing her way across the room.

My father saw me then and said, "Boogie down, baby." There was something grotesque about his face and then I realized he was smiling.

Ethel had my hands then and was pulling me into the middle of the room. She could really dance.

I stood very still.

The song ended and Ethel said, "Nice moves, Travolta."

I said, "What's going on?" and my father said, "We're fixing the furnace, what does it look like?"

"I have no idea, I've never seen this before."

"Sure, you have." He was walking to the stereo — I'd never seen it with the top open — and lifting off the record. He put another album on and carefully put the needle about halfway in.

"You must be Gordon." The woman was holding out her hand so I shook it and said, "You must be Ida."

"That's right, nice to meet you."

"Nice to meet you, too."

A song I didn't recognize started to play, but Ethel got very excited and said, "All right, get down tonight," and started dancing again. She grabbed my hands again and pulled me further into the room and kept holding on while she danced and I moved a little bit back and forth. Ethel laughed and then looked very serious. She let go of one of my hands and held the other hand up over her head and did a little spin.

I really wanted to go sit down, but I held Ethel's hand until the song ended and she leaned in and kissed me on the cheek and whispered, "Well done."

My father lifted the needle on the record before the next song started and said, "Well, that was fun."

Ethel said, "We're just getting started."

"Well, you kids keep on keeping on," my dad said. "We're going out to dinner."

I said, "You are?"

"Yes, we are."

I didn't know what to say to that, so I said, "That's nice."

Ida said, "It was nice to meet you," and we shook hands again.

When they were gone Ethel said, "How'd it go?"

"All right. I mean, I knew I wasn't going to get any useful information, but it was good to hear someone talk about Kevin Mercer who liked him."

"That is good."

"Yeah, and they'd like to help him when he comes back, so that's good."

"You think he'll come back?"

"I have no idea."

I walked to the stereo and took off the album and slid it into the cardboard sleeve.

Ethel stepped up beside me and said, "I guess I messed them up."

I said, "What?" I was still in a little bit of shock from seeing my father dancing. And from seeing the stereo in use.

286

"They were in alphabetical order, I messed them up."

"They were my mother's. I got them out once, played a bunch of them. He freaked out when he got home. Sent me to my room, didn't talk to me for days."

"Oh, I'm so sorry."

"It was a long time ago," I said. "I guess then it was still too soon."

"Yeah."

"I thought it was still too soon."

Ethel was standing behind me and she put her arms around me and I jumped a little but she just squeezed tighter. She said, "He seems like a good guy."

"Oh, he is. In his way. Isn't that what people say?"

"Sometimes they mean it. No one's good all the time. People grieve in different ways."

We stood there for a few minutes and I didn't know what to do. I felt bad, but I couldn't really figure out why. After a bit I started to think it was because I didn't feel bad enough. I actually felt pretty good standing there with Ethel's arms around me. I turned around to face her and she kept hugging me.

I said, "Thanks."

"You OK?"

"I am, yeah."

I put my arms around her.

She moved a little, started to sway, said, "You wanna dance?"

I laughed.

"Here, let me help you." She let go of me and knelt down by the cabinet the records were in. "Did your dad make this?"

I said, "Yeah, how did you know?"

"I've seen the plans online."

"For that cabinet?"

She kept flipping through the records. "On one of the mid-century forums, the kitsch one. From an old *Popular Mechanics*, I think."

I didn't really know what she was talking about, but I said, "Yeah, my dad made a lot of stuff around here."

"He has great taste in music, too."

Ethel stood up with an album in her hand. Earth, Wind & Fire. *That's the Way of the World*.

"The records were all my mom's," I said. "All of them."

A bassline started coming from the speakers and even I recognized "Shining Star." Definitely by the time the horns came in. For sure by the time the vocals came in and he actually sang, "You're a shining star, no matter who you are."

Ethel was swaying to the music and she took my hands. "Just feel it. You feel it, don't you?"

I felt her, that's for sure. I just tried to hang on. The next song on the album was a little slower and we close-danced. This would have been my nightmare in a crowded high school gym, but it was good now.

The song ended and she said, "See, that's all there is to it."

"If you say so."

She took the album off the turntable and slipped it back into its sleeve and then she got out another album and put it on. I really didn't get why vinyl ever made a comeback, I could easily see all these albums spread out all over the floor, getting stepped on and scratched, every time one finishes you have to get up and pick another one. Such a hassle.

Then Ethel said, "I love all this vinyl, it's so easy to see why it came back. This is such a great collection."

I said, "My sister used some of these for her figure skating routines."

Music started but I didn't know it. Ethel said, "Your sister skated to 'You're Still a Young Man?'"

"Maybe not. Is that what this is?"

"Tower of Power," Ethel said. "Your mom liked horn sections."

"I guess so."

"Well, there's some T. Rex in there, too," Ethel said, "so she was eclectic."

"My father said she liked what she liked, and he was glad she liked him. Though he said he never knew why."

"Men never do."

I said, "They don't?"

"They either just expect that you do or they make too big a deal out of the fact that you do."

I was about to ask which one I was when Ethel's phone rang.

As she was looking at the display she said, "And then there's you, I haven't figured you out yet. This is Samantha, I have to take it. Hi, how you doing?"

It seemed unlikely to me that she hadn't figured me out, but I let that go. On the phone she mostly said, "Un-huh" and "Yeah" and "OK" and then she said, "All right, I'll see you there," and ended the call.

She looked at me and said, "Samantha is meeting with Joel in an hour, she figures they'll be following her so I'm going to go and 'run into her'" — she actually made the air quotes — "and we'll have a fight."

"That should do it."

Ethel was already on her way up the stairs, saying, "Samantha doesn't want to do it so let's go before she changes her mind."

I wanted to put the records away, back in alphabetical order and clean up the rest of the basement, but I followed Ethel up the stairs.

In the car she said, "They're meeting on the subway."

"Is Samantha getting on at Spadina Station again?"

Ethel looked at me sideways, suspiciously, and said, "Yes."

"They've done that before," I said, "that's good, sticking to a routine."

"And the OBC guys will be following her?"

"Most likely."

"Even though they already know she's been giving information to him?"

I was glad she didn't add the "thanks to you" that was hanging in the air. I said, "By now they've got someone on Joel, too."

"How many people will be there?"

"Don't know. Four, maybe more."

"Wow."

"Money is no object."

"Incredible."

I pulled into the parking lot at Kennedy Station and Ethel said, "What are you doing?"

"We might as well take it across town to Spadina. Have you got a plan, how you're going to meet?"

"She's going to wait by the store, the concession stand inside the station, I'm going to be walking by and I'll see her."

I said, "OK," and Ethel said, "You don't think it'll work?"

"No, I think it will. I think it's good we didn't have time to try and come up with a plan, we probably would've made it too complicated and outsmarted ourselves. This is good, they'll see that you and Samantha know each other, it's personal and has nothing to do with her meeting with Joel."

"And then I can walk away. From this whole thing."

I said, "Yes, exactly."

Ethel looked upset, of course, as we tapped our Presto passes and pushed through the turnstiles.

I said, "Come on, they're doing it, we'd just be in the way."

"I know. I know this is the right way." She didn't believe it, of course.

We got on the westbound subway and didn't say anything the whole ride. I knew Ethel was pissed she was walking away from this. I knew she'd be trying to convince herself there was another way, there was something she could do, some way to stay involved and bring down Emery.

The plan worked great.

Samantha was standing by the store, Ethel walked up to her and anyone watching could see that they knew each other and had something unfinished between them. They were both excellent actors, terrific at improv, their body language sold it, they didn't even need dialogue. But anyone close enough would have heard them the perfectly delivered, "You were *so* flirting with her" and the "you move way too fast" and "you just can't commit," and believed them.

OBC would definitely believe that Ethel and Samantha knew each other and it was personal and had nothing to do with Joel or Emery or anything. I was one hundred percent certain.

Outside the station I expected to see Ethel just as certain, but she wasn't. I figured, well, actors, they're always insecure about performances no matter how good they are, but that wasn't it.

She was mad.

She looked like she wanted to kill someone.

CHAPTER
TWENTY-EIGHT

Ethel said, "Fucking fuck, fuck, did you see him?"

"I saw one down near the tracks," I said. "Was there another one?"

"Right there beside Samantha, you didn't recognize him?"

"No."

"He's a fucking cop," Ethel said.

My first instinct was to say, are you sure, or maybe he wasn't one of the tails, but Ethel was certain, I could see that. And I knew what it meant.

She said, "He was a paid duty officer on *Street Legal*."

"That show was a hundred years ago."

"The reboot," Ethel said. "I had a line in the pilot. He hit on me."

"Did he recognize you now?"

"No."

"Really?"

Ethel started walking towards Bloor, pacing more than actually going anywhere, and I tried to keep up. She said, "Guys like that don't remember every woman they hit on, it's basically every woman."

Bloor Street was busy, people walking by in both directions. I said, "Are you hungry?"

"What? How the fuck can you think about that now? Don't you realize how big this is?"

"Yes, I do. So let's go somewhere and talk about it."

Ethel said, "OK, let's go there," and before I could say anything she pulled me into a sushi place, and we were sitting in a booth and she'd ordered a pot of green tea from a waiter who put a piece of paper and a pencil on the table and walked away.

"So, what do you like?" she asked.

"Anything's fine."

"Really, anything? They have eel, you know."

"Not eel and not octopus. Salmon, tuna, California rolls, the usual."

"I love this city," Ethel said, "everybody has a usual sushi." She wrote numbers on the paper the waiter had left, and when he came back with the tea and two cups she handed it to him and smiled while he checked it before nodding and heading back to the kitchen. "What are we going to do? And don't say nothing and walk away."

"That is what I was going to say."

Ethel made a pretty big production of shaking her head and rolling her eyes.

"It is what we should do. They have active cops

working this, not retired cops, not suspended cops, but full-time, active-duty cops."

The big production continued, holding her hands out and kind of waving them at me, see, see.

"Yes, I know."

"Working for the defence," Ethel said, "of an ongoing trial."

"Yes."

"Well, I'm pretty sure that's illegal."

The waiter was at the table then, putting down a couple of hand-rolled sushi and a plate of dragon rolls. He left without saying anything.

I said, "You know, I'm not sure it's illegal."

"Come on," Ethel said, "that's got to be, cops can't take sides."

Now I gave her a look.

"Well, they fucking shouldn't be allowed to." She took a bite of the hand roll and while chewing said, "But even if it's not illegal, it looks fucking bad."

"Yes."

Ethel finished the hand roll and said, "So, we go public."

"Like, have a press conference?"

"Did you ride here on a horse?"

I ate a dragon roll. "So what do we do then?"

"Tweet about it. Hope it goes viral."

"What good will that do?"

"Put it on Facebook, old people should know, too."

"Too bad we didn't get video, we could put it on Instagram."

"We could get video," Ethel said. "This won't be the last time he does it."

"So you'll have OBC after you and the cops, that could get tense."

Ethel ate a piece of dragon roll and nodded a little. She drank some tea and then said, "A big part of this is how it's going to play out in public, right? On social media."

"It is going to court."

"It might go to court," Ethel said. "But they're trying to keep that from happening, right?"

"Yeah, they are."

"So right now what's happening is a war of publicity. They're following the women, trying to get dirt on them, stuff they can blackmail them with if they don't want it made public. They've already done some of this, haven't they?"

"In this case?"

"Yes, remember there was another woman in the beginning who was also going to bring charges but she dropped out. What did they have on her?"

"I don't know."

"Shit. They probably have a PR firm, right?"

"Yeah, of course they do. No expense is spared, remember."

"Holy shit." Ethel leaned back in her chair, raised her hands and said, "I've got it."

"What?"

"Media."

"Right."

"Not social media, old-fashioned media."

"What?"

"We take this to a reporter."

I said, "Like a newspaper reporter?"

"Yes."

I never would have thought of that. "It's not really a story, is it?"

"Of course it's a story. Billionaire charged with sexual assault hires cops. That's gotta be some major conflict of interest."

"Yeah."

"So, if it's not illegal, it will look really fucking bad."

I said, "Yeah, OK, so, do you know any newspaper reporters?"

"No. But this is the last city in the world with more than one newspaper, there's got to be someone who'll want this."

"I guess there are still crime reporters."

Ethel jumped in her seat. "Yes! I know. We take this to the reporter who broke the story about our crack-smoking mayor."

"That's good."

"I saw her on *Breakfast Television*," Ethel said. She had her phone out and was typing quickly. "Robin Lofting."

I didn't recognize the name.

"She's got a contact for hot tips."

I watched Ethel type for few seconds and then put her phone down on the table and pick up another piece of sushi.

"Well, we shouldn't get our hopes up," I said. "I can't imagine she'll even get back to us. She must be pretty busy."

Ethel's phone beeped and she picked it up saying, "It's her."

After some frantic typing, Ethel said, "Where's a good place to meet?"

"When?"

"Now."

I said, "Somewhere on the subway line — is she driving? Yeah, probably, so a station with a parking lot. Victoria Park, or Warden."

More typing and without taking her eyes from her phone, Ethel said, "Warden." She waited a moment then typed some more and then put the phone down. "All set."

I was surprised but I didn't show it, I just said, "That's good."

Ethel said, "Don't look so surprised, this is a big story."

CHAPTER
TWENTY-NINE

Warden Station wasn't what I'd scout if the script called for dangerous — or more likely these days, "sketchy"; and if the writer thought of themselves as edgy might even include "gang territory," with any mention of race carefully avoided — but that's what it was. A little bit in the middle of nowhere, there used to be a half-empty mall next to it that has since been knocked down and some townhouses thrown up on the site. There's still a little industry nearby and a few tall apartment buildings Toronto likes to call social housing but any script would call projects.

This far from downtown, the subway comes up out of the tunnel and runs above ground. Ethel and I got off and walked out of the station, past the row of buses waiting to take people further out into the suburbs where they thought it was safer, to the parking lot. It was after eight, but there were still a lot of cars in the lot. People do work a lot of overtime in Toronto, that cliché is true.

Ethel said, "It's a Toyota Corolla."

"Really?"

"Yeah. Why, is that a surprise?"

I said, "I only know investigative reporters from the movies, it would be some kind of SUV, maybe a Range Rover, and now that I think about it, that's probably something a reporter could never afford."

"There."

"Well, there are three Corollas," I said.

"It's the sedan," Ethel said. "The other two are hatchbacks."

"Good thing it wasn't a Civic, we'd be here for hours."

Ethel was already making her way between cars to the middle row of the lot, where a silver Toyota Corolla sedan was parked between two empty spots.

The driver's side door opened and a woman got out. She said, "You're Ethel Mack?"

"Yes, this is Gord Stewart."

"It's OK," the woman said, "You don't have to use fake names, I won't reveal my sources."

I said, "It's my real name. Are you Robin Lofting? With the *Star*?"

"I'm with the *Globe* now. OK, get in."

She got back behind the wheel and Ethel got into the passenger seat. I got into the back seat.

I said, "You know OBC?"

"The Old Boys Club? Yeah, I know them. Hang

on." She put her phone into a little holder on the dash and said, "I'm recording this, OK?"

Ethel said, "Yeah, OK."

I said, "You understand we're being careful."

"Yeah, sure, of course." Robin didn't seem concerned at all. She said, "You said there were active-duty cops on the Emery case — are you sure?"

Ethel said, "Yes, absolutely," and I said, "One, for sure."

"Well, you know how it is with cops," Robin said, "can't have just one. They travel in packs. Do you have any names?"

I said, "Yes." While we were at the sushi place, I'd looked up the old call sheets for *Street Legal* on the Director's Guild website and found the names of all the paid-duty officers. It only took Ethel a few minutes on social media to find the one who had been following Samantha Singh.

Ethel said, "Richard MacKenzie."

"It could be the Old Boys Scottish Club," Robin said. She looked at me. "Have you worked with him?"

"I don't think so."

Ethel said, "He was a paid duty officer on a show I worked on and we saw him tonight. We're involved with the Emery case, like I said, and saw him working it."

Robin said to me, "How are you involved?"

I said, "Does that matter?"

"I don't know what matters right now, I need to get every fact I can. We'll see what happens then."

Ethel and I looked at each other in the rear-view mirror and then I said, "I work freelance for OBC sometimes. Usually I'm a location scout."

"For the movies?"

"Yeah, and sometimes I work for OBC, usually surveillance. So, I was following someone and Ethel recognized her."

"You were following her, too?"

"Not that time."

Robin said, "Do you work for OBC?"

"No, it was personal. I mean, look, we're personal" — Ethel motioned to me, "and something happened and I recognized the woman he was following and she isn't one of the women who brought charges against Emery, but she looked scared, so I followed her and they saw me."

"Who saw you?"

I said, "OBC, someone from OBC. So, Ethel wanted to show them she wasn't involved."

"But you are involved."

Ethel said, "I'm not, not really. He is."

I said, "So, Ethel made it look like she ran into the woman she knew and made it look like they had a personal relationship, so the guy from OBC would see it had nothing to do with Emery."

Ethel said, "Is this making sense?" and Robin said, "Not really, but go on."

I said. "It worked. He believes it's personal, but then we realized he's an active-duty cop."

"Right."

I said, "I mean, we know that OBC and the cops are tight, but this seems to cross a line."

Robin said, "And he's the only one you know of?"

"We just saw him tonight," Ethel said.

Robin was nodding and writing things in a notebook,

which surprised me after she'd told us she was recording the conversation, but I didn't think it was an affectation like it would be in a script — I think it probably helped her process the information and remember it. But it might have also been a distraction for us to help the conversation flow. Or I was starting to go crazy overthinking everything.

Robin said, "OK, anything else?"

"There's something weird going on at OBC," I said.

"What do you mean?"

I looked at Ethel for help. We weren't sure how much we were going to tell Robin, we were playing it by ear, but now that we were in the car, my ear wasn't telling me anything.

Ethel said, "Tell her."

Robin looked at me but didn't say anything.

"They think there's a mole at OBC."

"Is there?"

"I don't know."

"You don't have to tell me," Robin said, "I'll find out. But it would be better if you did."

"There's a mole at OBC," I said.

"And they know about it?"

"Yes."

"And this mole is passing information to the defence?"

"Yes."

"That's interesting," Robin said, "and they know?"

"Yes."

"And they haven't put a stop to it."

It was a statement not a question, but I said, "There seems to be something going on at OBC, they've been making more mistakes than I've ever seen in the past."

Robin said, "How come no one else has noticed this?"

"Maybe no one's looking."

"It's a big story," Robin said. "Everybody is trying to find a way in."

I was glad she didn't say "an angle," but I guess different words didn't really make it seem less clichéd. I said, "Well, I don't know about that, but I do know that everything we're telling you is true."

"All right, well, thanks."

Ethel said, "So you're going to get the story?"

"If there's a story to get."

I said, "Be careful, the cops will never forget if you write about this."

Robin said, "Hey, if the cops don't hate you in this city, you're not much of a reporter."

Ethel said, "OK, but be careful."

"Always," Robin said. "You, too."

We nodded very seriously at each other and then Ethel and I got out of the car and Robin drove away.

Walking back to the subway station, Ethel said, "You think the cops really hate all the reporters?"

"Most of the reporters are probably like most of the cops," I said. "They protect and serve the rich and famous and everybody else is always a suspect."

"Not exactly like the cops on TV."

"It's not really all that different," I said. "Except there isn't really the one who's willing to go up against his bosses to see that justice is really served."

"Or *her* bosses, more likely these days," Ethel said.

I said, "Right," and then, "So now what?"

Ethel pulled open the door to the subway station and said, "Now we wait."

"The hardest part."

We didn't have to wait long.

CHAPTER
THIRTY

The production office was getting a lot busier — the walls were full of schedules and set designs and wardrobe ideas and the cubicles were full of people I didn't know.

Lana wasn't in her office, though, but I had an idea where she might be and sure enough found her in the lunchroom with a few other people. When I walked in, someone said, "Robin Williams," and someone else said, "Yeah, that was surprising," and someone else said, "Or was it."

Another person said, "Vern Troyer."

"Really, Mini-Me?"

Lana said, "Dana Plato."

A woman I thought was in accounting, Marilyn, I think, said, "That was an overdose, wasn't it?"

"Later ruled suicide," Lana said and then I understood what they were talking about.

"Anthony Bourdain."

I said, "Is this because Luke Perry died?"

"No," Marilyn said, "that was a stroke, this is suicides."

"Oh. Why?"

"Didn't you hear? Keith Flint, singer from Prodigy."

Someone said, "Brad Delp," and someone else said, "Oh yeah, 'More Than a Feeling.'"

"Guy from Big Country."

"Guy from Crowded House."

"Guy from Linkin Park."

"Guy from INXS."

"Guy from The Band."

"I love *The Last Waltz*."

"Guy from Badfinger."

"Two guys from Badfinger."

Everyone looked at the guy who said it, an old hippie in the Transport department, and he said, "Not at the same time, years apart. But they co-wrote that Harry Nilsson song, 'Without You.'"

No one knew it.

"It's in *Casino*."

Marilyn said, "Oh yeah, it's in *Rules of Attraction*, too, in a suicide scene, that's weird."

It was quiet for a bit and then someone said, "Chris Cornell."

Kyle from the art department came into the lunchroom then and said, "What are we doing, favourite bands?"

"Celebrity suicides."

"Cobain."

"Yeah, we got him."

Kyle said, "OK, Jeremy Blake."

No one knew him.

"An artist," Kyle said, "he did the Winchester series."

Nothing.

"He did the abstract scenes in *Punch Drunk Love*."

"Oh yeah, they were cool."

A woman from wardrobe said, "Alexander McQueen." Then, as she was pouring coffee she said, "And Kate Spade."

Someone said, "We could do it by department, start with directors."

"Tony Scott."

"What about producers?"

Lana said, "Jill Messick."

"You just Googled that."

"No," Lana said, "she worked for Weinstein, remember."

"Oh right, she left that note."

"There is a Wikipedia page on directors who committed suicide."

"August Ames, don't pretend you don't know her, because she was a porn star."

"Of course I know her," the guy from Transport said, "she's Canadian. Was Canadian."

Lana was walking out of the lunchroom then and I followed her back to her office.

I said, "I didn't realize there were so many."

Lana said, "That was going on for twenty minutes before you got there." She sat down behind her desk and stared at her monitor. "So, what's up?"

"I told you your uncle was in Ontario, right?"

"You thought so."

"Now I know. He was working in Sudbury last week."

"Well, isn't that convenient. You're going back to Sudbury tomorrow."

"But that's actual work," I said. "I won't be looking for your uncle."

Lana leaned back in her chair and tilted her head from side to side a little. "You might look around a little."

"Am I getting an extra Locations PA?"

"We're already over budget on locations."

"That's because you sent me looking for your uncle."

"And locations. Did you find any?"

I said, "I found some, I guess. But I'm going to need a department, I'm going to need a few people."

"You can hire one person there."

"If it's going to be locals with no experience, I'll need two at least."

"They'll have experience," Lana said, "we're shooting there all the time. Start with one and we'll see how it goes."

"If that's the best you can do."

"And you'll keep looking for my uncle."

"Come on."

"In your spare time."

"Right, me and my one assistant, I'll have lots of spare time."

"You can try."

"I guess I can talk to the guy he was working for."

"There you go."

"But you know I'm not going to find him."

"You might."

"Finding out he was still alive was more than I expected."

Lana said, "It was way more than I was expecting."

"Then why did you ask me to look?"

"My aunt was really upset."

"Well, then I guess this is something."

"Yeah."

"He seems to be getting closer, maybe he's coming home," I said. "I'm no psychologist, but it's probably hard for him. But it's better than that, right?" and I motioned back to the lunchroom.

"Yes, it's better than him killing himself," Lana said. "But now my aunt really wants to talk to him."

"I imagine she does."

"This is almost worse," Lana said.

"Hey, don't blame me for this. I didn't want to look for him. OK, I'll talk to this guy in Sudbury, maybe he knows something."

"That's all I'm asking."

It felt like she was asking for more than that, but I didn't say anything. As I started to walk away, Lana said, "Hey, hang on," and I turned back.

She said, "Can you send in Kyle, I need to talk to him."

"Sure."

Kyle was still in the lunchroom and when I told him Lana wanted to see him, he said, "How mad is she?"

"I don't know, the usual."

"People want a period piece because it looks cool,

but then they don't want to spend the money to make it look cool."

I said, "Right."

"You know what I mean, they want old motels, but they don't look old anymore, do they?"

"I guess not."

"And there are three of them and they all need to be different."

I said, "There's only one motel in this script."

"No, there are three. One modern-day and two after they cross the bridge. Did you find a covered bridge?"

"That's going to be effects," I said. "They'll fix it in post."

Kyle didn't laugh at my joke. He said, "And a high school, past and present, they have no idea how much it will be to do that."

"There's no high school in the script."

"Didn't you get the revisions?"

"I guess not."

"You better read them," Kyle said. "Lots of changes. These idiot writers just change the scene from a movie theatre to a high school like that." He snapped his finger. "As if it's that easy."

"What else has changed?"

"You better read it."

He walked away shaking his head.

In the Locations office I sat at my desk for a few minutes and tried to talk myself into going back to Lana's office and telling her I quit. The movie and looking for her uncle.

This was a record, usually I didn't start fantasizing about quitting until principal photography had started.

I checked my work email, something I hadn't done in days, and scrolled until I found the subject line "script revisions."

There had been four revised scripts since I'd last looked at it.

My phone beeped. It was Ethel. I answered it saying, "Hey."

"So cheery. What's wrong?"

"Nothing."

"OK, well, how about lunch?"

I said, "Yeah, sounds good. Where?"

"I'm at home, so somewhere around here. Do you know The Greenwood?"

"No, is it on Greenwood?"

"You'd think so, but no, it's on Queen. It's near Greenwood, though."

"Half an hour?"

"Perfect."

Place was pretty hipster. Across from the streetcar barns on a stretch of Queen that was a little bit of no-man's-land, not quite Leslieville and not yet the Beaches. Condos were just starting to go in. When I got there Ethel was already drinking a mimosa.

She said, "The burgers are really good here."

"OK."

"And the bowls, see." She pointed to the menu in my hand. I didn't even realize I'd picked it up and was looking at it. "The Goa is really good."

The other bowls were Tel Aviv, Los Angeles, Bangkok, and Barcelona. They seemed like really expensive salads. All locally sourced ingredients that changed with the seasons, as the menu said.

I said, "I hear my dad's voice. 'You think many of the bus drivers from across the street are eating in there?'"

Ethel said, "Well, yeah," and tilted her head, motioning at the next table, where a couple people were finishing up. They were both wearing TTC jackets. For a moment I thought my dad might have made a comment about neither one of them likely being born in Canada, but then I wasn't so sure about that. I was starting to think it was possible my father wasn't exactly the guy I thought he was.

The waitress was at the table then and I ordered the burger. Asiago cheese, smoked paprika aioli, fresh greens. I wanted to hate it, but I knew it would be really good.

Ethel said, "Do you think the comedy sidekick acts as a stand-in for our own feelings of suppressed embarrassment and inadequacy?"

I said, "What?"

"Do you think our existence within the confines of society is dictated by many confining rules and expectations that are sometimes hard to follow."

I said, "I'm going to say yes to hard to follow."

"I'm reading articles about sidekicks," Ethel said. "I don't know that I agree."

"I don't think you're supposed to agree, I think you're supposed to disagree and make a comment and then someone else will disagree with that and then it'll just keep going forever."

"Finding the ending of the sketch is the toughest part."

I said, "Yeah, I've seen *Saturday Night Live*."

"Easy to criticize," Ethel said. "Much harder to do."

"Oh don't worry, I appreciate how difficult it is."

"That's the thing about the sidekicks, when they're really good, you think it's easy." She picked up her mimosa.

"And if they're really good," I said, "you actually think they're the sidekick."

She stopped, holding the glass inches from her mouth and said, "What did you say?"

"If they're really good, you think they're the sidekick."

"No, I heard you."

"Then why did you ask me what I said?"

She gulped down the rest of her mimosa and said, "I thought you could tell that was for dramatic effect."

"Oh, right, of course."

"So you know that Gracie Allen wasn't the sidekick."

"I'm not really familiar with her work."

"Not enough people are," Ethel said. "You usually hear things like, 'George really loved her,' or something else that makes it about him."

"Because he lived so much longer."

"I guess. But the fact she was actually the funny one was a big part of the act. She delivered the lines really sweetly, but they cut. There's a sketch with the census taker, he says, 'What did you make last year?' and she says, 'I make cookies and aprons and knit sweaters' and he says, 'No, what did you earn?' and she says, 'George's salary.' It's like a joke that he knew she was the act, but it was really true."

"That's not such a big surprise."

"So how come we have a whole generation of idiot men who say women aren't funny?"

"You said it, idiots," I told her.

Ethel leaned in across the table. "Early on, when they were starting out, they were on a radio show and it ran short, there were five minutes left. They'd already done their act, all the guests had done their acts, so there was going to be five minutes of dead air. During the commercial the host said, 'Anybody can do five minutes I'll give them five hundred bucks,' and right away George Burns says, 'We can do it,' doesn't even hesitate. He just says to Gracie, 'How's your brother doing?' And she starts talking, absolute gold, fantastic set-ups and punchlines land every twenty seconds. After five minutes, she was still going strong and George stops her and says, 'Folks, we just earned five hundred bucks.'"

I said, "We?"

"Exactly. And the thing is, people think she was actually just talking about her brother. She was a master of improv before there was improv."

"And she's in your show, your one-person show?"

"She's kind of taking it over," Ethel said.

"That would be OK, a one-woman show about Gracie Allen."

"But there are so many more."

315

"More what?"

"Women who were treated like sidekicks but were actually the whole act."

"Oh right. Well, I'm looking forward to the show."

"If I ever get it done."

I wasn't sure what to say, but lucky for me my phone beeped. I looked at the display and said, "It's Teddy. Hey, what's up?"

Teddy said, "I've got great news, buddy. Kevin Mercer is in Toronto."

"That is great news."

"If you hurry you can catch him right now."

"Where is he?"

"He's working a job, a renovation. House near Gerrard and Coxwell."

"Wow, really close."

"Is it? Well, anyway, it's at 833 Craven Road. You know it?"

"I can find it."

Teddy said, "Ha, yeah, you can find anything, can't you? Well, this one's close."

"It's not like I'm special," I said. "I have Google Maps like everyone else."

"All right, well, you really owe me now."

"I sure do. Thanks."

He said, "Don't thank me."

That was an understatement.

CHAPTER
THIRTY-ONE

Craven Road was only a few blocks from where we'd been having lunch. It was a dead end at the railway tracks, and the house Teddy had sent me to was the very end. I parked and said, "I'll probably only be a minute."

Ethel said, "Do you want me to come in with you?"

"No, he'd probably feel ganged-up on, you know?

A GO Train went by and I was surprised how quiet it was.

"OK."

I didn't move and then Ethel said, "What are you going to say to him?"

"I don't know. It's weird, I've been thinking about

this guy for quite a while now and I never thought about what I was going to say to him."

"Have you been thinking about him," Ethel said, "or just about a guy? In the abstract?"

I started to say something sarcastic but stopped myself. I knew I was going to try and make a joke to avoid really talking about it. But I also wanted to avoid going into the house and talking to Kevin Mercer, and I realized it was because Ethel was right. I said, "Yeah, just in the abstract. I've been thinking about him like an archetype, like a device that moves the plot forward but not like a real person."

"That's why we're all in this business," Ethel said, "to avoid having to deal with real people."

"If I say something stupid like, 'to avoid having to *be* real people,' you can punch me."

"Oh, don't worry, I will. Hard. In the face."

From the car I could see guys moving around in the house. The place had been gutted, there was a bin in the small front lawn filled with debris, and there was a pickup truck in the driveway. Such a familiar scene in Toronto.

"I still don't know what his problem is."

"You don't?"

"No, how could I? Guy wants to kill himself."

"Well, when you thought about it, how did you think you'd do it?"

"I never thought about it."

She looked at me.

"Never once?"

"Maybe as a teenager," I said. "Never seriously."

"Because you didn't have a gun? Men usually do it with guns, don't they?"

"These days, yeah, apparently."

"Is that how you imagined it?"

"I never thought about the . . . technique," I said. "I just thought about not ever getting out of bed."

"That's the dream, isn't it? Staying in bed forever." She nodded. "I used to think about doing it Virginia Woolf–style, filling my pockets with rocks and walking into the lake."

I said, "At Ashbridge's Bay? The lifeguards might get you."

"In my dreams it wasn't in the city," Ethel said, "which was part of the problem, we didn't have a cottage and I didn't really know anywhere else, you can't take the bus to 'deserted shoreline.'" She made the air quotes.

"That's good."

"Then I thought about doing it Sylvia Plath–style, head in the gas oven."

"That's what she did?"

"Yup. That's the way Elton John tried it."

"He did?"

"Come on," Ethel said, "'Someone Saved My Life Tonight,' what do you think that's about?"

"I don't even know what 'Tiny Dancer' is about and I've heard it a million times."

"He tried it. A couple more times, I think. Almost everyone thinks about it."

"Is that what I tell him. 'Don't worry about it, everybody does it?'"

"You probably shouldn't tell him anything. Maybe just listen to him?"

"What if he doesn't want to talk to me?"

"Just wait."

"For how long?"

"As long as it takes." She got out her phone. "I'll wait."

When I climbed the three steps to the front door, I stopped and thought I should go get a few coffees and some doughnuts — construction crews are like movie crews, they like a break.

The door opened and a guy standing there said, "Come on in."

I said, "I'm looking for a guy named Kevin Mercer. But he might be using a different name."

"Oh yeah, he's here, come on in."

Stepping into the living room I saw three other guys standing there looking at me.

None of them were Kevin Mercer.

They were all too young, in their thirties. All white guys, which struck me as odd. I hadn't seen an all-white crew on a movie — or in a movie — in a long time. It didn't mean there weren't any, of course.

"That's not the only job you're working, though, is it?"

I looked back over my shoulder to the guy who had let me in, the guy talking to me now, and I said, "No, I'm also scouting a movie."

"But that's not all, either."

If it was a movie, the camera angles and close-ups and the music would let the audience know the scene was tense, menacing, dangerous.

I didn't need any of that to know it.

"Yeah," I said, "that's it, that's all."

"No, you're also working for OBC."

"Sometimes."

"But when you do work for them, you lie to them."

"No, I don't."

He smiled. He'd seen more movies than I had.

"Yeah, you do. You tell them you're on their side, but you're not. You're a fucking rat."

"I don't know what you're talking about."

He punched me in the stomach. I doubled over and he punched me in the face and I fell to the floor.

"Now you're lying to me, don't do that."

"I'm not lying." Blood was pouring out of my nose. He kicked me in the stomach.

"You kept sticking your nose in where it wasn't your business."

I thought, holy fuck, if this guy calls me a "very nosy fella, kitty kat" and opens a switchblade and asks me what happens to nosy fellas, I'll be more pissed off at his stealing the bit than slicing my nose.

No, the slicing would be worse, so I pressed my hands over my face as tight as I could.

"You fucking followed people when no one even wanted you to. What a fucking time to finally show some initiative, asshole."

I hadn't even recognized him. The cop Ethel recognized when she did her scene with Samantha Singh. Fuck.

I said, "I wasn't following anyone."

"What? Take your goddamned hands away."

I kept my hands firmly over my face. "It was a coincidence. They really happen, you know."

He laughed. Then I felt him moving around, getting down on one knee and putting his face close to mine. He said, "Yeah, they really happen, but you, you dumb fuck, you know what I'm talking about. I didn't even tell you yet."

"He wet his fucking pants."

MacKenzie laughed again. "You're going to have such a great time in prison. It's going to be epic."

I had no idea what he was talking about.

"Let's go."

I felt hands grabbing me and pulling me to my feet. My hands were pulled away from my face and I saw the cop, Richard MacKenzie, smiling his shit-eating grin at me.

"Just when it looked like this stakeout was going to be a bust."

He held up a camera bag and pulled a bunch of baggies of cocaine out of it. I'd seen much better prop coke. And some of the real thing — not as good, to be honest.

"You've been dealing to the whole crew, that's terrible."

I didn't say anything. The other three guys were standing around grinning at me, too, and I figured they were all cops. They all had the same look, the same fucking swagger.

"Do you want to know who ratted you out?"

I could think of a few grips and a couple of guys in Transport who were probably very easy for these cops to pressure.

I said, "I'm not following anyone anymore, I'm done with it."

"Oh, you think this is the warn-you-off speech? You think this is where we threaten you? No, you fucking moron, we're past that. This is punishment."

"You don't have to."

My arms were just about pulled out of their sockets. My wrists were cuffed.

"We can't just let you walk around selling drugs," MacKenzie said. "We take our jobs seriously. Let's go."

Someone grabbed my shoulders and turned me around to face the front door.

One of the cops said, "What the fuck!"

Ethel said, "That's good, everybody looking right into the camera, thanks." Her phone was held up and she was filming.

"Get her."

I dropped to the floor in front of a couple of guys as they started to run and they tripped over me.

"You fucking moron."

They were on their feet but one of them kicked me before heading to the door. All the other guys kicked me on the way by, so by the time I managed to get to my feet I was dizzy and almost fell over. I staggered to the door and fell out onto the front porch.

Ethel was standing in the middle of the street holding her phone. All four of the cops had come out of the house and were standing on the front lawn looking at her.

MacKenzie said, "OK, honey, we don't give a shit about you, give us the phone and take off."

"I'm taking him with me."

"He's going to jail."

"No, he's not," Ethel said. "I got your whole bull-shit frame-up."

MacKenzie said, "Give me the phone and maybe I won't knock out all your teeth."

"She's got us all on film."

"I fucking know that."

From the porch I could see people had come out of the house next door. A couple more were on the porch across the street. Some of them were filming the scene, too.

Ethel said, "It's too late, asshole, I'm not filming, I'm broadcasting."

"What the fuck?"

"Yeah, Robin Lofting is watching all this, she saw everything."

"You don't know that fucking cunt."

"She's been working on this story for months. All you guys working for Emery, leaking everything to him."

One of the cops pulled his jacket to block his face, said, "I'm outta here," and took off.

Another one, also covering his face, followed him. I didn't see where they went, they were just gone.

MacKenzie said, "Bullshit." He started to walk towards Ethel and saw the people across the street.

The other guy said, "Let's get out of here."

"Fuck!"

Ethel said, "You're front-page news now."

"You're going to fucking regret this."

MacKenzie ran back onto the porch and grabbed me by the back of my neck. The post on the porch came rushing at me and the next thing I knew Ethel was holding the sides of my face and saying, "Are you OK?"

"No."

She had a napkin in her hand and was holding it up to my nose. I hadn't realized it was bleeding. She said, "You're going to be OK. You were only out for a few seconds."

"Where are the cops?"

"They're gone."

I closed my eyes and started to drift off and felt a slap on my face.

"Don't close your eyes."

I said, "OK."

"Can you stand? We'll get you to the hospital."

"No, I'm OK, really."

Ethel helped me down the stairs and the few feet to the sidewalk.

A small crowd had gathered in the street and a woman said, "What's going on?"

"Just a misunderstanding."

"They said this was over when they busted this house," the woman said. "But the cops keep coming back." She looked at me. "You're a dealer?"

A man in the crowd said, "Jesus, Wanda."

"He don't look like a dealer, he went down too easy."

Ethel said, "He's not a dealer."

I was in the passenger seat then, my hands still handcuffed behind my back, and Ethel was putting on my seatbelt. She closed the car door and I closed my eyes. I remembered something about not falling asleep after a blow to the head, but I really wanted to just fade out. I just wanted to close my eyes and be gone.

The driver's side door opened and closed and the engine started. The car made a three-point turn and drove slowly.

Ethel said, "I don't think you're supposed to fall asleep."

"It's OK," I said. "I don't ever need to wake up."

"Yeah, you do. We've got stuff to do."

"No, I can just sleep forever. I don't care about this anymore, I don't care about Samantha Singh or Michael Emery or Kevin Mercer or anything."

"You're rambling." The car turned a sharp corner. "But at least you're not sleeping."

"Was that true?" I said. "Were you broadcasting?"

"No, but I am going to send it to Robin."

"They're going to kill us."

"No, they're not."

It was quiet for a few minutes.

Ethel said, "OK, we're here."

I opened my eyes and saw my father standing by the front door.

Ethel got out of the car and I heard her say, "He doesn't want to go to the hospital but he was out cold, he probably has a concussion."

My father said, "No, he just has a low tolerance for pain, he passes out."

The car door opened and Ethel leaned in and unclipped the seat belt.

"That's true," I said. "I do pass out when I'm in pain."

Ethel helped me get out of the car and held my arm as I walked to the house. She said, "I don't know what to do about the cuffs."

My father said, "Why is he wearing them, this some sex thing that went wrong?"

In my head I said, what the fuck, Dad, but I don't think I said it out loud.

Ethel said, "He got set up by some crooked cops. They were going to arrest him for selling cocaine."

"He's selling coke now?"

"No," Ethel said, "they planted it on him."

"All right," my dad said, "bring him in the garage, I've got bolt cutters," and Ethel said, "Of course you do."

My dad said, "Why would the cops do that?"

We were in the garage then, by my father's workbench. I was still a little dizzy, but my head was clearing. I saw him coming towards me with the bolt cutters.

Ethel said, "We found out that cops are working for Michael Emery."

My dad stopped moving and said, "The billionaire who assaulted all those women?"

I said, "He's not really a billionaire."

Ethel said, "That's the guy."

My dad said, "He's got active-duty cops on his payroll?"

"Yes."

My arms twisted suddenly and I yelled, "Ouch," and my dad said, "Hold him up, he's passing out again."

"I'm not passing out." One arm was loose, the handcuff fell away and there was a loud snap as the other one was cut. "And I didn't before, I got knocked out."

"Just for a second," Ethel said. "Couple of seconds."

My dad said, "Well, everybody knows Emery's going to do everything he can to beat the charge."

Ethel said, "You think he raped the women?"

"Sure, I believe them."

"A lot of people say he wouldn't do that, he wouldn't need to, guy with all that money," Ethel said, "he could just pay for it."

"Guy with all that money," my father said, "doesn't like to hear the word no. Besides, it's not about the sex, it's about the power, right?"

Ethel said, "That's right."

I was going to say, who are you and what have you done with my father, but I was getting dizzy again. Hearing my dad talk like this was sort of another blow to the head.

"You found out about the cops?"

"Yes, we got proof."

Ethel held up her phone.

"So they came after you," my dad said. "The cops?"

"Yes, they ambushed him. They were going to plant the coke on him and arrest him."

"Why didn't they?"

Ethel said, "I filmed them doing it, I sent it to a reporter. We told her about the cops a couple of days ago and she's been working on the story."

My dad said, "That sounds kind of exciting."

I said, "It wasn't. It would be in the movie, there'd be a big fight scene and a chase scene, and shooting, probably, she'd get hold of a gun." I looked at Ethel and she was smiling a little. "Use that instead of the camera."

Ethel said, "Then say something cool, like, 'Now you aren't working for anyone.'"

"Have to work on that."

My dad said, "They just let you go?"

I said, "They scattered."

"You think they'll come after you again?"

"Probably."

Ethel said, "I guess it depends how big a story this is, if it's front page."

"If it gets published at all. Emery has a lot of pull."

Ethel's thumbs flew over the screen on her phone and she said, "Robin has it now. Let's see what she can do."

No one said anything for a minute and then Ethel said, "No more moonlighting for you, Bruce Willis."

I said, "Those guys weren't born when that show was on."

"I'll get it, you wait."

"How long?"

"As long as it takes," Ethel said. "You need the right line."

Luckily we didn't have to wait as long to find out what Robin Lofting did with the video Ethel sent her.

CHAPTER
THIRTY-TWO

The story hit big. Front page and exclusive. Full-colour pictures.

Robin Lofting had called Ethel to let her know it would be in the morning paper. And maybe she should get out of town for a while. Ethel had laughed that off and said, "I'm a public figure."

Robin said, "I know, but think about it."

Now we were sitting at the kitchen table in my dad's house reading the papers.

The *Star* headline read, "Cops, Crown Attorneys, Reporters Working for Emery During Investigation."

It was clear that Robin had been working on the story for a while and it might have run even without our contribution, but what we'd provided really pulled it all together. Since even before Emery had been questioned by the police, he'd been kept in the loop. His lawyers had been on top of every step of the investigation all the way along. There was a hint that maybe there had been previous women who'd gone to the police, but they were able to stop that from getting any further.

I had gone out and bought two copies of the *Star* and also the *National Post* and the *Globe and Mail*, they all had stories. The *Toronto Sun* had some spin-control headline about a witch hunt, but even that was buried far below the big story about a fire at the sex robot brothel. What a great city.

My father said, "There isn't anything in any of this that people didn't suspect. Rich guys buy their way out of anything."

"Yeah," Ethel said, "but this has a lot of details. This names the names and tells exactly where the bodies are buried."

I said, "Bodies got buried?"

"It's an expression," Ethel said. "But I haven't finished the story yet, so I'm not a hundred percent certain."

Robin's story had all the details, but it was clear the other papers had also known about a lot of this already. I got the feeling that if Robin hadn't published her story, no one else would have touched it. In Robin's story there were details about meetings between two senior cops and the head of the police union with Chris Simpson at OBC. There was a sidebar story about the history of the Old Boys Club and jobs it had done for rich guys in the city going back fifteen years.

I said, "She didn't even need us."

"No, the picture of the cop following Samantha Singh really pulls the whole thing together," Ethel said.

My father said, "And the picture of you getting punched in the face, that really sells a lot of this."

Ethel said, "You can't tell that's you, and she didn't use our names at all."

I said, "The cops know."

"They're going to be busy doing damage control on this for quite a while."

"That's not really comforting."

"Well, what are you going to do," Ethel said, "you can't just run away."

"Sure I can, I'm going to Sudbury for two months. Maybe three."

Ethel tilted her head to one side and said, "Maybe I should come with you," and before I could think about it, I said, "No way."

She said, "What do you mean, why not? You don't want me to."

"Not because of you, it's just so boring."

"But maybe I should."

I put the paper down and looked at her. "I would love it if you came with me, but what would you do?"

"I could write, I could finally finish my sidekicks show."

"You'd have plenty of time just sitting around."

"I have to teach a class next Tuesday."

"So, come up today and come back on Tuesday."

"After that?"

"When have you ever planned any further than that?"

"I plan plenty," Ethel said. "But for now that works, let's do it."

"Great. I'll book you a plane ticket right now." I got out my phone and opened up the app.

My father said, "This is a huge story, you know. All this OBC stuff, all the cops, the work they're doing for people they're not supposed to be doing, this isn't going to go away for a while."

"Gabrielle Vandermeer and Emily Burton." Ethel put the paper she was reading down on the table and said, "They're not in this story at all."

I thought my father was going to ask who they were, but he said, "The story is a guilty plea." He shook the paper a little. "Everything this guy did to fight them, to make them go away and they didn't. They stood up to all this." He spread his hands out over all the papers covering the table. "They're not going away now."

Ethel said, "That's right."

"OK, flight is booked. We leave this afternoon," I said.

"We have time to swing by my place?"

"Sure," I said. "If we leave right now. Dad, what about you, you going on the lam?"

"As a matter of fact I am."

That wasn't what I expected.

"Me and Ida are going to Montreal."

"Wait, what?"

"I'm sure I told you," he said.

"I'm sure you didn't."

"Well, I'm telling you now."

"How are you getting there?"

My dad said, "As crazy as it sounds, we're going to get in the car and drive there." Then he held both hands up to his head and made the mind-blowing gesture.

Ethel laughed.

"What are you going to do there?"

"Don't try to imagine it," my dad said. "It's too crazy."

Four hours later, Ethel and I were on the plane waiting to take off at Billy Bishop Airport and she said, "I do feel like I'm running away."

"You get used to it."

"No, seriously, it's like this bomb exploded and we're nowhere near it."

I said, "We did what we could and now we leave it for professionals, we let other people do their jobs."

"But what if they don't?"

"It's like a movie crew, don't try to do everyone else's job, just do yours. Improv works like that, doesn't it?"

"No, you always try to get the best lines for yourself."

"No, you don't."

She nodded. "No, you don't, but you want to. And you always worry the other people are going to blow the set-up, you hang one out there and you die inside waiting for them to hit it."

"And when they do, it's fantastic."

Ethel turned her head and looked at me and said, "Look at you, Mr. Optimistic."

"I've really changed," I said. "I went on my hero's journey and I came through it a new man. It really does work."

She said, "Sarcastic bastard."

"Well, I didn't get closure, so it doesn't work completely."

"Sarcastic fucking bastard."

"Here." I handed her my iPad. "You want to read the script for this piece of junk we're going to be working on?"

"You said it was good."

"I said it wasn't terrible."

"Oooh, high praise from you, cynical sarcastic bastard."

She took the iPad and we settled in for the flight.

I watched the skyline of the city fade away as the plane climbed to its cruising altitude. Dozens of brand new condo buildings and still more construction cranes. It felt like every time I left I came back to a different city. Some people probably found that exciting. Poor non-cynical, non-sarcastic non-bastards.

An hour and ten minutes later, we were four hundred kilometres north of Toronto and started the descent into Sudbury. Ethel handed me back my iPad and said, "You're right, it's not terrible."

"Right."

"The old couple, they find a kind of fulfilment helping the people in that town."

I had to think for a moment to remember the details. Old couple, recently retired and not feeling fulfilled, go through a covered bridge and come out in 1968. They think they can get to Memphis and stop the assassination of Martin Luther King, but get stuck in a small town in some other state, Ohio or Pennsylvania, something like that. Then, because they know what's coming through the '70s and how the mill will close and the little town will suffer, they decide to stay and help people as much as they can.

"Yes," I said, "they are changed by their journey. But you can see every beat coming."

"Well, with good enough actors and a decent soundtrack, please something different, not the same old classic rock and Motown, it could be OK."

"Yeah, OK."

Ethel said, "I know it's shitty, but it's also kind of nice that you're upset you didn't find that guy."

"I'm not upset about that."

"Yeah, you are."

"I don't believe in closure."

"No, but you wish you'd found him. Didn't your friend at OBC first say he was in Sudbury?"

"I think that was just bullshit to string me along," I said. "So I'd be stupid enough to walk into that house where the cops were waiting."

"See, now that's a set-up line. Now I say, he didn't need to string you along for you to do something stupid, ba-dum."

"But you wouldn't say something like that to me."

"No, never."

I was glad Ethel had come on this trip. I was feeling like we were a couple, like we would be a couple for a while, like we could do anything together.

Still, what she did in Sudbury really surprised me.

CHAPTER
THIRTY-THREE

Back at the dawn of time, when I started working on movie crews, people sometimes called it summer camp for adults, and at the time there was some truth in that, especially an out-of-town shoot. We'd take over a couple of motels, there'd be parties in the parking lots, barbecues, softball games on the rare day off, a very communal feeling.

And sometimes it was still there, but like so many things these days it felt like the life was being squeezed out of it. Locations departments used to have eight people and now they have four, other departments have been cut, too, and days have gotten longer. Days off are usually filled with chores and errands or, often, catching up on paperwork and organizing.

Maybe I've just been doing it too long.

Ethel was having a good time. For talent, she fit in with the crew pretty well, and when she came into our room at the Holiday Inn and said she had a big surprise, I thought the set decorator had offered her a job as a props buyer — they'd spent so much time talking about vintage Pyrex and chip and dip sets.

But she said, "I found Kevin Mercer."

I'd just come out of the shower and I was drying my hair and I said, "What?"

"Yeah. Remember he worked here for a few days and the Ministry of Labour inspected the site he was on?"

"I remember that's what Teddy said."

"It was true. I found the guy who hired him."

I sat down on the edge of the bed, the first feelings that swept over me were disappointment that she'd done this instead of me and then anger and I pushed that out and settled on minor annoyance. "And he told you where Kevin Mercer is?"

"No, not exactly."

That actually made me feel a little better. "But he knows?"

"No, he doesn't know."

"OK, so you haven't actually found Mercer."

"No, but he knows a guy who might know."

"Well that's something, yeah."

"So let's go talk to him."

"Now?"

"He got a job at the Home Depot. He's working now."

It was a ten-minute drive — everything in Sudbury was a ten-minute drive — but as soon as we pulled into the parking lot, it could have been any Home Depot in any city in North America. Cars and pickup trucks, a couple of orange vans you could rent at the tool rental counter, a contractor's entrance and a fast-food joint by the front door. That was probably the only thing that wasn't the same in every store — this one was a Harvey's.

Ethel said, "His name is Jacob Weber."

We walked around the store for a few minutes, looking at the names written in black magic markers on the orange aprons the staff wore and Ethel said, "How can you find locations, I bet you never ask for directions."

"I have a GPS. Before that I could actually read a map."

In the plumbing aisle, a man was explaining to a young couple that they needed the pipe to be angled down a quarter inch for every foot. "So, if it's four feet long," he said, "it needs to be an inch lower at the other end." He tilted the piece of black PVC pipe he was holding. Which was about two feet long and he angled it more than an inch, but I guess he was exaggerating for effect.

When the young couple started to walk away, Ethel said to the guy, "Excuse me, do you know Jacob Weber?"

The guy looked especially confused and said, "No."

Ethel said, "He works here."

"Good for him."

I said, "You don't work here, do you?"

"Nope."

Ethel said, "Of course. OK, well, if you see him, could you let him know we're looking for him?"

The guy made a face like we were a little odd and walked away.

In the electrical aisle we found a young guy with "Jacob" written on his orange apron and I said, "Hi, are you Jacob Weber?"

"That's right."

He was probably twenty-five, blond hair, skinny. No tattoos that I could see.

"You were working on a renovation project a couple weeks ago?"

"Longer ago than that."

"My name's Gord," I said. "I'm a private detective and I'm looking for a guy who was on that job."

"Robert Asselin? Cops are looking for him, too."

"Why are they looking for him?"

"He's selling drugs."

"That's not who I'm looking for," I said. "The guy I'm looking for called himself Mark Kennedy. But his real name is Kevin Mercer."

"Oh right, yeah, he was rooming with Asselin."

"So, they might have taken off together?"

"No," Jacob said, "Mark's still here."

"What?" I said, "in Sudbury?"

"Yeah, he's still at the Nick."

"Is that the Nickel City Inn?"

"I guess so, I don't think I've ever heard anyone call
it that. But that's what the sign says, yeah."

I said, "Thanks."

On the way out of the store, Ethel said, "Wow, hiding in plain sight."

"The Nickel City Inn in Sudbury isn't exactly plain sight."

"But it's not exactly hiding."

In the rental car I said, "Well, I guess he doesn't think anyone's looking for him."

"Well, all right, let's go."

We drove across town to the concrete block bunker, and I said, "Apparently the bar gets good reviews."

Ethel said, "Yeah, I wouldn't expect the people who use the rooms to leave reviews."

The lot was almost empty, just one pickup and a couple of small cars. I parked and said, "I looked for him here."

"He was here when you looked?"

"No, I think he was in Calgary then."

We walked towards the door to the office, and I said, "I bet he's sitting in the bar having a drink."

"No way," Ethel said. "That would be too much like a movie."

Of course, that's where he was.

CHAPTER
THIRTY-FOUR

Only two tables were occupied, a man and woman at one and Kevin Mercer and three other guys who looked a lot like him at the other.

I wasn't sure what to do, but Ethel walked right up to the table and I followed. She stood there for a moment and a guy said, "Can I help you?"

"Would you say Lucy was Desi's sidekick or was he her sidekick?"

The guy said, "The neighbour lady was her sidekick."

The woman at the other table said, "That was later, when it was just Lucy. No, she wasn't his sidekick."

I caught Kevin Mercer's eye and motioned for him to come with me. I said, "Kevin, can we talk?"

Ethel said, "So what about Edith Bunker, was she a sidekick?"

The woman at the other table said, "No," and turned her chair to face Ethel. "She delivered a lot of the punchlines, always pretending she didn't understand what she was saying."

"She always knew," one of the guys said.

Kevin followed me to a table about as far from the others as we could get. He'd brought his beer and put it on the table as he sat down.

"Are they still calling you Mark Kennedy?"

"Yeah."

I nodded. "My name's Gord Stewart. I'm here working on the movie."

"All those classic cars," Kevin said. "Very cool."

"They are." I could hear Lana complaining about how expensive they were to rent. "But I'm also a private eye. I've been looking for you."

He was surprised, of course. He said, "You were looking for me? Why?"

"No one knew where you were."

"Shit, you been looking for me the whole time?"

"On and off."

"Someone hired you?"

"Your wife."

"Shit. How much money did she pay you? Where did she get it?"

343

I said, "I work for your niece, Lana. She's on this movie, too."

"Lana's here?"

"Yes."

He didn't say anything. He drank some beer.

I said, "Anyway, yeah, I'm a private eye. I've got a license and everything."

"You're like Rockford."

"Exactly the same."

He smiled a little.

The waitress came to the table and said, "You want another one, Mark?"

"Sure."

She looked at me and I said, "Yeah, I'll have one, too. Do you have one of those Nickel City lagers?"

"Sure do."

She walked away and I said, "Microbreweries, just like in Toronto."

"They're everywhere," he said. "Every town has them."

I was thinking, yeah, like they all have Home Depots and fast-food joints and sketchy bars like the one we were in. I said, "Officially, I've stopped looking for you."

"So you going tell people I'm here?"

"Does it matter to you?"

"Not really."

"Is it an even fifty-fifty, or is it like sixty-forty you would prefer I didn't."

"You do whatever you want."

"Like you're doing."

The waitress put a bottle of Labatt Blue in front of Kevin and a glass of beer in front of me and said, "You want anything else?"

Neither of us did and she walked away.

When the silence started to get really awkward, I said, "You know, movies don't often have ambiguous endings anymore."

"They don't?"

"Or really sad endings. Even when they should. Most of the guys I went to film school with love *Pulp Fiction*. Do you love it?"

"It's OK."

"But the story is told out of order. The guys get killed because you know they have to get killed doing what they're doing, but that's not the ending. The ending is the middle when they're still alive."

Kevin drank some more beer and looked at me.

"I had a screenwriting prof at Humber who said you can't get away with those '70s endings anymore. He said you'd never have a movie end like *Easy Rider* now."

He was still staring at me. I could tell he'd seen it.

"Or *Cuckoo's Nest*. I mean, I guess it's kind of happy for the Chief, but not for Jack Nicholson, right?"

"It's what he wanted."

"Better dead than living like that, right?"

"That's right."

"Everybody told your wife you were dead, but she didn't believe it. She didn't think you'd rather be dead than live with her."

"It wasn't her."

"I know," I said. "It was you."

"It was. It is."

"They'd be better off without you."

"I was bringing everyone down. I was just this fucking grey cloud hanging over everything. I didn't want to be."

It felt like he was pleading with me.

I didn't know what to say. Across the bar, everyone laughed. Kevin and I both looked over and saw Ethel

345

talking, waving her hands, everyone listening to her. It was like she was doing stand-up and she was killing it.

"Maybe," I said, "you weren't thinking straight. Maybe once you started to think they'd be better off without you, that was all you thought about."

"Maybe I was right."

"Maybe at that moment you were. Maybe it's different now."

"I don't know."

"Well, you don't have to know anything now."

"What are you going to do?"

I told him the truth. "I don't know. I haven't thought it through, I never had any idea what I'd do if I found you. But now I think I'm going to tell Lana you're here and she'll probably tell your wife." He didn't say anything and I drank some beer. Then I said, "If you want to take off again you probably can. Go back to Calgary."

"You knew I was in Calgary?"

"Did you know the guy you gave the apartment to hung himself?"

He grimaced and said, "No, I didn't."

"Didn't find him right away."

"You found him?"

"I did."

We both drank.

Then I said, "Look, I don't really know, but my guess is your wife wants to see you."

"What can I say to her?"

"What do you want to say?"

"I don't know."

I said, "Do you like it here?"

He looked surprised and said, "Yeah, I do."

"You're working?"

"Yeah, I'm getting days here and there, a couple guys know me now."

"This city is OK?"

"Sure, it's fine."

"As good as any other?"

He said, "Yeah, sure."

"This movie I'm on is set in Pennsylvania."

"Yeah, I saw the license plates on the old cars."

"It's set in Pennsylvania in 1968 and we're filming it in Sudbury, Ontario, in 2020 and no one will be able to tell."

"Yeah, probably not."

"Oh, there'll be some guy who says the yellow line in the middle of the highway was a white line in the '60s but it'll just be stuff like that."

"The '50s," Kevin said. "Started using yellow lines in the '50s."

"But the point is, most cities are pretty much the same."

"So? So you're saying I should just go home?"

"Maybe. Or maybe your wife will come here."

"What?"

"Look, what's probably going to happen is Lana will tell her you're here and then get her a plane ticket. The movie will pay for it and it's only an hour flight. And maybe she'll like it here."

"And what, move here?"

"Yeah, why not?"

"But you just said it's the same."

"It's not really, though, is it?"

"No, it's not."

"When you drove out of Toronto you didn't know what you were going to do, did you?"

"Yeah, I did."

"Really?"

"When I left the house that morning I was sure," he said. "I played it over in my mind a million times. Driving up here, parking the truck, walking into the woods. I knew exactly how it was going to happen."

"But you got cash advances," I said. "From every gas station along the way."

He leaned back in his chair and looked at me. Then he smiled a little and raised his beer. "I didn't plan that. First station I stopped at, the credit card thing on the pump was broken, I had to go inside. Guy ahead of me in line got a cash advance. I never thought about doing it before that."

"But you did it."

"Yeah."

"And then you did it again."

"Yeah. I guess I was just lucky the machine was broken and that guy was ahead of me."

"People don't want to admit how big a part luck plays in their lives," I said. "I know I don't."

"Fucking luck."

"It must have got you thinking."

"Once I had the cash in my hand, I started to think about what I could do with it."

"Go west, young man."

"It's what I did when I was young. I just figured . . . I don't know. Do it again."

I didn't want to say it didn't work out again — I didn't really feel that way.

Ethel came to the table then and said, "So, how you guys doing?"

Kevin and I looked at each other and nodded. I said, "Pretty good," and he said, "Yeah, OK."

Ethel said, "This place actually has some character, you know. It's not nearly as depressing as it looks."

I said, "I think that's what the Yelp review said."

Then I looked at Kevin and said, "OK, so I'm going to go talk to Lana now and she'll do what she's going to do."

"All right," he said. "Sounds good."

I stood up and held out my hand and he stood up and we shook.

As Ethel and I left, he went back to the other table and sat back down.

Driving back to the Holiday Inn, Ethel said, "So, what's his story?"

"He doesn't really have one."

"So, what's the ending going to be?"

"I don't know," I said. "I think he's going to get back together with his wife."

"Just go back to his old life like nothing happened?"

"No, no," I said, "I'm sure he's changed by his journey."

Ethel slapped my arm. Playfully.

"Whatever happens, he's lucky you found him."

"You found him."

"Yeah, I did, didn't I? Maybe this is my hero's journey. But it was just luck."

I said, "You have to be good to be lucky."

"I wish that was true."

"There's some truth in it."

We pulled into the parking lot of the Holiday Inn, and Ethel said, "Would you mind if I stayed another week?"

"No, of course not."

"OK," she said. "I like it here."

"It's OK," I said. "Same as everywhere else."